哈佛牛津都在玩的
1000个思维游戏

Hafo Niujin Douzaiwande
1000gesiweiyouxi

经典读库编委会 / 编写

经典读库
Jingdianduku

内蒙古出版集团
内蒙古人民出版社

图书在版编目（CIP）数据

哈佛牛津都在玩的1000个思维游戏／经典读库编委会编写.--呼和浩特：内蒙古人民出版社，2013.9

ISBN 978 – 7 – 204 – 12397 – 1

Ⅰ.①哈…　Ⅱ.①经…　Ⅲ.①智力游戏 – 青年读物②智力游戏 – 少年读物　Ⅳ.①G898.2

中国版本图书馆CIP数据核字（2013）第223302号

哈佛牛津都在玩的1000个思维游戏

编　　写	经典读库编委会	
责任编辑	李　杰	
文字编辑	王晓慧	
装帧设计	赵　静　王　波	
美术编辑	许瑶瑶	
出版发行	内蒙古出版集团　内蒙古人民出版社	
地　　址	呼和浩特市新城区新华大街祥泰大厦	
印　　刷	北京外文印务有限公司	
开　　本	787×1092　1/16	
印　　张	18	
字　　数	250千	
版　　次	2013 年 10 月第 1 版	
印　　次	2013 年 10 月第 1 次印刷	
印　　数	1 – 10000册	
书　　号	ISBN 978 – 7 – 204 – 12397 – 1/G·2676	
定　　价	29.80元	

如出现印装质量问题，请与我社联系。联系电话：（0471）4971562　4971659

　　思维是这个世界上最为奇妙的东西，同时也是最为强大的东西，世界上每个人都渴望自己像爱因斯坦一样拥有异常发达的大脑，像亚里士多德一样具有严谨的逻辑分析能力，像那些成功者一样有着敏锐的观察力和判断力……然而往往事与愿违，很多人在处理事情的时候总是觉得思维"捉襟见肘"，不够用，导致过程和结果差强人意。此时，你会怎么做？是怨天尤人，还是行动起来提升自己的思维能力？

　　其实所谓的天才，并不是天生的，任何一个人都有成为天才的可能，任何一个人都有拥有增强思维能力的潜质。而这种可能和潜质就看你够不够重视、如何开发。如果足够重视、懂得开发，即使你不能成为下一个爱因斯坦，你的生活也将因此而有所改变。

　　要想拥有正确的思维方法和思维习惯，提高大脑的思维素质，就必须将思维视为一种技能反复训练。进行科学的思维训练，可以帮助人们学会如何思考、如何学习，久而久之，人们的分析、判断、比较、解决问题的能力就会不断提高。比如我们可以通过多角度地看待问题来提高自己的观察能力。列奥拉多·达·芬奇曾经说过："想要找到问题的本质，需要应用不同的方法组合这个问题。"人们第一次看到的问题往往是不够全面的，通过重新组合的方式可以让这个问题获得"重生"，从而让问题的本质暴露出来。而在这个过程中不要担心自己的想法或者做法和别人的不一样，如果芸芸众生全部都一样的话，那么个人的潜质就无从激发，最终也就没人能够获得成功。丹麦物理学家尼尔斯·玻尔指出："假如你将物质的对立面放在一起来思考，那么你的思维运动就可以上升到一个新的高度。"正是因为他懂得这个道理，所以他才能够将光想象成粒子与波浪，从而发明了互补原理。

　　当我们遇到棘手的问题时，也可以尝试着条分缕析去推断这个问题，当所有的证据和线索在严密的逻辑面前现形时，问题自然就会迎刃而解。就如福尔摩斯一样，再扑朔迷离的现象，他都能找到其背后的缘由。

　　不管是政界、商界、科学界、艺术界，还是其他领域，凡是有所成就者无不重视提高和锻炼思维能力，而正因如此，他们才能够成为人中蛟龙。

俗话说："授之以鱼，不如授之以渔。"与其给人现成的知识和技能，不如教会他们获得这些的能力。本书中整理的思维游戏其实就是"授之以渔"的工具。书中总结和归纳了天才们的学习方法和思考方式，精心搜集了近千个哈佛和牛津这些世界名校给学生做的思维游戏，每个游戏都是各名校为全方位训练学生的思维能力专门设计的。我们经过巧妙编排，将这些游戏分为"培养观察力"、"训练逻辑力"、"拓展想象力"、"激发创新力"、"增强应变力"、"锻炼判断力"和"提高数算力"七大板块。每个板块中的游戏内容，难易结合、形式活泼，其中既有考验眼力的合成图像，又有让人疑惑不解的图形难题，还有大量让你费尽脑筋又欲罢不能的逻辑名题，以及侦探迷题、数字推理等最为经典的思维游戏，让你在游戏的过程中，能够大胆设想、推测和判断，将想象力发挥到极致，打破僵化思维，充分利用创造性思维，多角度、多元化、多维式地考虑问题，充分发掘大脑潜能。

为了帮助读者理解谜题，真正实现在轻松、愉悦的氛围中提升思维能力，我们在书中配有大量图片，以便更加生动形象地诠释游戏的内容。对于一些相对较难的逻辑思维游戏，我们还有相应的提示线索，引导读者探索和思考。这些科学的人性化设计，相信一定会为读者带来良好的启迪和助益。

本书献给千千万万热爱思维游戏的读者朋友们。希望这些浓缩了哈佛和牛津大学思维训练精华的游戏，能为你带来震撼性的思维风暴，帮助你快速掌握提高思维能力的有效方法，让你早日拥有一颗高人一筹的智慧头脑，彻底改变人生。

Contents

Part 1 培养观察力的思维游戏

Part 2 训练逻辑力的思维游戏

4

Part 3 拓展想象力的思维游戏

Part 4 激发创新力的思维游戏

Part 5 增强应变力的思维游戏

Part 6 锻炼判断力的思维游戏

Part 7 提高数算力的思维游戏

参 考 答 案

培养观察力的思维游戏

在生活中，很多人都欠缺观察力，对周围的一切不敏感，没有洞察事物本质的眼力。

其实，观察力并不是天生的，而是通过后期的学习和锻炼逐步提高的，没有人一出生就是"火眼金睛"。当一个人的注意力、记忆力、想象力得到提升的时候，他的观察力就会随之增强。要知道，很多事情并不是你第一眼看上去以为的那样，只有经过认真仔细的观察，你才会发现真相。

1. 板条"箱"

请仔细观察下图中板条"箱"上垂直的木条，想一想，这种板条"箱"的结构有可能存在吗？

2. 有问题的楼房

下面的这座楼，看上去总让人感觉有问题，你能看出它的结构有什么问题吗？

3. 恋爱与结婚的区别

在19世纪的时候，英国曾经涌现过一阵反对和批判婚姻制度的浪潮，在这次浪潮中，反对者认为妇女在恋爱的时候是幸福的，但是一旦结婚，她就会感觉非常不幸福。根据这样的认识，有人做了一幅画。仔细看看下面这幅画，你能看出什么奥秘吗？

4. 找到露丝与汤姆

你能从下图中找到一张女人的脸和一个萨克斯演奏家吗？露丝是一个女人的名字，汤姆是吹萨克斯的男人。

5. 从脸谱中找出差异

下面有12张脸谱，在这些脸谱中，有一幅是与众不同的，你能找出来吗？

6. 快速数黑棋子

下面的两组图形分别由白色和黑色的棋子组成。

那么，有什么办法能够尽快知道图2中黑色棋子的数量呢？

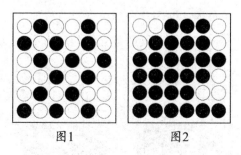

图1　　　　　图2

7. 用方格拼肖像

下面的这幅图中包含了艺术家艾斯车尔的多重小方格肖像。如果你拿着这幅图倒过来看，你能够发现什么呢？

8. 花瓶碎片

下图有一个非常漂亮的花瓶，但是仔细观察的话，你会发现这个花瓶瓶身上有许多裂缝。原来这是一位心灵手巧的工匠用碎片拼凑出来的。现在将构成花瓶的碎片做了编号，你能在认真观察后，将花瓶上的编号写到旁边对应的碎片上吗？

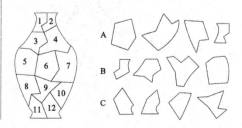

9. 巨鱼与小矮人

仔细看看下面这幅图，你感觉这个比例是正常的吗？为什么看上去鱼和人差不多大小？

10. 为宝塔找碎片

有一座年久失修的宝塔，在风吹日晒中宝塔上形成很多裂缝，让人意外的是，宝塔裂缝造成的碎片中，有两块碎片形状是一模一样的。你能在下图中找出是哪两块碎片吗？

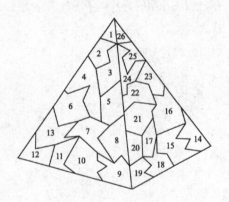

11. 如何摆放消防设备

某个小镇上建有9座仓库，为了防火，小镇政府决定在这些仓库中至少摆放两套消防设备。这样一来，如果一座仓库摆放了消防设备，那么凡是与它有通路连着的仓库都可以方便地取来使用。

请你观察一下，这两套消防设备到底应该摆放在哪里，才能让9座仓库在关键时候都用得上？

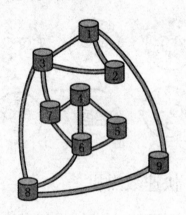

12. 判断季节

有如下两幅图，画的是同样的房间，房间里都有一块钟表，但这是不同季节的房间图片，经过观察，你能判断出哪幅图片画的是夏天的房间么？

13. 一个正方形失踪了

将一张方格纸贴在纸板上。

按照图1画上正方形，然后按照图上的直线切成5个小块，当我们按照图2的样子将这些小块拼凑成一个正方形的时候，居然发现中间有个洞。然后再数数会发现，图1中有49个小正方形，而图2中却只有48个，这到底是为什么呢？

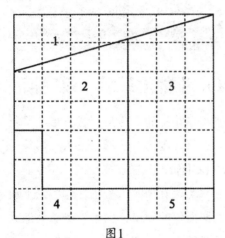

图1

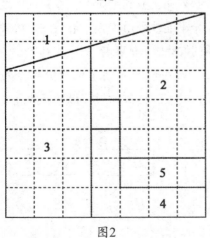

图2

14. 布置彩旗的方法

在某小区中的大十字路口处，有一座四方形的建筑物，居民们想要在建筑物四周都插上彩旗，但是彩旗只有12面。

他们本想按照传统的想法去做，也就是不管从十字路口的哪个方向走，都能够看到建筑物上飘扬着4面彩旗；但是他们在重新考虑了之后，决定改变他们的布置方法，让每一个方向看起来都有5面彩旗；甚至当时还有人提出另外一种布置方法，能够让每一面看起来都有6面彩旗。不管哪一种方案，使用到的都是12面彩旗。

那么，我们动动脑筋，想想看后来提到的两个方案该如何去做。

15. 找到最经济的方法

有三个村庄（三个村庄的分布呈三角形，分下图所示的两种情况），现在需要在它们之间修建一条最经济的公路，那么哪一种方法是最合适的呢？

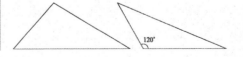

16. 圆圈的移动

下面的图中，有10个圆圈。现在我们可以移动两个圆圈，让纵横的两个序列中，都包括有6个圆圈，从而构成一个十字架。

那么我们该怎么做呢？

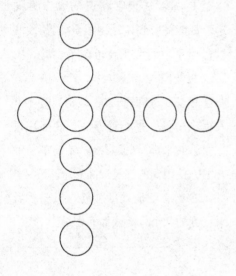

17. 变化多端的三角形

在下图中，有4个正三角形。请问，能不能再添加一个正三角形，让其变成14个正三角形？

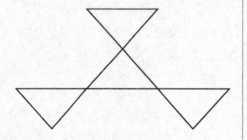

18. 观察鱼游动的方向

仔细观察下图中的鱼，你能判断出它们向哪个方向游吗？

19. 谁能放最后一枚硬币

拿出一张正方形、长方形、平行四边形、菱形、圆形、正六边形等为中心对称图形的纸张。

然后让两个人分别在这些纸上放相同面值的硬币，硬币不能够叠加并且必须完全放到纸张上，直到这些纸完全不能放硬币为止，最后一个放硬币的人就成为优胜者。

现在请问：如果你是第一个放硬币的人，你该如何获得最后的胜利呢？

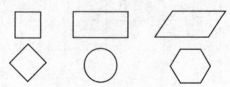

20. 剪完后的纸张

将一张正方形的纸张按照虚线进行折叠，然后再从三等分处折成3层，并将涂黑的地方全部剪掉，那么展开之后的图形会是如下的哪一种？

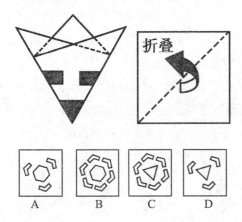

21. 找出相同的蜘蛛网

下面4幅图是由两个不同的蜘蛛织成的，你能找出哪两个蜘蛛和蜘蛛网是相同的吗？

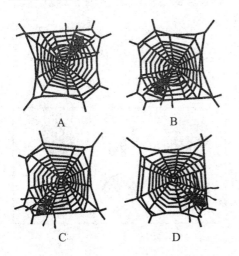

22. 残缺了的棋盘

有一个黑白相间的64格国际象棋棋盘，以及32个黑白分明的多米诺骨牌，一个多米诺骨牌可以覆盖黑白两个相邻方格。请问：切除棋盘上左上角和右下角的白格，从而使棋盘剩下62格，能不能用31个骨牌就覆盖整个残缺的棋盘呢？

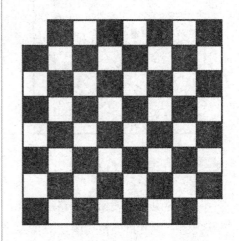

23. 擦掉多余的线

下面这个图形无法用一笔画完，但是只要擦去一条线段之后，就可以一笔完成了，那么该擦掉哪一条呢？

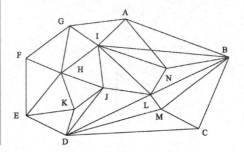

7

24. 滑冰的小孩

下图中，有一些小孩在溜冰。仔细观察，你能从图中找到几个同图片左上方那个小孩溜冰姿势相同的小孩？

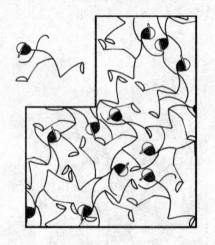

25. 三角形是否存在

下面的图形是奥斯卡·路透斯沃德设计的一幅三角形精简图。但是，你仔细观察，这样的三角形在现实中有可能存在吗？

26. 找变化

下图中有8个小图，从第一张小图开始，头像一直在发生着变化。你能看出从第一幅图到第八幅图（从左至右，从上到下依次为第一幅到第八幅）是从什么变成了什么吗？如果能看出，那么你能观察出它们的实质性变化是从哪幅图开始的吗？

相反的，你也可以从第八幅图逆向往回看，看看是从哪里发生了实质性的变化。

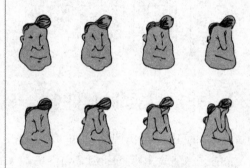

27. 球是凹陷还是凸起

认真看看图中的小球，你能看出有多少球是凹陷的，多少球是凸起的？然后将图片旋转180°再数数。

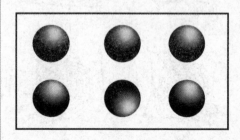

28. 拼桌子的方法

现在有如下图的3组木板，要将它们拼凑成形状最简单的桌子，那么请问该怎么做？

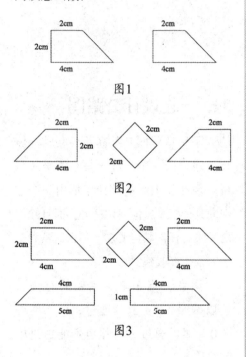

图1

图2

图3

29. 切蛋糕的方法

下图是一个正四面体形状的蛋糕，如果将其从某一个平面中切开，我们该如何切才能保证切口处呈现的是正方形？

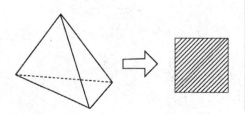

30. 判断时针和分针

图中有4块表，这4块表中的时针和分针的长短差不多，如果不认真观察，很可能分辨不出哪个是时针哪个是分针。你能观察出来么？

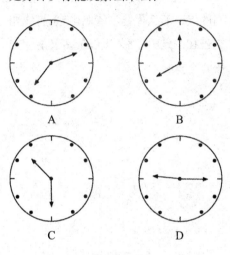

A

B

C

D

31. 多面角出错

下图是一个六角的帐篷，而其几何形状是一个正六棱锥。这个帐篷总共有7个角，其中有6个着地，另外一个是悬空的。那么请问它的三面角有什么问题吗？

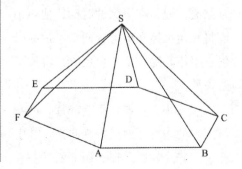

32. 几根直线最多的交点

我们都知道2条直线相交于1个点上；3条直线最多可以相交于3个点；4条直线最多可以相交于6个点。

下面所示的5条直线相交于9个不同的点。那么你能不能画出5条直线相交于10个点呢？5条直线最多又能相交于几个点呢？

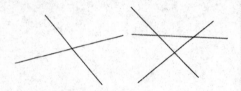

2条直线相交于1个点　　3条直线相交于3个点

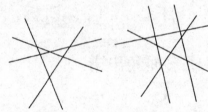

4条直线相交于6个点　　5条直线相交于9个点

33. 找出碎片来配对

杰瑞新买了一把塑料三角尺，非常漂亮。但是在下课的时候，他不小心将三角尺掉在地上，同学经过的时候，不小心踩在了三角尺上，将尺子踩碎了。

杰瑞小心翼翼地捡起碎片，准备将破碎的塑料三角尺拼凑起来。其中有一个碎片如图，那么剩下的另一片

到底是下面4片中的哪一片？

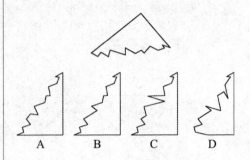

A　　B　　C　　D

34. 一起设计公路图

下面这张图是某高速公路的立体交叉路口图，中央部分是立体交叉钢桥。现在要求其能够让车辆由一个方向向其他三个方向自由换向，而且除此之外没有任何其他要求，那么这条立交桥需要怎样改建？

注意，当车辆到岔路的时候，可以按照（A）这样通过，而不能像（B）那样通过，自然也不能越过中间线。

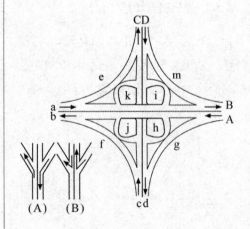

35. 观察朝向

下图的方格中有许多方向不同的箭头，不过，如果仔细观察，你会发现这些箭头的方向是有一定规律的。那么，图中的空格里到底应该填入朝向哪个方向的箭头呢？

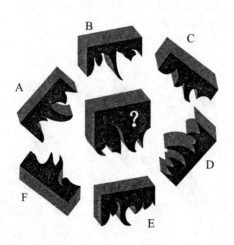

36. 能够吻合的长方形

下面的这些图形中哪一个和带问号的图形结合起来，能够形成一个完整的长方形？

37. 替警察辨认罪犯

一个狡猾的罪犯为了逃避警方的追捕，在慌乱中他悄悄溜进了一家理发店，装作是理发的样子。警察追捕过来的时候，发现理发店里有3个人都正坐着剪头发，相貌都差不多。警察不好贸然打扰这些人，但是他们认定罪犯就在这3个人当中。

警察拿出罪犯的照片，对着理发店的镜子开始仔细辨认，最后终于找出了伪装的罪犯。你能看出来是哪一个吗？

A   B   C

38. 奇怪的大象

仔细观察下图中这头奇怪的大象，到底有什么奇怪之处？

39. 变形建高楼

一天，保罗用火柴摆了两个楼房的模型，让艾伯特对着模型出个问题。

艾伯特说："如果你移动其中的4根火柴，就能把它变成两个不一样大小的正方形了。你知道怎么移吗？"赶紧来帮保罗移动一些火柴吧。

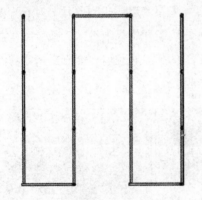

40. 赫尔曼栅格

当你仔细观察交叉处的灰点时，会发现什么情况呢？

41. 连点画正方形

下图排列着25个点，连接其中的一些点可以画出一个正方形。

那么，按照这种方法到底可以画出多少个面积不等的正方形呢？

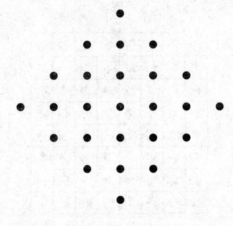

42. 拼出英文单词

下图是一些分散的色块，每一个色块上都有一个顶点将色块钉在了白纸上，如果我们现在转动这些色块，那么它们能拼凑成一个什么样的英文单词呢？

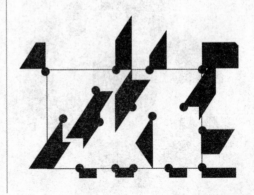

43. 猜头像

有一幅非常有名的图片，它是由美国一位著名的心理学家创作的。他创作的这幅图片从不同的角度看会看到不同的动物头像，仔细观察一下，你能够看到什么样的动物头像？

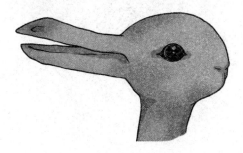

44. 不可能的三叉戟

这是一张非常经典的图像——不可能的三叉戟。仔细看看，你能够辨别其有几根齿吗？

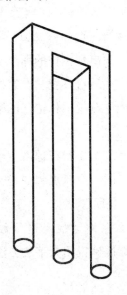

45. 双环填数

将1到8填入下图双环中的各个小圆圈中，如果填正确，如下图，双环的每个环中小圆圈里的数字和为21。

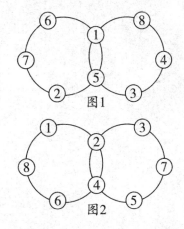

图1

图2

那么你能否将7到14填入各个小圆圈中，使得每个环上的数字和为51；能否将13到20填入小圆圈，使得每个环上的数字之和为81？

46. 完美的六边形

如果我们将直线部分连接起来，能不能形成一个完美的六边形呢？

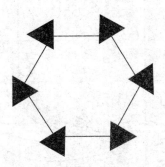

47. 弯曲的线条

请问图形中的这些竖线条是直的还是弯曲的?

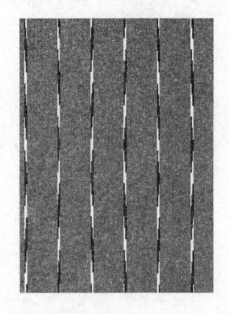

48. 观察小方格

下面的这幅图被分成了20个相同大小的小方格。仔细观察一下,这些方格中,有哪几个方格中的图案是相同的?

49. 变暗了的小方块

仔细观察下图,你能看出中心的小方块跟周边的区域有什么区别么?

50. 巧妙找数字

一天,数学老师在黑板上画了两张表,然后对同学们说:"同学们请看这两张表,请大家在第一张图中随便记住一个数字,然后告诉我这个数字在第几行。第二步,再看看第二张图,找出你记住的那个数字所处的位置,然后告诉我它在第几行。这样我就能立刻说出你记住的数字是什么了。"

同学们听了都很惊奇,纷纷起来向老师提问,没有想到的是,数学老师都能很快回答出来。

那么,你能找出这位数学老师很快就能准确说出数字的方法是什么吗?

1	10	9	21	4	5	1	24	7	18	25	5
2	6	16	3	19	25	2	13	11	22	19	4
3	17	1	8	22	18	3	15	12	8	3	21
4	2	23	12	11	7	4	20	23	1	16	9
5	14	20	15	13	24	5	14	2	17	6	10

图1　　　　　　　图2

51. 探长之死

聪明的探长前几天被人发现死在了自己办公室里，他脑部中枪，手边有一把他自己的佩枪。

有人报案后，赶到现场调查的探员在佩枪上发现了探长的指纹。大家都知道探长平时习惯右手握枪，并且从现场来看，握着配枪的也是右手。所以，赶来现场调查的探员认定探长是自杀无疑。但探长的好友杰森却提出了不一样的意见，他认为探长性格坚强，是不可能自杀的。

杰森在经过观察分析后，找出了有力证据，证明探长不是自杀，而是被人谋杀的。

仔细观察下图，你能发现杰森找出的证据是什么吗？

52. 蚂蚁巧搬家

每到下雨前，我们都会看到大量的蚂蚁忙着搬家，防止雨水进到它们的洞穴里。并且蚂蚁搬家的时候，总是井井有条的，它们也遵循着一定的规律。

下面给出了4张蚂蚁搬家的路线图，其中有3张是已经确定了的蚂蚁搬家路线图，只有一张图的路线还没有确定。你能为蚂蚁补上空缺的那张搬家路线图吗？

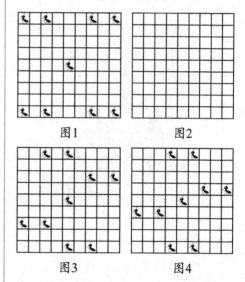

图1　　　　　　　图2

图3　　　　　　　图4

53. 图形是怎样构成的

请仔细观察下面给出的A、B、C、D 4个图形，已知这4个图形是由给出的1、2、3、4中的某几个图形组成的。那么，你能看出来构成A、B、C、D四个图形的分别是哪些图形吗？

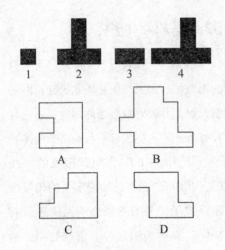

54. 应该填入什么图案

请仔细观察下面的图片，想想在问号处的圆圈内应该填入什么图案。

55. 找出不可能的骰面图

下图有5个骰子和一张骰子面展开图，仔细观察一下，哪个骰子是图中给出的骰子面展开图无法构成的呢？

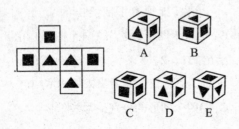

56. 改变心情

下图中的面容，一眼看上去，他们有的很欢乐，有的很忧郁，那么你能改变他们的心情吗？

57. 叠在一起的纸张

请问最少需要几张正方形的纸叠在一起，才能组成下图的图形？

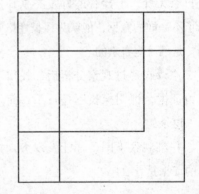

58. 下一个是什么

图中给出了3个有一定规律的六边形，你能从中观察出规律来吗？根据规律，跟随这3幅图的第四幅图是哪个呢？

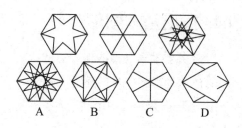

A　B　C　D

59. 不同表情的面具

对下面3张日本能剧面具的表情进行比较，他们的表情一致吗？

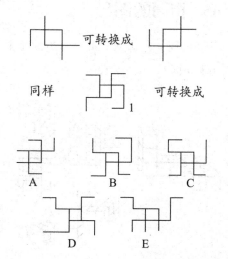

60. 按规律转换图形

根据第一组图形的转换规律，请判断图形1转换后的图形应该是哪一个？

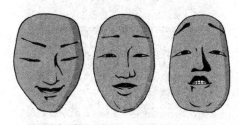

可转换成

同样　　　可转换成

1

A　　　　　B　　　　　C

D　　　E

61. 蚂蚁移动

有一天，贝尔外出回来时发现家门口的围棋棋盘上爬了9只小蚂蚁，这9只小蚂蚁所处的位置（如下图）恰好都不在同样的竖行、横行和同一对角线上。

等贝尔想赶走小蚂蚁的时候，他发现有3只小蚂蚁已经爬到了临近的空格里。

但是令人惊奇的是，这时候的9只小蚂蚁依旧不在同样的竖行、横行和同一对角线上。

你知道这其中的3只小蚂蚁是怎么移动的吗？究竟是哪几只小蚂蚁移动了？

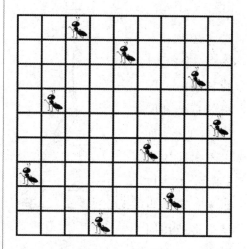

62. 奇妙找人脸

下图中是一个女人的头像呢，还是两个女人的侧脸？

17

63. 搭建积木

泽李奇亚一个人在家玩积木,她将A、B、C、D、E、F、G这7块积木搭成一个如图1的三角体。图中的每个刻度都是1厘米,可以看出底边为8厘米、高为11厘米。可是当泽李奇亚用同样的这7块积木搭成图2的形状时,虽然底边和高的长度没有变,中间却有了一个2×1厘米的空缺。

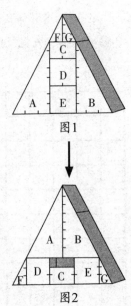

图1

图2

这到底是怎么回事?

64. 找出基本图形

著名艺术家马蒂的作品总能给人们的视觉带来多样性的感受,请问,下图马蒂的6幅作品中用到了多少种基本图形?

65. 相同的图形

请问,左边的图形和右边的哪个图形相同?

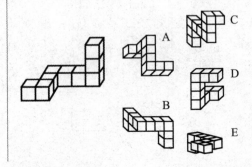

66. 图片中的动物

在下图的问号处应该填上什么动物?

67. 大小齿轮

如下图,外部有8个相互契合的齿轮,小齿轮有20个齿,而大齿轮有30个齿。

请问转动其中的小齿轮多少圈能够形成下图中间所示的样子,也就是说齿轮组成的图形中间形成一个黑色的正方形?

68. 三种水果的摆放

下图的24个格子中有草莓、苹果和桃子,它们按照一定的规律摆放。

请问,左下角空格处应该摆放什么水果?

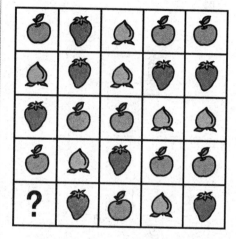

69. 木场长官遇到的难题

某地木场的长官是一个年迈的老人,他在工作的时候遇到了一点麻烦。有人和他打赌,说他无法将下图构造中的4个钉子转移到别处,从而使之前的5个正方形变成6个。

请问,你能够做到吗?

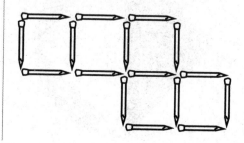

70. 涂黑的方框

下图的大三角形由10个方框组成。

请将其中任意4个方框涂黑，使得没有任何3个方框能够构成一个等边三角形。

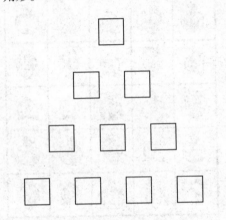

71. 图形中有两条鱼

请从下图白色和黑色的三角形中各剪下大小、形状相同的一块，交换位置贴上去，使得整个图形看起来好像有两条鱼。

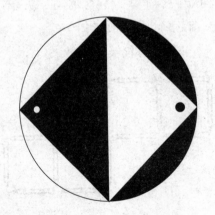

72. 摆放棋子

下图是一个棋盘，上面放有6颗棋子。请再放8颗棋子，使得：每条横线和直线上都有3颗棋子；9个小方格的边上均有3颗棋子。

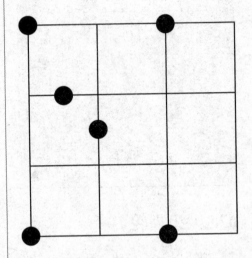

73. 区域的划分

请将下面方格划分为6个完全相同的图形，要求划分之后的每个图形上的所有数字之和为17。

7	1	4	4	4	3
3	5	5	3	5	2
5	5	1	3	5	0
1	4	3	2	0	5
3	0	4	5	6	4

74. 西尔平斯基碎形

将一个等边三角形分成4个全等的小三角形，并除掉中间的小三角形，然后，又将其余的3个三角形按照同样的方法分割。如此往复，达到极限后将会得到一种被称为西尔平斯基碎形的图形。

你能在第一至第三次分割所得图形的基础上，将第四次分割后所得到的西尔平斯基碎形画出来吗？

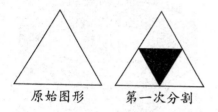

原始图形   第一次分割

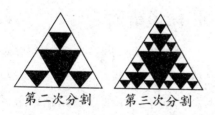

第二次分割   第三次分割

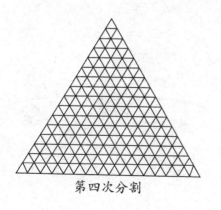

第四次分割

75. 物体的第六面

下图中的A、B、C、D、E是由几个完全相同的小正方体构成的物体的五个面。

那么，请猜测其第六面是什么样子的。

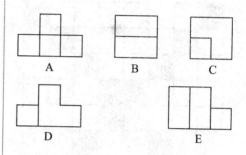

A   B   C

D   E

76. 相同的图形

如何将下面5个图形分别分成形状、大小均相等的两个图形？

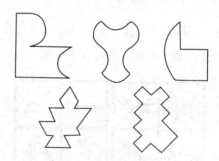

77. 白布上的墨水

是一块有着很多格子的正方形白布，有人不小心在上面洒上了墨水，而墨水正好洒在了正方形白布的对角线上。有位老先生说只要在干净处滴

21

上8滴他特制的药水，就能够让墨水自动消除，但是8滴药水不能滴在同一横线或者竖线上，一旦违反，整块布都会变黑。

如下图，老先生已经自己滴了一滴，剩下的该如何滴？

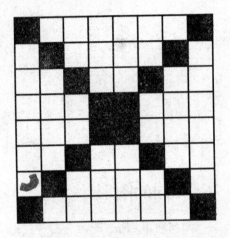

78. 四组图形

下面的四组图中，只有一组与其他的三组不对称，你能找出来吗？

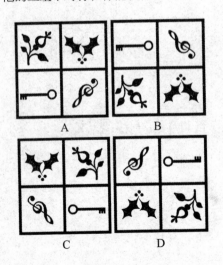

79. 粘在一起的圆圈

用两条宽度和长度均相同的纸条做两个圆圈，如下图在P处将两个圆圈粘在一起，然后沿虚线剪下来。

请问，剪下来的图形会呈什么样子？

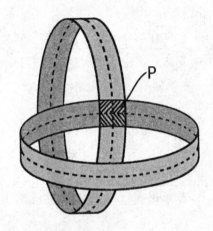

80. 轨道错觉

开普勒发现了行星围绕太阳运转的轨道是椭圆形的。

请问下图中的轨道是椭圆形的吗？

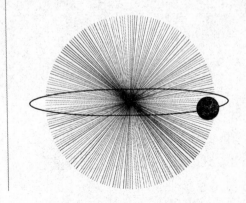

81. 被切割的圆形图片

如下图，在一张圆形图片的中间有一个方孔，在方孔四周对称做一些图形。现在需要将其切割出大小、形状相同的四块，而且每一块上面都要有一个小圆圈和一个小三角形。请问，该如何切割从而符合要求呢？

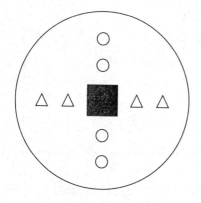

82. 不同类的图形

下面A、B、C、D、E中有一个图形和其他四个不是同一类。

请问，哪一个不是同类的？为什么？

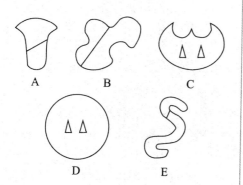

83. 多米诺骨牌的摆放

下图中是一整套多米诺骨牌，即从（0，0）到（9，9）的数字组合。这些骨牌可以横放，也可以竖放。每个数字指代一张骨牌上的其中一个数（一张多米诺骨牌上有两个数）。

请问，这些多米诺骨牌是如何摆放的？

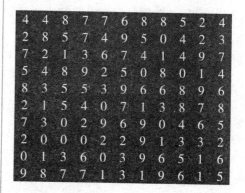

84. 图形的选择

在下面的两套图中存在着一定的相似性，同时也存在着一定的差异性。请从最下面的4个选项中选择一个，取代图2中的问号。

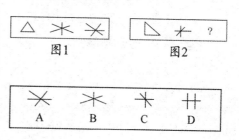

23

85. 一个院中的三家人

在一个院中住着三户人家，他们的关系简直糟透了，不仅相互不说话，甚至都不愿意见到对方。如下图，每次他们出门的时候都是各走各的门，A户人家走A门、B户人家走B门、C户人家走C门。为了能不遇到其他两家人，他们走的路都不会交叉。

请问，他们每户人出门的路线是怎样的？

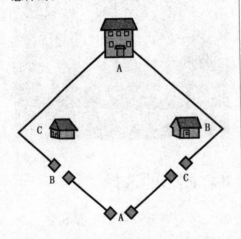

86. 移动硬币

用10个硬币排列成一个三角形。

你能不能只移动其中的3个硬币，使得整个三角形上下颠倒？

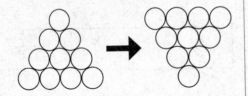

87. 纸板上的洞

如下图，一块正方形纸板偏离中心处有一个洞，现在将这张纸板剪成两部分，并且重新排列，这个洞将会被"移动"到中心位置上。

你知道该怎么做吗？

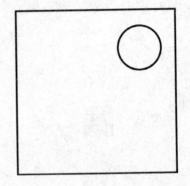

88. 迷宫变身金字塔

下图的卡片上画的是一个迷宫，如果将其折成一个金字塔形状，你还能走出去吗？

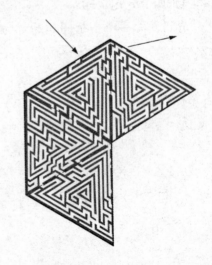

89. 高斯拼图

曾经有一个傲慢的年轻人对高斯获得"数学王子"的殊荣不屑一顾，他企图出一道难题难倒高斯，让高斯当众出丑。这个傲慢的年轻人拿出一些模型，如下图A、B、C、D、E、F，并取出两块拼成下图上方的图形，他要高斯也拼出来，结果高斯马上就想出了3种拼法。

你知道高斯的方法是什么吗？

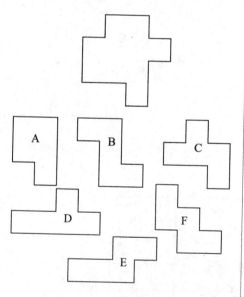

90. 聪明人分地

一天，一个聪明人来到一个小村庄，一个农场主对他说："我听说您是一个聪明人，这是我的一块地的图纸（如下图），如果你能够把它分为大小相等、形状相同的两份，那么我就把这些地送给你。"聪明人听后笑了笑，然后从地上捡起一根木棍画了一道线，果然符合了农场主的要求。

你知道聪明人是怎样划分的吗？

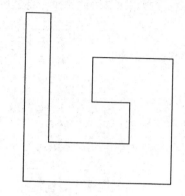

91. 图中的圆圈

从下图的1处开始，必须经过每个圆圈，并依此给它们标号码，最后到达19处。要求不能跳步、每次只能到达一个圆圈、按照箭头的方向前进，你能做到吗？

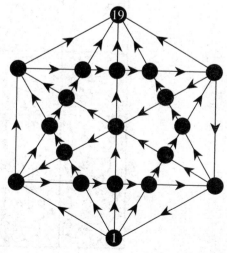

92. 摆放扑克牌

　　罗斯将18张扑克牌摆在桌子上，想要形成一种规律。就在罗斯快要摆放好时，有一张扑克牌找不到了。

　　你能观察出其中的规律，将最后一张牌找出来吗？

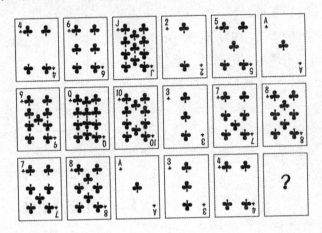

93. 找猫猫

　　在下面的图中有16只可爱的小猫，其中有两只小猫长得一模一样。你能找出这两只小猫吗？

94. 看广告找异同

　　下图是一张广告设计图。在对广告进行设计的时候，设计师别出心裁，在图片中暗藏了一些内容。设计师对外宣称，如果公司有人能找出他暗藏的内容，他将不收设计费。设计师给出的提示是，设计图中有几处图案的形状和面积均相同。你能找出设计师暗藏的内容吗？

95. 找错

　　小洛克画画的兴趣非常大。一有空闲，他就拿出纸笔画画。刚上幼儿园几天，洛克就画出了一幅画，他高兴地把画交给了老师。老师在仔细观察后，对洛克说，他的画画得很好，但是有几处画得不对。

　　那么，你能帮洛克找出是哪几处画得不对吗？

96. 找出匹配的鸟

请在下图中找出7对相匹配的鸟。

97. 农场主的土地

很久很久以前，有个农场主拥有4块土地，在这4块土地上种植着5种不同的农作物，如下图，不同图案表示不同的农作物。农场主老了之后想要将这些地平分给4个儿子，而且每个人获得的地的形状一样，且都种有这5种农作物。

请问，农场主该如何分配呢？

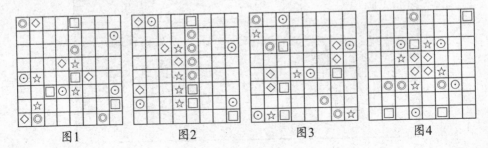

图1   图2   图3   图4

98. 反影子的照片

请问下图中a、b两个女孩的反影照片分别是以下6张图片中的哪一张？

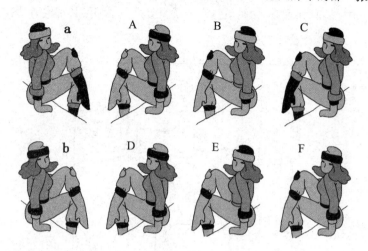

99. 移动木框

如下图所示，所有的木框可以一一移走，并且相互之间并无干扰。那么，要想移走这些木框，应该怎么做呢？如果顺序正确，那么所移动木框的字母按照顺序可以组成一个英文单词。

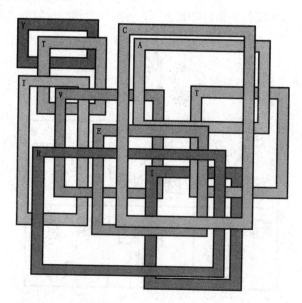

100. 房间里的相同图形

下图中有7个图形在不同地方出现了两次，比如窗户上的雪堆和男孩兜帽上的一部分就是相同的图形，它们虽然旋转了，但是大小和形状都没有变化。

请问，你能找出剩下的6组吗？

101. 应该是哪幅图

观察图片，在目前给出的已知条件下，你能判断出问号处应该是哪幅图吗？

Part 2

训练逻辑力的
思维游戏

　　逻辑思维能力就是指正确、合理思考的能力，即对事物进行观察、比较、分析、综合、抽象、概括、判断、推理的能力。

　　这种能力对我们非常重要，很多人都渴望拥有这种能力，但是却不知该如何去做。其实平时多看一些侦探类的故事，多做逻辑推理训练，遇事能够仔细观察、认真分析，逻辑思维能力就会得到提高。

1. 是保姆在撒谎

8月份的一个晚上，斯洛尔斯警官接到报警，郊外的一栋别墅里有一位老人服毒自尽了。斯洛尔斯警官根据报案者提供的地址来到了案发现场。这是一栋非常漂亮的别墅，主人看起来非常有钱，一位保姆打扮的年轻人将他带到了客厅。

斯洛尔斯警官看到死者面部发黑，口吐白沫，这很明显是中毒身亡的症状。保姆说："今天天气非常热，主人一直在公园里，直到晚上7点钟才回来，他回来之后我给了他一杯加了冰块的可乐，然后我就出去买菜了，等我8点钟回来的时候他已经死了。"

斯洛尔斯警官看了看墙上的温度计，当时室内的温度是39℃。他端起杯子晃动了几下，杯子里面的冰块相互撞击发出阵阵声响。

斯洛尔斯警官放下手中的杯子，拿出手铐，对保姆说："我对你的作案经过非常感兴趣，我看我们还是去警局里聊聊吧。"

你知道警官为什么会认为保姆在说谎吗？

2. 奇怪的车胎

一天早上，一个富翁被发现死在他自己别墅的车库中。尸检发现富翁

是因为吸入了大量的氯酸钾身亡的，可是当警探调查时，却发现当天并没有人接近过车库，现场也没有发现氯酸钾及其容器，那么罪犯到底是如何杀死富翁的呢？警探百思不得其解。后来他发现富翁汽车的轮胎一点气都没有了，于是他知道了罪犯是如何作案的。

那么，你知道罪犯到底是怎样作案的吗？

3. 每组中多余的物品

有如下4组物品，请问在每一组中，有没有多余的一个？为什么？

第一组：苹果、香蕉、西红柿、橘子；

第二组：刮脸刀、剪刀、铅笔、铅笔刀；

第三组：斧子、钉子、电锯、电钻；

第四组：小号、小提琴、大号、萨克斯管。

4. 流动售货处的物品

安妮在一处流动售货处购买了一些自己喜欢的东西，根据下面的提

示，你能够推断出安妮购买商品的顺序、品名、价格以及摊主的姓名吗？

① 安妮从摊主乔治那里购买的东西比她购买的第一件东西和花瓶都便宜；

② 安妮在买书之后直接去了莫利的货摊；

③ 安妮从一位女摊主手中花30美分买到了一件玩具，而这不是她购买的第二件物品；

④ 安妮最后购买的是一块她非常喜欢的头巾；

⑤ 安妮购买的第三件物品最贵；

⑥ 安妮从吉恩那里买了一个杯子；

⑦ 安妮从弗兰克那里购买了25美分的东西，之后去了温蒂的货摊，购买了不到60美分的东西。

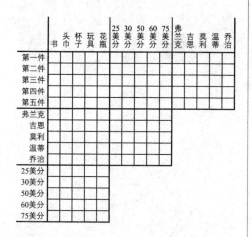

5. 奇特的大脑网络

请问，下图中从起点到终点总共有多少种不同的路径？要求是，只能从左到右，不能倒退，即到达一个节点的时候，只能朝上前进或者朝下前进。

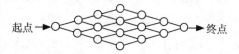

6. 聪明的妻子

有一个人长期在外地出差，半年之后他收到了农村妻子寄来的信，但是他的妻子并不会写字。他打开信一看，发现上面并没有字，只有一连串的符号。丈夫收到这封信之后，知道妻子肯定有重要的事情告诉他，但是他又不能理解其中的意思，所以非常着急。无奈之下，他只能将信带在身上，经常拿出来研究，最后终于明白了妻子的意思。

如果A代表的是他和已经怀孕的妻子，那么其他的图形各代表什么意思呢？

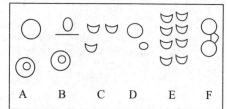

7. 巧推字母

根据"LNQU"这个字母序列，你能够推断出下一个字母是什么吗？

8. 村庄里的巫婆和猫

4个巫婆住在某村庄的4栋别墅里，根据提示，你能推断出每个巫婆的名字、年龄以及她们的猫的名字吗？

① 马乔住在92岁老巫婆的东面，这个92岁的老巫婆有只猫，叫亨特；

② 巫婆克丽丝今年刚刚90岁；

③ 乔密的主人居住在池塘后面的2号别墅，她经常用邪恶的眼神向四周窥探；

④ 3号别墅的主人今年77岁，她的猫不叫卢比；

⑤ 巫婆密斯的老猫叫哈特；

⑥ 和米蒂住得最近的是74岁的巫婆。

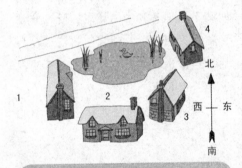

巫婆的名字分别是：米蒂、马乔、克丽丝、密斯；

巫婆的年龄分别是：74、77、90、92；

猫的名字分别是：乔密、哈特、亨特、卢比。

9. 不同兵种的军官

根据下面的信息，你能够猜出每个军官的名字、所属部门以及他们的家乡吗？

① 水兵军官站在来自爱达荷州军官的旁边，他没有挨着陆军中尉威廉，但是比空军轰炸机飞行员离威廉近；

② 来自美国新墨西哥州的军事警察站在步兵左边、斯坦德上尉的右边；

③ 乔治西里少校不是工兵军官，工兵军官站在来自缅因州的军官鲁特利的右边，鲁特利不是步兵也不是空军，而军事警察站在工兵军官和缅因州军官的左边某个位置上；

④ 哈维来自华盛顿州，他不是空军，他站在鲁特利上尉的右边，来自俄勒冈州的斯坦德上尉比哈维上尉更靠左边；

⑤ 军官C的军衔比美国水兵军官的高。

A   B   C   D   E

名字分别是（按照军衔等级排列）：陆军中尉威廉、哈维上尉、鲁特利上尉、斯坦德上尉、乔治西里少校；

部门分别是：空军、工兵、步兵、水兵、军事警察；

家乡分别是：华盛顿州、爱达荷州、俄勒冈州、缅因州、新墨西哥州。

提示：先找出空军军官的家乡和他所在的位置。

10. 狂购名画的富翁

在某一年年初举办的私人藏品拍卖会上，一位荷兰富翁连续拍下了5件艺术品，一时间成为舆论关注的焦点。根据下面的提示，你能推断出每个月他竞拍的是谁的作品、每次交易的地点以及价格吗？

① 为了能够拍下莫奈的一幅画，富翁比前一个月他在马德里多支付了50万欧元；

② 富翁在3月份竞拍的收藏品花费最多；

③ 拉斐尔的某一幅画的成交价是250万欧元，在之后一个月里，富翁在罗马以100万欧元购得一幅画；

④ 富翁在阿姆斯特丹购买的画不是200万欧元；

⑤ 富翁在4月份得到了格列柯的画；

⑥ 富翁在巴黎买到了弗米亚的作品。

	拉斐尔	格列柯	莫奈	毕加索	弗米亚	阿姆斯特丹	布鲁塞尔	马德里	巴黎	罗马	100万	150万	200万	250万	300万
1月															
2月															
3月															
4月															
5月															
100万															
150万															
200万															
250万															
300万															
阿姆斯特丹															
布鲁塞尔															
马德里															
巴黎															
罗马															

11. 如何分工

有4个同学相约一起去郊外野炊。到了目的地后，4个人开始各自做自己的事情。其中一人负责找干净的水，一人负责生火烧水，一人负责洗干净带来的菜，一人负责淘米。

现在已知这样的情况：同学甲既不找水也不淘米；同学乙既不找水也不洗菜；如果同学甲不洗菜，那么同学丁就不找水；同学丙既不找水也不淘米。那么你清楚同学甲乙丙丁各自在干什么吗？

12. 成员们的参观

一批国家遗产协会的成员在上一周去了一些有纪念意义的地方，这些地方都有一些不错的景点，且他们在每个景点都购买了一样纪念品。根据下面的提示，你能够推断出参观和购买的细节吗？

① 星期一成员们购买了书签作为纪念品，这次购物地点并不是保恩斯城堡，而微型铁路也不是保恩斯城堡的景点；

② 星期二成员们参观了哈特庄园；星期四参观了儿童农场，而儿童农场属于某处住宅；

③ 在游玩迷宫后的第三天，成员们购买了杯子；

④ 在参观完哈福特礼堂之后，成员们购买了钢笔；

⑤ 他们购买的盘子上没有欧登拜住宅的照片；

⑥ 在有服装展的景点购买了披肩。

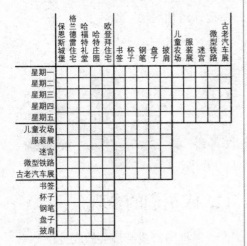

13. 米勒的秘密

荷兰著名的油画大师戈赫年轻时曾在哈谷市的一家美术公司工作，那时他将一幅米勒的《播种的人》的复制品送给了一位绅士。那位绅士是一个很奇怪的人，他一直过着单身的生活。一个月后，戈赫决定将另外的一幅画也送给这位绅士。

当戈赫赶到绅士家中时，他吃惊地发现，绅士家的大门敞开着，房间中躺着一个警察，而绅士则不知去向。警察看到有人进来，指着床底下说："秘密地……从洞里……逃走……盖板的开关……米勒……"说完这些之后他就咽气了。戈赫在床底下看到了一个像盖板一样的东西，他想揭开这个盖板，但是无论如何用力都没有办法做到。此时他想起警察提到过米勒，于是他就想起了自己之前送的那幅画，但是他在画的附近也没有找到能够揭开这个盖板的机关。

戈赫找遍了整个房间也没有看到机关，直到他在钢琴四周寻找的时候，突然想起了什么，果然他按照自己的想法顺利打开了盖板，然后报了警。

那么，戈赫是如何找到机关的呢？

14. 偷吃的孩子

墨菲先生买了一些水果和小食品想要去看望一个比较好的朋友，没有想到的是，这些水果和小食品被他的几个儿子偷吃了，但他不清楚到底是哪个儿子。墨菲先生非常生气，就盘问4个儿子，到底是谁偷吃了水果和小食品。

老大说道："我认为是老二吃的。"
老二说道："我认为是老四偷吃的。"

老三说道："反正我根本没有偷吃。"

老四说道："老二分明在说谎。"

这4个儿子中，只有一个人说的是实话，其他3个人都在撒谎。那么，你能帮助墨菲先生推断出来到底是谁偷吃了这些水果和小食品吗？

15. 巧填空格

我们经常能听到一句英语：I love U（我爱你）。试想一下，如果要将这6个字母分别填入下图的6×6的格子里，使得每行、每列中每个分隔的格子中都必须包含这6个字母，具体应该怎么做呢？

	I		E		
E		O			L
	E	V		O	
	L		U	V	
L				I	V
	E		L		

16. 公园长凳上的老绅士

在一个风和日丽的下午，4位老绅士坐在某小镇公园的长凳上，喝着啤酒，回忆着往事。根据下面的提示，请你推断出每位老人的名字、年龄以及他们过去所从事的工作。

①斯坦斯做了将近50年的牧场主人，他过去曾在加利福尼亚州的尼科农场上放牧；

②已经74岁的退休售票员坐在老朋友乔诺伊比的右手边；

③罗恩坐在C位置上，坐在D位置上的老人已经超过72岁了；

④迪塞尔今年76岁，他在75岁以后的生活很充实，他过去的工作不是给马看病的兽医；

⑤坐在B位置上的在退休之前不是一名机修工。

A　　B　　C　　D

名字分别是：斯坦斯、迪塞尔、乔诺伊比、罗恩；

年龄分别是：72、74、76、78；

过去的工作分别是：牧场主人、兽医、机修工、售票员。

37

17. 三个储蓄罐

有3枚5美分硬币和3枚10美分硬币分别存放在3个储蓄罐中，每个罐子中放有2枚硬币，并贴有标签。

第一个储蓄罐上的标签是"20美分"，第二个的标签是"15美分"，第三个的标签是"10美分"，但是每个罐子上的金额都标记错了。

如果只允许从某个罐子中拿出1枚硬币，通过这枚硬币你能知道3个罐子中存放的金额吗？为什么？

18. 突击队员的具体信息

2006年，美国海豹突击队队员参与了一起军事反恐行动。

下面是参与这次活动的5位突击队员的具体信息，请从这些信息中推断出这些突击队员的姓名、家乡以及他们的爱好。

① 特迪·舒尔茨本是一个法国移民的儿子；5位突击队员中有一位是跳伞爱好者，而这个人不是特迪和海德；

② 来自圣地亚哥的突击队员姓海德；埃尔默·史密斯闲暇时的唯一爱好就是酗酒；

③ 马修斯不是来自亚特兰大，他的部分工作时间和全部的休息时间都用在了看电影上；

④ 多比出生在拉雷多，奇克的姓不是史密斯；

⑤ 来自休斯敦的突击队员工作很认真，他的爱好是唱歌；

⑥ 皮特出生于艾尔·帕索；乔希不是跳伞爱好者。

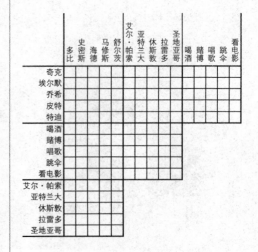

19. 吃面包的小女孩

玛丽是一个非常可爱的小姑娘，这周星期一到星期四她的父母都要出差，只有她一个人在家，妈妈为她准备了充足的面包做食物。

玛丽从星期一到星期四都在吃这些面包，每天她都吃椰蓉面包和豆沙面包，而每天吃的椰蓉面包数量不相同，在1个到4个之间；每天吃的豆沙面包数量也不相同，在1个到5个之间。

根据下面的信息，请推断出玛丽每天都吃了什么面包，以及各吃了多少。

① 每天吃的面包总数随着日期的增加而每天增加1个；

② 星期一吃了3个椰蓉面包，星期二吃了1个椰蓉面包，星期四吃了5个豆沙面包。

20. 一场胶着的篮球比赛

某地刚刚结束了一场精彩的篮球比赛，看过比赛的球迷们开始议论纷纷：

① 运动员的体力真好，在整场比赛中双方居然都没有换过人；

② 双方的技术也都很好，其中得分最多的球员得到了30分；有3位运动员得分不到20分，而且他们的得分居然相同；

③ 客队打的是集体篮球，他们各个队员之间的实力非常接近，得分最多的和得分最少的相差只有3分；

④ 全场比赛中有3位球员得分相同，他们都得到了22分，而他们分属于两支球队；

⑤ 主队的个人得分非常有意思，居然是一个等差数列。

通过球迷的这些议论，请试着猜测一下这场比赛的最终得分。

21. 三个奇怪的家庭

有A、B、C3位先生，他们的妻子分别是D、E、F3位女士，现在我们并不知道谁是谁的妻子。

非常巧合的是，这3对夫妻分别有一儿一女，因为他们彼此的关系非常融洽，所以商议分别用对方的名字为自己的儿女取名字。

现在有如下的情况：

① C先生的妻子和名与B先生相同的小孩的妹妹同名；

② E女士的儿子与C先生同名；

③ A先生的女儿与F女士同名。

请问，这3对夫妻以及他们的子女分别叫什么名字？

22. 生意火爆的酒店

有一家酒店的生意非常好，A、B、C、D 4人分别在某月的不同时间入住到这家酒店，之后在不同的时间退了房。现在我们知道如下的条件：

① 其中住宿时间最短的是A先生，最长的是D先生，B和C先生住宿的时间相同；

② D先生并不是8日离开的；

③ D先生入住的当天，C先生已经住在那里了；

④ 4人的入住时间是1日、2日、3日和4日；而他们离开的时间是5日、6日、7日、8日。

根据上面的这些条件，你能知道A、B、C、D的入住时间和离开时间吗？

23. 盒子中的两个球

现在有3个外形完全相同的盒子，在每个盒子中都放两个球，其中一个盒子中是两个白球，一个盒子中是两个黑球，还有一个盒子中是一个白球和一个黑球。盒子的外边分别贴着"白白"、"黑黑"、"白黑"这样的标签，然而由于工作人员一时疏忽，所有的标签都贴错了。

那么，我们现在从哪一个盒子中取出一个球，就可以辨别所有盒子中球的颜色？

24. 四个说谎的学生

一位教授在自己的住所里被杀，他的4个学生很快被警方传讯。警方根据当时目击者的证词得知，在教授死亡的那天，这4位学生都单独和教授在一起待过，但是在传讯的时候，4个学生提供的证词全部都是错误的，都是谎言。

下面是4个学生提供的证词：

甲：

① 我们4个人都没有杀害教授；

② 我离开教授住所的时候，教授并没有死。

乙：

① 我是第二个到教授住所的；

② 我到达教授住所的时候，教授已经死了。

丙：

① 我是第三个见到教授的；

② 我和教授分开的时候，教授还没有死呢。

丁：

① 凶手并不是在我见教授之后去的；

② 我赶到教授住所的时候，教授已经死了。

通过这8条错误的证词就可以判定4个学生见到教授的次序，以及杀害教授的时间。你能不能判断出到底是谁杀死了教授呢？

25. 做出总结的人

有3个朋友在玩赌博的游戏，游戏结束之后，其中一位做了如下的一个总结：

① 第一次游戏结束时，甲从乙那里赢了相当于甲原有款额的数目；

② 第二次游戏结束时，乙从丙那里赢了相当于乙原有款额的数目；

③ 第三次游戏结束时，丙从甲那里赢了相当于丙原有款额的数目；

④ 现在3个人的款额相等；

⑤ 游戏开始时我有50美元。

请推断一下，上述总结是甲、乙、丙谁做出的？

26. 猜出纸条上的名字

有一位老师在一张纸条上写上了甲、乙、丙、丁4个人中的一个人的名字，然后握在手心，让4个人猜这个名字是谁的。

甲说："我想应该是丙的名字。"

乙说："我想应该不是我的名字。"

丙说："我想不是我的名字。"

丁说："我想应该是甲的名字。"

老师听完这些之后说："你们之中只有一个人回答对了，其他人的答案都是错的，现在你们再猜一次。"

这一次，4个人都很快就猜出了纸条上的名字。

那么，请问这张纸条上到底写的是谁的名字？甲、乙、丙、丁4个人到底是如何猜出来的？

27. 客轮上的凶手

太平洋上的一艘豪华客轮船板上躺着一具女尸，经调查，死者为服装设计师休斯丽，她是被人用刀刺死的，死亡时间大约是前一晚的11点左右。

令警察疑惑的是，杀人犯完全有机会将尸体扔下大海，但是他却没有这样做。

客轮已经在太平洋上航行了很多天，所以杀人犯肯定没有逃走，还在客轮上，经过调查警察锁定了两个嫌疑人。

第一个嫌疑人是乔司，他是被害人的侄子，同时也是被害人遗产的继承人，而且乔司酷爱赌博，最近又欠下了一大笔赌债；

第二个嫌疑人是希尔，她是被害人的秘书，之前因为侵占公款而被革职。

根据以上信息，你能帮助警察破案吗？

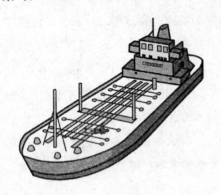

28. 女孩手中的收藏画

有4个好朋友茉莉、贝尔、莫尼卡和艾达，她们手中都有一些偶像的收藏画，数量均不相同，大概在5到8幅之间。有一天，茉莉将一些收藏画送给了其他3人中的1人，之后贝尔、莫尼卡和艾达也做了相同的事情，结果她们每个人都从别人那里得到了收藏画，而且她们赠送出去的画数量不相同，在1到4幅之间，赠送之后4个人手中的收藏画数量不相等。

现在还知道以下信息：

① 茉莉最初有7幅收藏画，然后送给了贝尔几幅；

② 贝尔向别人赠送了3幅收藏画；

③ 莫尼卡仅从别人那里得到了1幅收藏画。

请问，4个女孩交换后各有多少幅收藏画？

29. 推测扑克牌

桌子上总共有3张扑克牌，将它们放成一排，我们现在知道如下的一些已知条件：

① K右边的两张纸牌中至少有一张是A；

② A左边的两张纸牌中也有一张是A；

③ 方块左边的两张纸牌中至少有一张是红桃；

④ 在红桃右边的两张纸牌中也有一张是红桃。

那么，请问这3张纸牌分别都是什么牌？

30. 闯祸的小朋友

甲、乙、丙、丁4个小朋友在踢足球，有一个小朋友不小心把足球踢到楼上，打碎了哈利太太家的玻璃。哈利太太非常生气，问是谁干的，甲说是乙干的、乙说是丁干的、丙说不是他干的、丁说乙在撒谎。他们4个人有3个在撒谎。

据此，你知道是谁干的吗？

谁砸了我家的窗户？

31. 波娣娅的三个宝盒

莎士比亚的喜剧《威尼斯商人》中有这样一个情节：波娣娅拥有3个珠宝盒，其中1个是金的、1个是银的、1个是铜的。在这3个盒子中的1个里面藏有波娣娅的画像。现在有3个追求者，他们需要从这3个盒子中各选1个。足够有运气或者足够有智慧的人，可以得到那个有波娣娅画像的盒子，那么他就可以娶漂亮的波娣娅为妻。

如下图所示，在每个盒子的外边都写着一句话，内容都是和盒子中是否装有画像有关。

波娣娅告诉3位追求者，在这3句话中，最多有1句话是真实的。

那么，追求者该选择哪个盒子从而成为幸运者呢？

金盒子	银盒子	铜盒子
画像 在此盒中	画像 不在此盒中	画像 不在金盒中

32. 消失的六美元

现在总共有两筐各自30千克的苹果要卖出去，其中一筐是大苹果，每千克的售价是3美元；另外的一筐是小苹果，每千克的售价是2美元。此时有一个顾客过来说："你这样分开卖，还不如搭配着一起卖，将2千克的大苹果和3千克的小苹果搭配在一起，总共卖12美元。"卖苹果的小贩认为很合理，于是就按照他的这种建议开始卖。此时这个顾客又说："我想将你所有的苹果都买下来。搭配在一起的5千克苹果售价是12美元，那么总共60千克的售价就应该是$12 \times 12 = 144$美元。"等到苹果卖完之后，卖苹果的小贩才感觉自己上当了。

那么，请问小贩到底是如何上当的呢？

33. 来了十三位客人

在一家旅馆中，总共有12个房间，这些房间的编号分别是1号、2号、3号、4号……一直到12号。现在有13位客人，他们都要求单独住一个房间。

旅馆的老板想了半天，终于想到了一个能够满足所有人的办法。他先安排两位客人暂时都住在1号房间，然后将剩下的客人依次进行分配。于是1号房间住了两个人、3号客人住在了2号房间、4号客人住在了3号房间、5号客人住在了4号房间……就这样直到12号客人住进了11号房间。最后他将之前安排的13号客人从1号房间中转到了12号房间中，这样皆大欢喜，13位客人终于都住进了单人间中。

那么，他的这种安排能实现吗？

34. 十二个不同年龄的孩子

在詹姆斯13岁的生日宴会上，包括他在内总共有12个小朋友，其中每4个孩子来自于同一个家庭，他们分别来自于A、B和C这3个不同的家庭。这12个小孩子非常有意思，他们的年龄都不相同，其中最大的是13岁，而且他们的年龄都在1到13之间，这些数字中除了一个数字之外，其他数字都对应一个孩子的年龄。詹姆斯将每家小孩子的年龄加起来，得到了下面这些结果：

家庭A：孩子的年龄相加得数为41，其中包括一个12岁的孩子；

家庭B：孩子的年龄相加得数为M，其中包括一个5岁的孩子；

家庭C：孩子的年龄相加得数为21，其中包括一个4岁的孩子。

在这些孩子中，只有家庭A中有两个孩子的年龄相差1岁。

那么，你能否回答出下面的问题？

① 詹姆斯是属于哪个家庭的？

② 每个家庭中的孩子各自是多少岁？

35. 对号三位新娘

有一对夫妻有3个儿子，他们的邻居家有3个女儿，这6个年轻人是3对恋人。一天，他们决定一起结婚，但是在跟父母说的时候他们却因为害羞将对象说错了。

大哥说："我要和他们家的大姐结婚。"

大姐说："我要和他们家的三弟结婚。"

三弟说："我要和他们家的三妹结婚。"

你能够帮助他们的父母将这6个年轻人一一配对吗？

36. 桌上的扑克牌

桌子上有9张牌，分别是1到9。A、B、C、D 4人各取出两张牌。

现在知道：

① A的两张牌之和为10；

② B的两张牌之差为1；

③ C的两张牌之积为24；

④ D的两张牌之商为3。

请说出他们各自拿的什么牌，以及剩下了什么牌。

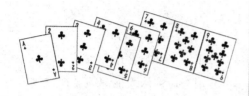

37. 三位同班同学

甲、乙、丙是同班同学，他们中一个是班长、一个是学习委员、一个是小组长；还知道丙比组长的年龄大、学习委员比乙的年龄小、甲和学习委员年龄不相同。

请问，他们3个人分别担任什么职务？

38. 五位先生

有A、B、C、D、E 5位先生，其中两位从来不说谎，而其他3位总是说谎。

下面是他们的对话：

A说："B是骗子。"

B说："C是骗子。"

C说："E是骗子。"

D说："A和B都是骗子。"

E说："A和D都是老实人。"

根据上面的对话，你能够判断出哪两个是老实人吗？

39. 兔子难题

在直线AA上有3只兔子、直线BB上有两只兔子、直线CC上有3只兔子。

请问，多少条直线上有3只兔子，多少条线段上有两只兔子？如果拿走3只兔子，将剩余的6只兔子排成3排，而且每排都有3只兔子，请问应该怎样排列？

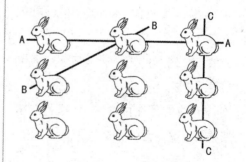

40. 三位先生的职业

劳尔、杰米和乔伊尔3人居住在同一个宿舍楼，其中，杰米住在中间。3个人的职业是木匠、瓦匠和鱼贩，不过目前不知道他们每个人分别是干什么的。

现在，我们还知道以下信息：

① 鱼贩在乔伊尔不在家的时候经常追赶他家的猫；

② 劳尔每次带女朋友到家里时，木匠总是吃醋，还不断敲劳尔家的墙。

请问，你能据此判断3位先生的职业吗？

41. 即将出租的车

出租车公司外停放着5辆顾客预定的车，根据以下的提示，你能推断出每辆车的品牌、颜色和位置吗？

① 罗孚停在位置5；

② 红色汽车旁边是福特，福特不在位置4；

③ 欧宝是黄色的，位置3上是白色汽车；

④ 中间3辆车的生产商均不是5个字母的；

⑤ 丰田没有停在位置2上，棕色汽车紧挨着丰田，且在它的左边。

> 颜色分别是：棕色、绿色、黄色、白色、红色；
> 牌子分别是：欧宝（Opel）、罗孚（Rover）、丰田（Toyota）、福特（Ford）、沃尔沃（Volvo）。

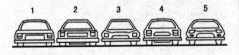

42. 四个枪手的得分

有4个人去打靶，而靶盘中的1、

3、5、7、9分别代表打中每个区域的具体得分。甲、乙、丙、丁4个人各自打了6次，每次他们都打中了靶子，到了最后谈到自己的分数时，他们分别是这样说的：

甲："我只得到了8分。"

乙："我一共得到了56分。"

丙："我总共得到了28分。"

丁："我得到了27分。"

现在，你认为他们的这种得分情况可能存在吗？如果存在的话，请推测他们每个人每次的得分，并说明你的理由。

43. 伯莱的职称和性别

伯莱所在的学校一共有16名教授和助教（包括伯莱在内），但是无论伯莱的职称和性别计算在内与否，都不会改变下面的情况：

① 助教比教授多；

② 男教授比男助教多；

③ 男助教比女助教多；

④ 至少有一位女教授。

那么，你知道伯莱的职称和性别是什么吗？

44. 霍华德的未婚妻是谁

霍华德认识米歇尔、蜜莎、莎露、莉莉、温蒂5位女士，其中：

① 5位女士分别属于不同的年龄档，有3位小于30岁，两位大于30岁；

② 5位女士中有两位是教师，其他3位是秘书；

③ 米歇尔和莎露属于相同年龄档；

④ 莉莉和温蒂不属于相同年龄档；

⑤ 蜜莎和温蒂的职业相同；

⑥ 莎露和莉莉的职业不同；

⑦ 霍华德的未婚妻是一位年龄大于30岁的教师。

请问，谁是霍华德的未婚妻？

45. 种柳树

如下图，将27棵柳树种成9行，每行6棵。可是有人认为这种种植方法不好，因为有3棵树被孤立了。

请问，有没有一种办法，使得这27棵柳树集中为3堆，任何一棵都不会被孤立，而且还是保持一共9行、每行6棵的排列？

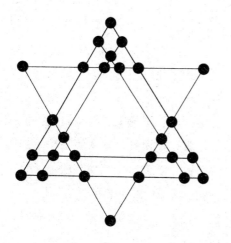

46. 老师挑了一张什么牌

A、B、C 3位学生事先知道桌子的抽屉里有如下的扑克牌：

红桃A、Q、4；

黑桃J、8、4、2、7、3；

梅花K、Q、5、4、6；

方块A、5。

一位数学老师从这些牌中挑出一张牌来，并把看到的这张牌的点数告诉了B同学，又把这张牌的花色告诉了C同学。这时候，数学老师问B和C："你们能从已知的点数或花色中猜出它是什么牌吗？"于是，A同学听到下面的对话：

B同学："这张牌我真的不清楚。"

C同学："我知道你其实不知道它是什么牌。"

B同学："你这样说，现在我明白它是什么牌了。"

C同学："我也知道了。"

听过上述的对话，A同学想了一下，就知道这张牌是什么牌了。

请问，数学老师抽出的这张牌是什么牌？

47. 找出错误

现在有一个正方体，它每个面的颜色都不同，并且只能是红、黄、蓝、绿、黑、白6六种颜色。假定它们满足下面的条件：

① 红色的对面是黑色；

② 蓝色和白色相邻；

③ 黄色和蓝色相邻。

根据上面的条件，那么下面的这4个选项哪个是错误的？

　　A. 红色与蓝色相邻

　　B. 蓝色的对面是绿色

　　C. 白色与黄色相邻

　　D. 黑色与绿色相邻

48. 聪明的油老板

戈梅斯去一家小店买油，不巧的是，小店的电子秤坏了，还没来得及修理。

当时戈梅斯带的是5升的油瓶，他准备买4升的油，而老板放油的桶是一个圆柱状的透明桶，其容量为30升，当时桶中只有22升油。老板犯难了，不知道如何满足戈梅斯买走4升油的要求。

此时老板的一位朋友走了过来，他带来了一个4升的油瓶，而他想要买3升油。

见此情景，老板突然想到了一个好办法，他借助戈梅斯和朋友的油瓶，让两位都得到了满意的油。

那么，请问老板是如何做到的？

49. 老钟表匠收徒弟

小个子钟表匠邦德招收了一位新徒弟。为了考验新徒弟的聪明才智，他从自己名贵的手表中拿出9块，要求新徒弟将这些手表加以排列，保证在10条线上，每条线上有3块。

最终新徒弟完成了邦德的要求，请问他是怎么做的？

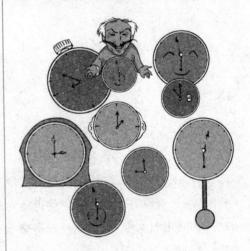

50. 愚蠢的划船人

一天，一个小女孩淹死在一座桥下，而对于这个女孩，周围的人一无所知，警探们对这个案子也是一筹莫展。这个时候，有一个男人划着一只小船出现在了桥下，他来给警探们提供线索，他说："刚才我从桥下划过的时候，看到这个小女孩脱下了自己的帽子，然后跳下了河。"

这个人一脸憨厚相，而且他的语

气非常真诚，周围的人都相信了他的说法，但是精明的警探还是一眼看穿了他的把戏。

那么，请问警探是如何看出他的谎言的？

51. 扑克牌游戏

某人手中有6张扑克牌，全部扣在桌子上。现在只知道其中有两张是K，却又不知道具体是哪两张。

如果从中随便取出两张牌并且翻开，那么你认为下面两种情况哪一种出现的可能性较大？

第一种：这两张牌中至少有1张是K。

第二种：两张牌都不是K。

52. 八张纸牌

现在有八张编了号码的纸牌放在桌子上，它们的位置如下图所示：

现在我们还知道如下的信息：

① 这八张纸牌中至少有一张是Q；

② 每张Q都在两张K之间；

③ 最少有一张K在两张J之间；

④ 这八张纸牌中没有一张J和Q相邻；

⑤ 这八张纸牌中只有一张是A；

⑥ 这八张纸牌没有一张K和A相邻，但至少有一张K和另外的一张K相邻；

⑦ 这8张纸牌中只有K、Q、J和A这四种牌。

根据以上信息，请问这四种纸牌到底是如何分布的？

53. 四位仓库管理员

一家仓库有4位管理员，分别是甲、乙、丙、丁，有一天他们管理的仓库被盗了，警察经过一段时间的侦查之后，发现甲、乙、丙、丁4位管理员都有一定的嫌疑，再经过一段时间的核查之后，警察发现作案者是4个人中的两个人。现在还得到了如下的一些线索：

① 甲、乙两个人中有且只有一个人去过仓库；

② 乙和丁不会同时去仓库；

③ 丙如果去仓库的话，那么丁也一定会去；

④ 丁如果没有去过仓库，那么甲也就没有去过。

现在，我们来判断一下到底谁是作案者呢？

54. 一场万米比赛

某学校举办了一场万米长跑比赛，比赛是在400米的跑道上进行的。当第一名运动员跑到终点时，跑在第二位的还需要5圈才能够完成比赛，跑在第三位的还需要7圈才能够完成比赛。

此时看台上的3位同学在聊天，甲说："如果第二位和第三位都是匀速奔跑的话，第二位最终领先第三位两圈通过终点。"乙说："不对，不会有两圈。"丙说："我认为比两圈要多。"

那么，3个人谁的说法是对的？

55. 三个开关的辨别

有两个房间，其中一个房间中有3盏灯，另外一个房间中有控制这3盏灯的开关，这两个房间是完全分开的，没有任何联系。请问，你能否想出一个办法，只要分别进入两个房间一次，就能判断出3盏灯分别是由哪个开关控制的？

56. 捉鱼的小猫

白猫、黑猫和花猫在小溪边捉鱼，它们每天捉到的鱼的数量都在1到3条之间。有一天，它们在回来的路上聊天，以下是它们的对话。其中说的关于比自己捉鱼多的一方的话均为假话，此外的话都是真话。

白猫说："黑猫捉到了两条鱼。"

黑猫说："花猫捉到的不是两条鱼。"

花猫说："白猫捉到的不是一条鱼。"

请推断它们各捉到多少条鱼？

57. 聪明的警探

在泰晤士湖畔的一座公寓中发生了一起凶杀案，作案的罪犯非常狡猾，警探赶到现场的时候，发现很多东西都被损坏了，现场非常混乱，就连时钟都被敲碎了。

警探在地上找到了时钟的一块碎片，长针和短针正好分别指在某个刻度上，当时长针比短针多一个刻度，但是看不出具体的时间，不过聪明的警探还是分析出了时间。那么你能够知道是几点几分吗？

58. 挑出最佳的侦查员

现在有代号为A、B、C、D、E、F的6位侦查员，要从他们中挑选出几位去参加一起案件的侦破工作，对于他们的选拔需要注意以下几个方面：

① A和B中至少有一个人要参加；

② A和D不能一起去；

③ A、E和F 3个人中需要派出两个人去；

④ B和C两个人要么都去，要么都不去；

⑤ C和D两个人中要有一个人去；

⑥ 如果D不去的话，那么E也不去。

那么，你知道最终是选哪几个人去了吗？

59. 气象员死于大树下

一个秋天的早上，在一片森林中的一棵大树下的帐篷中，有人发现了一位失踪了很久的老气象员的尸体，好像他是被人害死的。

警察赶来后得知死者是一位老气象员，只是草草看了一眼现场，就做出了如下的结论：罪犯肯定是在其他地方作案的，然后将尸体转移到了这个地方，以伪装死者是在帐篷中被杀死的假象。

那么，警察是如何得出如上的结论的呢？

60. 两位好友的证词

考拉居然因为中毒而死亡了，因为这个原因，她的好朋友安安和贝思迪都接到了警方的传讯。

安安说："如果这是谋杀的话，我想肯定是贝思迪干的。"

贝思迪则说："如果这不是自杀的话，那么这就是谋杀。"

警方在听了安安和贝思迪的说法之后，做出了如下的假设：

① 如果安安和贝思迪都没有撒谎的话，那么这就是一次意外的事故；

② 如果安安和贝思迪两个人中有一个是在撒谎的话，那么这就不是一次意外的事故。

根据最后的事实证明，这些假定是正确的，那么考拉的死到底是意外事故呢，还是自杀呢，甚至说是谋杀呢？

61. 找出最高的那一个

有四个好朋友甲、乙、丙、丁聚在一起讨论自己的身高问题。我们来看看他们都是怎么说的：

甲说："我肯定是我们几个中最高的。"

乙说："我不会是咱们几个中最矮的。"

丙说："我虽然没有甲高，但是

我也不会是最矮的。"

丁说："既然这样，那只有我是最矮的了。"

四个人只有一个人的话是不对的。那么，你能够推断出谁是他们四个人中最高的吗？

62. 不同国家的选手

在一项世界级别的1000米比赛中，甲、乙、丙三人始终跑在最前面，他们一个是美国选手、一个是德国选手、一个是肯尼亚选手。

比赛结束后得知：

① 甲的成绩比德国选手的好；

② 肯尼亚选手的成绩差于乙；

③ 丙称赞肯尼亚选手发挥得非常出色。

那么，以下的几项中哪一项是真实的？

A. 甲、乙、丙三人分别是肯尼亚选手、德国选手和美国选手。

B. 肯尼亚选手最终获得了冠军、美国选手是亚军，德国选手是第三名。

C. 甲、乙、丙三人分别是肯尼亚选手、美国选手和德国选手。

D. 美国选手获得了冠军，德国选手是亚军，肯尼亚选手夺得了第三名。

63. 对电梯的设置

有这样一栋大楼，其总共有8层，而且每一层的楼面都非常大。在换班的时候，楼里的工作人员上下都很频繁，即便是有很多电梯也无法满足他们的需求。

为了能够加快电梯的运转，电梯的管理员找来了电梯的司机，要求他们进行设置，除了停底层和顶层之外，中间只能停靠在3个楼层，一旦确定下来之后，就要在电梯前面进行公示，不能够更改。

电梯司机按照他们的要求对电梯进行了处理，但是试行了几天之后，很多乘客都提出了一些意见，因为一些人无法从某一层直接到另外的一层。

管理员对电梯的设置进行了研究，终于想到了一个很不错的办法，让所有楼层的人都能够坐电梯直达任意楼层。

那么，现在你来安排一下，至少需要几种不同的停法，电梯才能够符合上面的要求，而电梯分别停靠在哪3层？

64. 系着圆牌的五个男人

A、B、C、D、E五个人同时出现在一次聚会上，他们的装束很奇怪，每个人的前额上都系着一块白色的或者黑色的圆牌，他们能够看到别人额头上的圆牌，但是却无法看到自己额头上的。

对于这些圆牌，他们各自说了一句话，总结下来是这样的：

A说："我看见了3块白色的和1块黑色的。"

B说："我看见了4块黑色的。"

C说："我看见了1块白色的和3块黑色的。"

E说："我看见了4块白色的。"

已知额头上系有白色圆牌的人，他们所有的话都是真实的；而额头上系有黑色圆牌的人的话，全部都是假话。

现在请你根据这些条件，判断出D的额头上到底系什么颜色的牌子。

65. 五颗致命的大钻石

斯科尔斯先生有一次出差到南非，当时南非霍乱频发，斯科尔斯办好事情之后，买了五颗大钻石就急匆匆地离开了那里。可是回国不久的斯科尔斯却离奇死亡，而五颗钻石也消失了。警探火速赶来调查，证实斯科尔斯死于霍乱病毒。

警探在深入调查之后，找到了有重大嫌疑的艾伦小姐，并在她的房间中发现了丢失的五颗钻石，便立即传讯了她。

艾伦小姐说："我根本就没有见过斯科尔斯先生，现在我才知道他死了啊。"

"那么你的这些钻石是从什么地方来的？"警探问道。

"这些都是我从澳大利亚买来的，我刚去了一趟大洋洲。"艾伦小姐说。

警探听完之后，对艾伦小姐做了一次身体检查。检查结果出来后，警探认定艾伦小姐就是杀害斯科尔斯先生的凶手，并拘捕了她，这到底是怎么回事？

66. 拐弯处的尸体

休斯敦郊外的一条火车道的一个拐角处发现了一具尸体，根据法医的鉴定，死者是被人勒死后抛尸荒野的。

第二天，警察找到了犯罪嫌疑人。嫌疑人是死者的丈夫，但是他说他在案发前的那段时间一直待在公司。因为当天需要加班，所以第二天中午的时候他才回到家，根本就没有时间将尸体送到那么远的地方。

事实上，嫌疑人的家离案发地点只有一个半小时的车程，但是嫌疑人的家到公司需要穿过铁路上面的天桥，因此他的确没有办法将尸体送到这么远的地方，而且嫌疑人的公司的确有人可以证明他在那段时间都待在公司中。

之后聪明的警探进行了缜密的调查，还是发现了嫌疑人的破绽。

那么，你知道凶手是如何作案的吗？

67. 宿舍中四个人的行为

有一个大学的宿舍为四人间，里面住着A、B、C、D 4位同学。有一天早上他们4个人都在宿舍中休息，他们分别在听歌、上网、躺在床上休息、看书。现在根据下面的描述，你能否知道A、B、C、D分别在做什么事情？

①A没有听歌，也没有看书；

②B没有躺在床上，也没有听歌；

③如果A躺在床上的话，那么D就没有

在听歌；

④C没有看书，也没有听歌；

⑤D没有看书，也没有躺在床上。

68. 脚上的泥土

纽约的冬天非常寒冷，有一天，大雪下了一个小时，终于停了。一位喜欢晨练的老人齐齐特利从家里出来，来到公园里面跑步。突然，他看见自己前方不远处的冰面上躺着一个人，等他走过去的时候，发现对方已经断气了，他赶紧报了警。

警探赶到现场的时候，发现死者身上有多处枪伤，死亡时间大概是在一个小时以前。冰面上留有一行脚印，给人的感觉好像是死者自己走到这里的。如果事实真是如此，死者岂不是自杀？

这时，细心的警探在死者的鞋底找到了一些非常湿润的泥巴。警探盯着这些泥巴自言自语："看起来，死者是在其他地方被杀死，然后被移动到这里的。"

那么，警探为什么会这样说呢？

69. 箩筐到底是谁的

华尔斯在一条街上看到两个人正拉扯着一个箩筐争吵，于是他就走上前去想要看看热闹。

一个看起来非常阔气的男人指着那个箩筐对一个衣着朴素的中年妇女说："斯米尔女士，您真的太过分了，这个箩筐我已经买了好多天了，我已经用它装了很多次面粉了，它怎么会是你的呢？"说完之后，这位先生还用手拍了一下箩筐。

斯米尔女士紧紧拉着那个箩筐，说："您要凭良心说话，这个箩筐是我用来装米的，最近不小心弄丢了，您怎么能说是您的呢？"

此时华尔斯走出来，对着箩筐使劲拍了几下，然后对他们说："这个箩筐肯定是斯米尔女士的。"

那么，华尔斯是怎么知道的呢？

70. 工整的字迹

有一位警探乘坐着一艘非常豪华的邮轮去费城旅游，但是不巧的是邮轮遇上了风暴，当时的邮轮在汹涌澎湃的大海中颠簸起伏，如同一片树叶在风中飘来飘去。后来，有人发现一位坐在前排的男士在座位上死去了，在他的后心处插着一把刀子。船上顿时乱作一团。船长找到警探请求他一定要在邮轮靠岸前找出凶手。

警探及时观察了当时在船舱内的所有乘客的表情，他还发现死者的腿上放着一个乘客保险单，上面的字迹非常工整。

此时一位乘务员介绍说："所有的乘客都需要填写一张这种保险单，等他填好之后，他就一直低着头坐在那里，谁知道等到人们发现的时候，他已经死了。"

船靠岸之后，警探将这位乘务员带到了警察局。那么，你知道警探为什么要这样做吗？

71. 搬甲盘中的碗

将5个碗按次序叠放在甲盘里。

如果一次一个地往丙盘中搬，要求不能大碗压小碗，请问该如何搬？

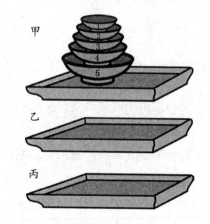

72. 找出数字规律

对下面的一组数字进行观察，然后判断括号中的数字是多少。

1.1　2.2　4.3　7.4　11.5　（　）

A. 15.5　B. 15.6　C. 15.8　D. 16.6

73. 失踪了的凶器

一位女大学生被发现赤裸地死在一所女子大学的体育馆的浴室中。她好像是被一种非常细的绳子勒死的，但是在现场只找到了一条毛巾，没有发现任何绳子一类的东西。

案发时，这名女生和另外一名女生一同在浴室中洗澡，所以那名女生被视做嫌疑人。但当时那名女生是光着身子、空着双手走出去的，这一点在外边的所有学生都能够证明。办案的警察在现场没有发现任何证据，对此他们也感觉非常不可思议。

那么，你知道凶器到底在什么地方吗？

74. 停电当晚

因为供电局修整电路，所以好几栋公寓都在晚上8点的时候断电了，据说要到当天晚上11点才能来电。就在这天晚上，盲人中心的负责人妮儿可9点钟的时候回到了公寓，并走进楼梯准备回家。但是第二天的时候，人们在楼梯间看到了她的尸体，她的双手紧紧攥着皮包的带子，但是皮包已经没有了踪影。

警方迅速接手了这起案件，根据当晚公寓管理员回忆，昨天晚上有

一名公寓住客几乎和妮儿可同时进的楼梯。警方立即找到了那名男子，那名男子说："我当时是和她一起上楼的，我看她是一个盲人，所以就扶着她上楼梯了，到了她家的那层我才离开的。"管理员听完那个男子的话之后说："你在撒谎，妮儿可小姐是你杀死的。"

那么，管理员是如何知道那名男子在撒谎的呢？

75. 百密一疏

奥利特被杀了，警官霍斯金走进了他的办公室，此时滨特尔迎了上来，说："因为我要给你打电话，所以碰了电话，除此之外其他东西都没有碰过。"

奥利特的尸体就在办公桌后面的地毯上，他的右手旁边放着一支法国制造的手枪，霍斯金警官问道："说说这到底是怎么回事？"

"奥利特喊我过来，等我过来的时候，他就开始大骂我和他的妻子。我就问他是不是有什么误会，但是他在气头上，根本没法克制自己的情绪，他骂着骂着就说'我一定要杀死你们。'说完，他就从那个抽屉里拿出一支手枪，然后对着我射击，还好没有射中。在这种情况下我只能选择

自卫，最终就成这样了。"滨特尔说完之后，还不断重复着："这真的是完全意义上的自卫。"

霍斯金将一支铅笔插进手枪的枪管中，挑起之后拉开抽屉，将手枪放回抽屉。

这天晚上，霍斯金对他的下属说："滨特尔是一名私人侦探，他的手枪有过备案，我在那个桌子对面的墙里发现了一个法国制造的子弹弹头，也就是说这就是奥利特射出的那枚。在那支枪上虽然有奥利特的指纹，但是他并没有持枪执照，我们现在没有办法查出枪支的来历，不过我们可以逮捕滨特尔，控告他蓄意谋杀。"

那么，你知道滨特尔到底是在什么地方露出马脚的吗？

76. 设计图

一位艺术家遇到了一点麻烦，如图所示，他画出的那个五角星上有5条路线和10个金字塔，在每条线路上各有4个金字塔，每个金字塔都可以直接通往沙漠。

虽然艺术家的设计满足了法老所要求的5条直线路、每条路上各有4个金字塔，但是

法老还要求要有2个金字塔在设计图内部，这样任何从沙漠来的人只有通过外线的一条路才能进入这2个塔内。

那么，艺术家该如何设计呢？

77. 悬赏启事的秘密

乔科尔医生丢失了一块祖传的怀表，他吩咐自己的司机在当地的报纸上刊登了一则寻表的启事。

启事在报纸的中缝，标题是这样写的："重金找怀表！"下面写道："本人有一块祖传的怀表不小心遗失了，现在悬赏300美元，有知道消息的可以直接拨打电话xxxxxxxxx。"

就在乔科尔医生看报纸的时候，门铃响了，他打开门看到了一位先生，只见对方拿出一块怀表，恭敬地说对他："我叫亨得利，我是看到找表的启事后过来的，这块怀表是你的吗？"

乔科尔医生没有想到启事这么管用，他握住亨得利的手非常激动地说："是的，就是我的表，真是太感谢你了，你是在什么地方捡到的？"

亨得利说："这块表不是捡的，我在一个车站看到一个小孩子正在兜售这块表，于是就花150美元买下来了，今天我看到报纸上的广告之后，就赶过来了。"

乔科尔医生听他说完之后，就将他扭送到了警察局。

那么，亨得利到底是什么地方露出了破绽呢？

78. 监守自盗的女管理员

卡尔杰斯是一名著名的侦探，有一天他在书房中查阅案卷时，他的一位助手拿着一封匿名电报走了进来，只见上面写着："蒙特博物馆中一幅世界名画被盗了，请赶紧前来侦破。"卡尔杰斯起来看了看表说："已经是晚上10点钟了，不管真假，我们都去看看吧。"说完之后就和助手驾车出去了。

在蒙特博物馆的门口站着一男一女两个管理员，卡尔杰斯对他们说："我是卡尔杰斯，刚刚接到通知说有一幅世界名画被盗了，我现在来查看现场。"一番检查之后，卡尔杰斯让两位管理员讲讲失窃的过程。

那位女管理员说："7点钟下班的时候，我们两个人一起将大门锁好，然后就各自回家了。我也是刚刚得到了通知，说这幅画被盗了，所以前来一看究竟。"

男管理员也说："我回到家之后想起有一本书遗忘在展厅里，于是就回来取书，结果发现名画不见了，所以我立即给她打了电话。"

卡尔杰斯问道："那么你们7点关门的时候画还在吗？"

"还在的，关门前我还给画掸过灰呢。"男管理员说。

卡尔杰斯让女管理员说说她的看法，她说："我对今晚发生的一切毫不知情，我认为是偷画的人给你发的电报，他想将事情搞复杂，这种贼喊捉贼的做法已经屡见不鲜了。"

"你说得很好，所以那幅画就是你偷的。"说完之后，卡尔杰斯给女管理员戴上了手铐。

那么，卡尔杰斯是凭什么做出判断的呢？

79. 抓虫子的小鸟

有黄色、白色、黑色和绿色4只鸟，它们各自抓到了一条虫子，虫子的长度分别为3厘米、4厘米、5厘米和6厘米。下面是这4只鸟的话，其中抓到红色虫子的两只鸟的话是真的，抓到黑色虫子的两只鸟的话是假的。

黄色鸟说："我抓到的虫子不是4厘米就是5厘米。"

白色鸟说："黑色鸟抓到的虫子只有3厘米，而且是黑色虫子。"

黑色鸟说："绿色鸟抓到的是5厘米长的黑色虫子。"

绿色鸟说："白色鸟抓到的是4厘米长的红色虫子。"

请将这4只鸟和它们抓到的虫子一一对应起来。

80. 如何下蛋

一只母鸡在下蛋的时候突发奇想，它想使每行（包括横线、竖线和斜线）中下的蛋不超过两个，如果这样的话，它到底能在下面的这个格子里下多少个蛋？你能在下面的格子中标注出来吗？注意，图中有两个蛋已下好了，所以不能再在这条对角线上下蛋了。

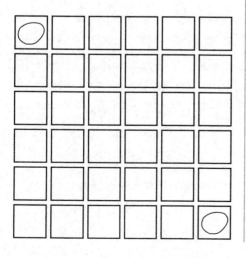

81. 智破绑架案

安格公司老板的儿子被人绑架，绑匪要求老板拿出10万美元作为赎金，否则就会撕票。在电话中，绑匪说了这样一段话："明天，你必须把钱包好，用平邮寄到……这个地址去。"随后，该老板报了警。

为了防止打草惊蛇，警察穿着便装来到绑匪说的地址。但奇怪的是，虽然地区名、街名都正确，却找不到犯罪人所说的门牌和收件人。于是，在经过一番仔细研究后，警察立马锁定了嫌疑犯，并很快找到了犯罪证据，将其逮捕归案，救回了老板的儿子。

那么，绑匪究竟是谁？警察是如何猜到的？

82. 中间房间的人是谁

乔丹、安东尼和奈特3人住在3个相邻的房间内，他们之间满足这样的条件：

① 每个人都喜欢一种宠物（不是兔就是猫），一种饮料（不是柠檬汁就是蓝莓汁），一种啤酒（不是蓝带就是格瓦）；

② 乔丹住在喝格瓦者的隔壁；

③ 安东尼住在爱兔者的隔壁；

④ 奈特住在喝柠檬汁者的隔壁；

⑤ 没有一个喝蓝带者喝柠檬汁；

⑥至少有一个爱猫者喜欢喝蓝带啤酒；

⑦至少有一个喝蓝莓汁者住在一个爱兔者的隔壁；

⑧任何两人的相同爱好不超过一种。

请问，住中间房间的人是谁？

83. 朋友之间的牵制

某人有3个好朋友，他们玩了一个很好玩的游戏，即猜测谁在某件事情中说谎。这个人问哈利："贝瑞在撒谎吗？"哈利回答："没有，贝瑞没有说谎。"他问贝瑞："杰森在说谎吗？"贝瑞回答："是的，杰森撒谎了。"接着他又问杰森："哈利在撒谎吗？"

你知道杰森会怎么回答吗？

84. 两个聪明的儿子

有一天，一位父亲给两个儿子出了道题。他打开一个抽屉，里面放满了大大小小、各种形状的邮票，但是面值只有2元和4元两种。然后他拿出一本书，对他们说："这本书里面有面值之和为8元的几张邮票，是我之前从抽屉里面拿出来的。"然后他当

着两人的面，从书里拿出两张单独给大儿子看，然后又拿出两张单独给小儿子看，其中有刚才大儿子看过的，也有大儿子没有看过的。做完这些之后，他对他们说："现在请告诉我，书里面夹有几张邮票，面值分别是多少，并告诉我你们猜测的理由。"两个儿子谁也没有说话，但是在短暂的沉默之后，两人几乎同时说他们知道答案了。

那么，答案到底是多少呢？他们又是如何推断出来的呢？

85. 目击者的谎言

杰克利斯是著名的探长，有一天他刚回到家中就听到电话在响，于是他拿起听筒，听筒中传来了同事的声音："是探长吧，请赶紧回警局吧。"

大约过了半个小时，杰克利斯探长赶到警察局。警长对他说："刚刚发生了一起事故，一个人从楼顶上掉了下来，一位现场目击者一口咬定这个人是自己摔下来的，不过当时已经是晚上11点了，所以街道上没有其他人看到。"杰克利斯探长了解到这些信息之后说："我先去现场看看吧，然后再见一下那个目击证人。"

杰克利斯探长赶到现场的时候，目击者也在现场，探长让他重新叙述

一遍当时的情景。只听目击者说："当时天上下着雪，我在一家餐馆里面待了两个小时才离开的，那个时候正好是11点，街道上基本没有其他人，我跑进了自己的车里。就在这个时候我看到楼顶站着一个人，他在那里站了一会儿之后就跳了下来。"

杰克利斯探长看着那个目击者说："如果你不是罪犯的同伙的话，那么就是他给了你很多钱，让你说谎。"目击者听完之后，脸色变得非常苍白。

那么，杰克利斯探长到底是如何得知目击者在说谎的呢？

86. 女士的钻戒

4位女士聚在一起聊天，她们手上都至少戴着1枚钻戒，且一共有10枚钻戒戴在她们手上。

她们的对话如下：

妮可说："凯勒和苏菲总共拥有5枚钻戒。"

凯勒说："苏菲和安娜总共拥有5枚钻戒。"

苏菲说："安娜和妮可总共拥有5枚钻戒。"

安娜说："妮可和凯勒总共拥有4枚钻戒。"

假设其中拥有2枚钻戒的人说的是假话，其他人的话是真话，另外，说假话的人可能多于两个，那么，4位女士各拥有多少枚钻戒？

87. 鲸鱼们的对话

太平洋的某一区域住着5条鲸鱼，有一天它们聚在一起聊天。它们分别居住在海洋深度为800米、900米、1000米、1100米、1200米的地方，它们所讲的话中，凡是关于居住深度比自己浅的鱼的叙述都是真的，关于居住深度比自己深的鱼的叙述都是假的，另外它们中只有一条鲸鱼的话是真实的。具体的对话如下：

A说："B住在900米或者1100米的地方。"

B说："C住在800米或者1000米的地方。"

C说："D住在1100米或者1200米的地方。"

D说："E住在1100米或者1200米的地方。"

E说："A住在800米或者1000米

的地方。"

请问，你能够推断出A、B、C、D、E分别居住在哪个深度吗？

88. 失踪了的箱子

10岁的斯坦尔斯和妈妈要出远门，他们将自己的宝贝各自放到一个箱子里。妈妈从家门口数了30步，埋下了自己的箱子。斯坦尔斯也从门口数了30步，埋下了自己的小箱子。等到6年之后，母子俩回到家中，妈妈从门口数了30步，挖出了自己的箱子，斯坦尔斯从门口数了30步却怎么也找不到自己的箱子了。

请问，这是为什么？

89. 四个同学之间的惨案

这里有A、B、C、D 4位同学，他们相约一起去喝酒，等到他们坐下来喝酒的时候，D突然中毒身亡。警探得知消息之后立即赶来了，他们对剩下的3位同学进行了调查，得到了下面的证词：

A："我当时坐在B的旁边，不是B就是C坐在我的右边，这个人不可能毒死D。"

B："我当时坐在C的旁边，不是A就是C坐在D的右侧，所以这个人不可能毒死D。"

C："我当时坐在D的对面，如果我们当中的一个人撒了谎，那么那个人就有可能是杀死D的凶手。"

警察和酒吧的几位服务员进行了交谈，终于知道了他们中哪一个是在撒谎，而罪犯的确只有一个。

那么，你能够判断出到底是谁毒死了D吗？

90. 扑克牌找真凶

一位著名的数学教授出差时住在一家星级酒店中。

在一个深夜，人们发现教授昏迷在酒店的一间包房内，通过检查发现他的钱包不翼而飞了。教授的手中死死地握着一张扑克牌"K"，除此之外，警探在房间内没有发现任何有用的线索。

经验丰富的警探猜测这张扑克牌代表着凶手的门牌号，这家酒店的门牌号都是3位数字，而恰恰又没有"013"这个房间。不过在一番深思熟虑之后，警探还是找到了凶手。

请问，你可以找出凶手吗？

91. 杰克在说什么

杰克说："老鹰（eagle）、大象（elephant）和碧古鱼（walleye）各有两个，老虎（tiger）、驼鹿（moose）、熊（bear）、海龟（turtle）和蛇（snake）各有一个。但是，人类（human）和大猩猩（gorilla）一个都没有。"

请问，杰克在说什么？

92. 找到正确的门铃按钮

查理是一位知名学者，他家里的门铃整天响个不停，令他不堪其扰。于是，查理请来了一位友人帮忙。这位友人帮助查理在大门前设计了一排6个按钮，但只有其中的一个是能让门铃响起的。只要来访者按错一个按钮，即使后来又按对了按钮，也会使得整个门铃系统停止运作。

伴随着这项发明，有人还在按钮旁贴上一张告示，其内容是："A位于B的左方，B位于由C向右数的第三个位置，C则位于D的右方，E与D紧挨着，却与A隔了一个按钮。而正确的按钮是上面没有提到的那个按钮。"

根据这个告示，你能否猜出正确按钮的所在呢？

93. 逻辑否定

假设一句话"所有人都有逻辑"是错误的，那么下列4句话哪一句是正确的呢？

A. 所有人都没有逻辑

B. 有的人没有逻辑

C. 有逻辑的才是人

D. 有的人有逻辑

94. 推测小狗的年龄

下图是4只小狗，它们的年龄从1岁到4岁各不相同。其中两只会说话，如果说的是关于比自己大的狗的话，那都是假话；而说的比自己小的狗的话，都是真话。

小狗甲说："小狗乙现在3岁了。"

小狗丙说："小狗甲不是1岁。"

据此，请判断4只小狗的年龄。

95. 不翼而飞的邮票

迪莫是一位邮票收藏家，一天，

他和妻子回家后发现家门被撬开，于是连忙抓住了还没来得及逃跑的窃贼。警方赶到现场后清点发现，迪莫保险柜里的几枚珍品邮票被盗，窃贼却一直狡辩道："虽然我是来行窃的，但邮票失窃与我无关。"

警方并不相信他说的话，他们仔细检查了迪莫的房间，发现了一个纸袋，并在纸袋底部发现一些鸟粪。于是，一位警察立即为窃贼戴上了手铐，说道："走吧，邮票在你家里。"

听到这句话，迪莫和妻子都非常惊讶：邮票是怎么到窃贼家里的？

96. 三条路的选择

有一天，一个顽皮的小孩子闯进了一座迷宫中，他在里面转悠了很久也没有找到出口。

他走着走着来到一个三岔路口，在每一个路口上都有一句话。第一个路口上写着"这条路通向迷宫的出口"；第二个路口上写着"这条路并不通向迷宫出口"；第三个路口上写着"另外两个路口上的话，一句是真的，另外一句是假的"。

那么，这个小孩子该选择哪个路口从而轻松离开迷宫？

97. 办公室里的同事

在一间办公室里，甲说："如果给我加薪的话，那么乙也会加薪。"乙说："如果给我加薪的话，那么丙也会加薪。"丙说："如果给我加薪的话，那么丁也会加薪。"

事实证明，三个人的说法都是对的，但是只有两个人加薪了。你知道最终谁加薪了吗？

98. 修理店的汽车

有4辆汽车停在汽车修理店，其中，汽油泵旁有两辆汽车，剩下的两辆在使用其他设备。

现在，我们还知道以下信息：
①灰色奥迪汽车在丙的汽车的右边。
②丁驾驶的汽车不是蓝色的。
③甲的车并非宝马，它也不停在两个汽油泵前。丰田汽车停在汽车泵旁

边，但它不是绿色的。

④ 深蓝色的汽车是4号，但品牌不是奔驰牌的。

根据上面给出的信息，你能否得出每辆车司机的名字以及每辆车的颜色和品牌？

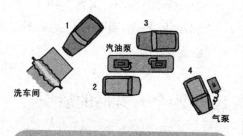

4辆车分别是：宝马、奥迪、奔驰和丰田；

司机分别是：甲、乙、丙、丁；

颜色分别是：深蓝色、绿色、灰色和浅蓝色。

提示：可以先将4号汽车的品牌推算出来。

99. 珠宝在哪个箱子里

一位盗墓者在一次盗墓的时候发现了两个箱子和一封信，信上写道："这两个箱子中，一个装满了可以让你富可敌国的珠宝，而另外一箱装满了可以夺走你的性命的机关。如果你足够聪明的话，那么按照箱子上的提示就可以成功拿出珠宝。"此时盗墓者在两个箱子上各看到一张纸条。第一个箱子上的纸条写着："另一个箱

子上的纸条内容是真实的，珠宝在这个箱子里。"第二个箱子的纸条上写着："另一个箱子上的纸条内容是假的，珠宝在另一个箱子里。"

那么，这个盗墓者应该打开哪个箱子从而获得珠宝，且不被机关夺走性命呢？

100. 三个嫌疑人

一家大型超市失窃，大量的商品被罪犯用汽车运走。警方最终确定了3个嫌疑人A、B、C，而且还掌握了如下的信息：

① 罪犯就在3个嫌疑人中；

② C在作案的时候，A为从犯；

③ B不会开车。

请问，A有没有卷入这次犯罪中？

101. 失窃的海洛因

一名罪犯潜入一家药房，从药品柜中盗走了一大瓶贴着化学式的海洛因。罪犯出来的时候碰到保安，于是他刺死了保安逃走了。

警方调查后锁定了两个嫌疑人：一个是刚来医院不久的实习医生，一个是前几天住院的青年农民。后者是因为在田里干活时遭到老虎袭击而住院的。请问，谁的嫌疑更大一些？

102. 错乱的标签

　　6只白色兔子和6只红色兔子被放在4个盒子里。如图所示，每个盒子上都贴有标签，但都贴错了。4个选手分别拿到一个盒子和错误的标签，在可以从盒子里拿出2只兔子的前提下，每个人必须要说出自己盒子里3只兔子的颜色。

　　随后，甲拿出两只红色兔子，并说："我知道第三只兔子的颜色了。"乙拿出红、白两色兔子各一只，说："我也知道第三只兔子的颜色了。"丙拿出两只白色兔子，说："第三只兔子的颜色我不知道。"而丁则说："无需拿兔子，我已经知道3只兔子的颜色，以及丙的另外一只兔子的颜色。"

　　请问，丁是如何做到的？

103. 九块石头

　　两个小朋友在玩一种游戏。游戏的规则是这样的：先找到9块石头，之后将它们放在一起；然后双方开始轮流从中取出1块、3块或者4块石头，最后一块石头是谁取的，就算谁赢。

　　现在请问，是先取的人会赢得比赛，还是后取的人赢？

104. 四个人身后的旗帜

　　甲、乙、丙、丁分别坐在一张方桌的四面，他们身后都有一面红色或黄色的彩旗。

　　丁问道："你们每个人看到的都是什么颜色的彩旗？"

　　甲说："我看到了三面黄色的彩旗。"

　　乙说："我看到了一面红旗和两面黄旗。"

　　丙说："我看到了三面红旗。"

　　在他们三人的回答中，身后放黄旗的人都说了假话，而身后放红旗的人都说了真话。

　　那么，请问谁的身后是红旗？

105. 奇怪的姐妹

　　有胖瘦不一的姐妹俩，姐姐上午的话全部都是真话，下午的话全部是假话；妹妹则正好相反，她上午的话全部都是假话，而下午的话全部都是真话。

有一天，有人去看望这一对姐妹，这个人问道："你们谁是姐姐？"胖的那位回答说："我是。"而瘦的那位也说："是我。"这个人又问道："现在是几点钟了？"胖的那位回答说："现在快到中午了。"瘦的那位说："中午早已经过去了。"

请问，当时到底是上午还是下午？哪一个是姐姐呢？

106. 下周要考试

星期五快要放学的时候，数学老师说："在下星期的某一天我们将要进行一次考试。"听到这个消息学生们立即开始讨论考试会在哪一天。接着老师说："你们根本不会知道什么时候考试的。只有到了那天早上8点

钟，我才会通知你们下午1点考试。"

你能说出这场考试是在哪天进行的吗？

107. 谁是智者

甲、乙、丙三个人中，只有一个智者。在参加了英语和数学两门考试后，三个人说出了如下的话：

甲说："如果我不是智者，将不能通过英语考试；但如果我是，则将能通过数学考试。"

乙说："如果我不是智者，将不能通过数学考试；但如果我是，则将能通过英语考试。"

丙说："如果我不是智者，将不能通过英语考试；但如果我是，则将能通过英语考试。"

考试结束后，这三个人说的话都被证明是真的，并且三人中只有智者通过这两门科目中的某门考试，但也只有智者没有通过另一门考试。

请问，谁是智者？

108. 三位美女

有这样三位美女，她们的名字分别是：天使、魔鬼和常人。她们头发的颜色分别是：黑色、茶色和金黄色。天使总是说真话；魔鬼总是说假话；常人有时候说真话、有时候说假话。

黑发美女说："我不是天使。"

茶色头发的美女说："我不是常人。"

金黄色头发的美女说："我不是魔鬼。"

那么，她们分别是谁呢？

109. 四辆碰碰车

4位朋友同一时间坐上了碰碰车，下图为他们4人在圆形的运动场中央掉头的场景，根据下面的提示，你能够将4位朋友的全名和他们所驾驶的碰碰车颜色说出来吗？

① 布拉格驾驶蓝色的碰碰车，且他的右手边是琼斯；

② 3号碰碰车的颜色是黄色，驾驶它的是个男孩；

③ 米奇·布西驾驶的不是红色碰碰车；

④ 1号碰碰车上的年轻人姓格里斯；

⑤ 杰斯李驾驶着2号碰碰车。

> 4人的姓为：布西、布拉格、格里斯、邱吉思；
>
> 4人的名为：米奇、乔治、杰斯李、琼斯；
>
> 4辆碰碰车的颜色为：蓝色、绿色、红色、黄色。

提示：首先推断出哪辆是米奇驾驶的。

110. 接受训练的女孩

有四位欧洲少女接受预言家的训练，很多年后她们中的一位成功成为了预言家，并且在纽约谋得了一份很不错的职业。而其余的三位一个成了职业舞蹈家，一个做了宫廷侍女，一个做了竖琴演奏家。

四位女孩在接受训练的时候，她们分别说了如下的话：

A说："B不可能成为职业舞蹈家。"

B说："D最终会成为纽约著名的预言家。"

D说："C不会成为竖琴演奏家。"

C说："我最终会嫁给一位叫阿特克赛克斯的男人。"

事实上，四个人中只有一个人的预言成真了，而这个人就是之后成为纽约著名预言家的那个人。

那么，请对应四位女孩最终的职业，并判断C有没有和叫阿特克赛克斯的男人结婚。

111. 撒谎村来的打工者

有一个奇怪的村庄叫撒谎村，该村的一个女孩外出打工，她和另外的两个女孩住在同一个寝室，她们三人分别是甲、乙、丙。

其中一个问甲说："你是从撒谎村来的吗？"所有人都没有听清楚她的回答。

乙说："甲说她不是从撒谎村来的。当然我也不是。"

丙接着说："乙是从撒谎村来的，我不是。"

那么，三个人中到底谁是从撒谎村来的呢？

112. 采花女

一个庄园里有3个女孩，她们常年靠上山采花为生，而且，3个女孩除了采花外，根本不会其他的谋生手段。某天，庄园主来检查女孩们的采花情况，3个女孩分别说自己采了1、2、3

束花，但庄园主发现一共只有4束花，显然，至少一个女孩没说实话。对此，3个女孩这样解释：

女孩甲："丙一贯喜欢撒谎。"

女孩乙："甲和丙都没说真话。"

女孩丙："乙说谎。"

请问，3个女孩各自采了多少束花？

113. 唱歌表达爱意

5个男子准备在情人节那天为自己的恋人献上一首歌，根据下面的提示，你能够推断出5个男子的名字、他们恋人的名字、他们怎么相遇的，以及他们准备唱什么歌吗？

① 克丽丝的恋人不是费迪南德，她听到也不是"Don't Know Why"；

② 乔哈特在买黄瓜的时候遇到了他的恋人，他不准备唱"When You Say Nothing At All"和"We Are Never Ever Getting Back Together"；

③ 查理准备给自己的恋人唱"You And Me"，他们并不是在给摩托车加油时认识的；

④ 琳达将会听到歌曲"Inaudible Melodies"；

⑤ 费迪南德的恋人不是露西；

⑥ 帕克的恋人是玛丽，他们不是在看足球赛时认识的，而那个在足球赛上认识男朋友的女子将听到"Don't Know

Why"；

⑦艾玛和男朋友是在买香烟时认识的，她将听到 "When You Say Nothing At All"；

⑧有一对恋人在葡萄酒厂认识；

⑨有一个男子叫西姆。

114. 真假话辨别

安琪和男友一起外出旅游。在某个晴朗的午后，他们一起来到一个村庄找水喝。两人在村庄里遇到一个男孩和一个女孩抬着一桶水。已知这两个孩子中的一个人只说真话，另一个人只说假话。安琪想问他们抬的那桶水能不能喝，就问小男孩道："今天天气不错，是吗？"

小男孩答道："是的。"

安琪又问："我可以喝这个桶里的水吗？"

小男孩回答道："可以。"

请问，这桶水能不能喝？

115. 火星人和水星人

有一年，在广阔的西伯利亚地面上降落了一艘子弹头式的宇宙飞船，接着从里面走出了5个穿着奇装异服的人，其中2个是火星人，3个是水星人。

随后，这5个外星人接受了地球记者的采访。

比伯说："强尼和卡特两人中有一个是火星人。"

强尼说："卡特和杰森之间有一个是水星人。"

卡特说："米斯里和杰森中有一个是水星人，而杰森和比伯来自于不同的星球。"

杰森说："强尼和米斯里之间至少有一个是火星人。"

米斯里说："比伯和强尼中有一个是火星人。"

现在请你判断，他们哪几个是火星人，哪几个是水星人？

116. 谁是撒谎女子

有4个女子，其中1个经常撒谎，其他的3个女子从来不撒谎。现在她们每个人戴着1枚戒指，其中的1枚戒指是玛瑙的，戴着这枚戒指的人不会撒谎。她们4个人都知道谁是喜欢撒谎的女子，并且她们也知道谁戴着玛瑙

70

戒指。

我们还知道：

A说："我的戒指不是玛瑙戒指。"

B说："C是喜欢撒谎的女子。"

C说："D戴着玛瑙戒指。"

D说："C不是喜欢撒谎的女子。"

根据这些已知条件，你能够推断出谁是喜欢撒谎的女子，谁戴着玛瑙戒指吗？

117. 淘气的鹦鹉

在某动物园中，有3只来自A、B、C 3个不同国家的鹦鹉，它们的名字分别是罗思尔、丽娜和艾米斯。它们是3只很难对付的鹦鹉，这让动物园的饲养员伤透了脑筋。

在它们中间，来自A国的鹦鹉总是喜欢说真话，来自B国的鹦鹉总是喜欢说假话，来自C国的鹦鹉总是先说真话然后再说假话。

为了对付这3只淘气的鹦鹉，饲养员偷偷录下了它们的一段对话。

罗思尔说道："艾米斯是从C国来的，而我是从A国来的。"

丽娜说："罗思尔是从B国来的。"

艾米斯说："我知道，丽娜是从B国来的。"

通过这段偷录的对话，你知道罗思尔、丽娜和艾米斯各自从哪个国家来的吗？

118. 玩游戏的女孩

在一个下雨天，4个女孩子躲在房间里玩一种叫卢多的游戏。

根据下面给出的条件，你能推断出4个女孩子分别坐在什么位置上、她们所选筹码的颜色以及最后一次投掷骰子的点数吗？

① 没有人掷出的点数和自己的座位号相同；

② 珍妮掷出3点，她坐在用黄色筹码的女孩左边；

③ 萨拉用红色筹码；

④ 2号座位上的女孩掷出5点；

⑤ 用蓝色筹码的女孩掷出了4点，其持有者不是安琪儿；

⑥ 艾玛不坐在3号位置；

名字分别是：安琪儿、珍妮、萨拉、艾玛；

筹码的颜色分别是：蓝色、绿色、红色、黄色；

掷出的骰子点数分别是：1、3、4、5。

提示：可以首先找出珍妮筹码的颜色。

119. 帽子颜色决定命运

有3个犯人A、B、C被关在3个囚室中，他们能够互相看到彼此，但是却听不到对方的声音。

有一天，国王将他们的双手反绑起来，然后给他们每个人戴一顶帽子。现在他们只知道帽子的颜色不是黑色就是白色，但是他们却不知道自己戴的是什么颜色的帽子。在这种情况下，国王宣布：第一，谁要是能够看到两个犯人戴的都是白帽子，那么就可以释放谁；第二，谁要是知道自己戴着黑帽子，那么就释放谁。

其实，国王给他们戴的都是黑帽子，只不过他们自己看不到罢了。

3个犯人面面相觑，一时间都不知该怎么办。不久之后A用推理的方法，推断出自己戴的是黑色帽子，国王只好释放了他。

你知道他是如何推断的吗？

120. 居然有半张唱片

乔希尔和李米斯都是喜欢解难题的偏执狂，他们最大的乐趣就是用自己想出的难题难倒对方，或者难倒其他的朋友。

有一天，乔希尔和李米斯一起经过一家唱片店，此时，乔希尔对李米斯说："我知道你有西部乡村音乐的唱片。"

李米斯说："我真的没有了，我已经将唱片的一半以及半张唱片交给了安娜。"然后他接着说："然后将剩下的另一半，以及半张交给了我的中国朋友吴晓明。现在我只有一张唱片了，如果你能够告诉我，我之前有多少张唱片，那么我就将这最后一张送给你。"

这一次，乔希尔真的被这个题目难倒了，因为他实在想不明白对方所说的半张唱片到底什么用。

那么，你能帮助乔希尔解决这个难题吗？

121. 酒吧在哪里

有6家店沿着商业街两旁依次排开，编号分别是1、2、3……6。其关系分别有：

① 1号店旁边是书店；

② 书店在花店对面；

③ 面包店在花店隔壁；

④ 4号店与6号店相对；

⑤ 酒吧在6号店隔壁；

⑥ 6号店与文具店在商业街的同一边。

请问，1号店是什么店？

122. 他是如何猜到的

一天，一位幼儿园的老师带着7个小朋友做游戏。

她先是让6个小朋友围成一圈坐在操场上，让剩下的那个小朋友坐在中央，并给所有人都戴上眼罩。然后，她拿出7块头巾，其中有4块是红色的，3块是黑色的，并把头巾包裹在每一个小朋友的头上。接着，她解开外围6个人的眼罩，这样，由于中央的小朋友阻挡了他们的视线，他们每个人只能看到5个人头上的头巾颜色。

这时，老师说："现在你们猜一猜自己头上头巾的颜色。"小朋友们思索了好一会儿，也想不出自己的头巾颜色。最后，坐在中央的被蒙住双眼的小朋友说："我猜到我头上的头巾颜色了。"

那么，你知道被蒙住双眼坐在中央的小朋友头上是什么颜色的头巾吗？他是如何猜到的？

123. 帽子的颜色

在一次生日派对上，为了表演节目，表演者们准备了3顶蓝帽子和两顶红帽子。节目中，扮演小丑的安德烈、杰米、罗恩3人排成一列，其中，安德烈站在杰米前面，杰米站在罗恩前面。3个人头上各戴着一顶帽子，并将剩下的帽子藏起来。并且，每个人只能看到站在自己前面的人的帽子颜色，而看不到自己的。于是，发生了如下的对话：

"罗恩，你的帽子是什么颜色？"

"不清楚。"

"杰米，知道你的帽子是什么颜色的吗？"

"我也不清楚。"

这时，完全看不到别人帽子的安德烈却说："我知道了。"

请问，安德烈的帽子是什么颜色？

73

124. 故意布置的现场

一天晚上，一位女作家被发现死在自己家中，从现场来看，女作家当时似乎正趴在桌前写作，然后遭到重击而死。书桌上还有一盏台灯，但是没有开。

警察找到物业管理员，向他问道："小区里有没有停过电？"管理员回答："大约在昨天晚上9点钟的时候停过一个小时的电。我猜她是在用应急灯写作的时候被害的，要知道她每天晚上很晚才会关灯的。"

警察又问："在停电的这段时间有谁曾经出现过？"管理员回答："停电之前女作家的男友曾经来过，停电之后他就匆匆离开了，我猜他应该是凶手吧。"

警察又问道："那么停电之后有没有什么可疑的人出现过呢？"管理员想了一会儿，说："好像没有，不过来电之后有一名大约30岁左右的男子从死者的那层楼下来了，但是我不知道他有没有进过死者的房间。"

警察听到这里的时候就已经知道谁是凶手了。那么，你知道谁是凶手吗？

125. 国王的愿望

很久以前，有一个奇怪的国王，他希望自己国家的男子能够拥有好几个妻子，于是他颁布了一条法令：一位母亲在生下男孩之后就不允许再生小孩了。国王认为，这样一来，一个家庭中就会有好几个女孩，而最多只会有一个男孩，女性的人口就会大大超过男性的人口，最终就可以实现他的"愿望"了。

请问，你认为这条法令能帮助国王实现"愿望"吗？

126. 父亲和五个儿子

有一位父亲在灾荒之年眼看就要断粮，他只能去求助于五个已经成家、工作在外的儿子。他不知道哪个儿子有钱，但是他知道五个儿子相互知道底细，而且没有钱的儿子都说真话，有钱的儿子都说假话。

下面是五个儿子的话：

老大说："老三曾经说过，我的四个兄弟中只有一个比较有钱。"

老二说："老五说过，我的四个兄弟中有两个有钱。"

老三说："老四说过，我们五兄弟都不怎么有钱。"

老四则说："老大和老二都比较有钱。"

老五则说："老三有钱，而且之前老大也承认过他有钱。"

那么，你能推断出几个儿子中谁有钱吗？

Part 3

拓展想象力的思维游戏

通过一个既有的形象，借助个人的思维方式、判断事物的经验等等，对此展开创造性的想象，这种能力就是想象力。

比如一提到"马"，很多人立即就会想到象棋，这就是最简单、最普通的想象力，由此可见拓展想象力也要建立在一定的知识层面上，如果你不知道象棋中还有以"马"为标志的棋子，又怎么可能展开如此的想象呢？

1. 蝇蛆也有作用

美国华盛顿特区有一位生重病的老太太，她常年卧病在床，身上长满了褥疮，医生们借助一些抗菌类的药物帮她治疗，但是效果并不是很好，最后连医生都束手无策了。

后来，当地一家私人医院的医生想起了一战时期的一件事情，那个时候的医疗条件非常差，很多伤兵的伤口都无法及时进行处理，伤口慢慢地开始生出蛆。但让人奇怪的是，伤口不会发炎，到最后还慢慢愈合了。

于是，这位医生由此想到了一个办法，最终帮助这位老太太祛除了褥疮。

那么，他是怎么做的呢？

2. 全新口香糖

在第二次世界大战之后，森秋广加入了日本大阪的一家食品公司。当时，日本姑娘都很喜欢吃美国进口的口香糖。

森秋广是一个很聪明的人，他看到了姑娘们对口香糖的钟爱，就有了主意，他对自己的经理说："我们现在开始生产口香糖吧，我相信销量肯定会很好的。"

这位经理很认可他的想法，于是森秋广开始研制日本口香糖。他为

此甚至还查看了口香糖的解释：口香糖是橡胶液中添加白糖、薄荷混合而成的一种具有弹性的食品。在日本无法找到适合做口香糖的橡胶原料，但森秋广看到口香糖有一个很大的特性——"有弹性"，于是他就想着可不可以找到一种代替橡胶的材料呢？

森秋广最开始采用松脂和冬青树胶来做实验，但都失败了，后来他又想到了一个办法，终于研发成功了属于日本的口香糖。

那么，根据你所掌握的知识，你能想象到森秋广是采用什么东西代替橡胶的吗？

3. 何去何从的四只苍蝇

在上课的时候，老师给同学们出了一个题目：现在桌子上有四只苍蝇，我打死了一只，还有几只？

同学们沸腾起来，纷纷开始猜测答案，并且踊跃回答。

第一个学生说："还有三只苍蝇。"老师只是笑了笑，没有肯定他的答案。

第二个学生说："应该是一只都不剩，因为都飞走了。"但是老师还是说他的答案不对。

那么，你认为还有其他的答案吗？

4. 印第安箭头

下图是4支印第安箭头，请只通过移动位置而使4支变成5支。

你能做到吗？

5. 动物管理员

某动物园的管理员沃尔特·切尔德斯在为动物们划分界限时遇到了一点麻烦，麻烦的源头是那头不安分守己的狮子。

切尔德斯将9只动物混合圈在1个正方形的围栏里，不久那头狮子就开始咬骆驼，之后它又被大象踩了，9只动物都陷入了混乱中。

切尔德斯决定将它们各自圈在各自的围栏里。

聪明的切尔德斯只建了2个围栏就将所有的动物分开了，你知道他是如何做的吗？

6. 倒霉的农夫

万圣节前夕，倒霉的农夫科尔斯特斯喝醉酒后被恶毒的女巫抓到了破旧的教堂里。女巫咆哮着说："如果你想要活命的话，就只能说一句话。你说对了，我就把你榨成油；你说错了，我会把你喂蝙蝠。"

此时，科尔斯特斯的头脑清醒了一些，他只说了一句话，女巫就既没有把他榨成油，也没有把他喂蝙蝠，而是把他放走了。

请问，科尔斯特斯到底说了什么？

7. 巧用大葫芦

很久以前，有位农夫种出了一个很大很大的葫芦。

很多人喜欢用葫芦去装酒等液体，但是这个葫芦太大了，如果装满液体的话，很有可能爆裂；但是如果将其锯开当瓢用的话，又找不到那么大的缸，而且使用起来也比较麻烦。但是好不容易结出来的葫芦，难道就这样不用了吗？

之后有一位邻居提醒了一下这个种葫芦的人，他果然找到了合适的使用方法。

那么，那个邻居到底是怎么说的呢？

8. 阿基米德的妙计

公元前213年，罗马帝国派出大量的战船来到地中海的西西里岛，企图征服叙拉古王国，当时的叙拉古王国根本不是罗马的对手，所以只能选择固守城池。

有一天，叙拉古国王和阿基米德一起观察海面，国王看着渐渐逼近的罗马战船，将希望的目光投向阿基米德。阿基米德之前已经让人准备了很多面镜子，他说："我今天有办法消灭这些战船，从而取得最终的胜利。不过，我需要太阳神的帮助，才能消灭他们。"

国王对阿基米德的话感到很诧异，因为他知道阿基米德是不相信神的，但当他听完了阿基米德的解释之后，就明白过来。之后，他们果然借助那天的太阳烧毁了罗马的战船，从而打败了侵略者。

那么，阿基米德到底是如何烧毁战船的呢？

9. 摆放骰子的方法

请先准备3个骰子，桌子上放1个，另外2个夹在拇指和食指之间。

此时和其他人打赌，赌他们无法将手中的2个骰子按照下图的方法放在桌上的骰子的顶部。无论他们怎么尝试，最终只能是失败。

等他们都认输的时候，你就告诉他们，你可以做到。

那么，你知道该如何做吗？

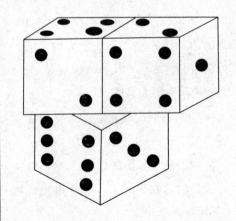

10. 指挥喷泉

一位表演者拿出一盆带喷泉的盆景，然后对观众说："这个盆景中的喷泉会听我的话。"说完之后，他指挥了起来，但是喷泉似乎没有动。

此时，表演者拿出一块绸布和一根玻璃棒。他仔细地用绸布擦了擦玻璃棒，之后开始指挥，奇迹出现了，喷泉真的按照他的指挥动了起来。

请问，这到底是怎么回事？

11. 举一反三的普通员工

美国一家制糖公司每年都会从南美洲购买方糖，可令人头疼的是，方糖在运送过来的时候会出现受潮的现象，这凭空增添了不少损失。后来，一名普通的工人在轮船上发现了一个通风洞，他灵机一动终于解决了方糖受潮的问题。

那么，这名工人是怎么做的呢？

12. 想要过河的毛毛虫

几个朋友在吃饭的时候，有人为了活跃气氛出了这样一个题目：一条毛毛虫看到对岸的景色非常美丽，就像仙境一般，于是想要去对岸生活，但是一条大河拦在它的面前，而它离桥也很远，那么毛毛虫该怎样过河呢？

当时，吃饭的几位朋友纷纷出谋划策，有的说坐船过去，有的说慢慢爬到桥上过去，有的说爬到人的身上然后被带过去，还有的说等河水干了再过去……

那么，你知道毛毛虫过河最好的办法是什么吗？

13. 工人卸西瓜

一艘载满西瓜的船停靠在岸边，船上的工人们还没有系缆绳就开始卸西瓜了，工人们从船尾将西瓜抛给岸上的人，那么，接下来会发生什么事情呢？

14. 相互吞食的蛇

几条饥饿的蛇正在吞食对方，它们采取了如下图这种奇怪的进餐方式，而它们的圆环不断变小。

如果它们继续下去的话，最后这个圆环会出现什么情况呢？

15. 生活中的4-4

在数学中，谁都知道4-4=0，这是唯一的答案。但是在我们的生活中，有时候4-4的结果未必就等于0，比如可以等于12。当然这种减法并不是数学意义上的减法，而是生活中的一种减法。

那么，你能想清楚其中的原因吗？

16. 玛莎分梨

一天，玛莎家里来了6位客人，玛莎希望用鸭梨来招待客人们，但她却发现家里只剩下5只鸭梨。要想每个客人都能品尝到鸭梨，玛莎必须想出一个好办法。如果把每只鸭梨都切成小块，显然这个方法不可行，因为每只鸭梨都不能切成3块以上。那么，你能帮玛莎想出办法来吗？

17. 世界上最大的影子

著名法国物理学家居里夫人是诺贝尔奖得主，她曾经问自己的孩子一个问题："世界上什么影子是最大的？"那么，你能回答这个问题吗？

18. 三个乒乓球

有一个两米深的凹槽，其大小只能通过一个乒乓球，现在从凹槽的两端各自滚过来一个乒乓球a和b，为了让它们交错通过，凹槽的壁上正好有一个乒乓球大的凹洞，但是不巧的是洞里还有另一个乒乓球c。

那么，怎样让乒乓球a和b顺着其原本的方向到达终点呢？

19. 被禁止吸烟的电影院

电影院中是禁止吸烟的，可是在一次看电影的时候，有一位男子在电影进入高潮的时候开始吸烟，当时烟雾笼罩了整个银幕，但是却没有一个观众出来制止，那么，这到底是什么原因呢？

20. 桌上还有多少块糖

一节数学课上，老师正在给孩子们讲减法，为了让课堂氛围更为活泼一些，老师从口袋中拿出几颗糖来，他对认真听课的斯蒂说："斯蒂，现在桌子上有4块糖，你姐姐拿走了两块，还剩下几块？"

聪明的斯蒂却反问老师说："请问我有几个姐姐？"老师很无奈，只好说："一个姐姐，而且父亲只允许她拿两块糖。"

谁知道斯蒂竟然说："那桌子上就没有糖了。"最终他给了老师一个合理的解释。

请问，斯蒂的解释是什么？

21. 奇怪的女囚犯

曾经有一名女囚犯被抓到警察局中，并且被关押在一个单独的小囚室里，这里的安保措施非常好，不可能有人能够进入，但是到了第二天早上，小囚室中居然多了一位男士，那么，这到底是怎么回事呢？

22. 司机开的是什么车

一条马路上发生了一起车祸，警察迅速赶来，虽然采取了很多急救措施，但还是有一个人失去了生命。

按照司机的说法，这个人并不是死于车祸，而是因为肺癌失去生命的。当时车上只有司机和死者两个人，根本没有其他的目击者，但是警察很快就断定司机并没有说谎，那么，你知道是什么原因吗？

23. 血迹斑斑的汽车

在一起车祸的现场，警察们赶来的时候发现司机毫发无伤，而翻倒的车子中却是血迹斑斑。他们没有看到任何死者和伤者，而这里地处荒郊野外，根本不可能有人提前将伤者送往医院。

那么，这到底是什么原因呢？

24. 图中的杯子

下图中有3个杯子，你能加1笔使它们变成5个杯子吗？

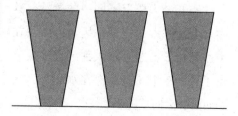

25. 前进的车子

基米尔打车从图书馆回家，等他一觉醒来的时候，却发现司机先生不见了，而汽车还在继续前行，那么，这到底是怎么回事呢？

26. 富有的家庭

有一个小偷将附近几户有钱人家的珠宝偷得一点都不剩了，唯独有一个很富有的家庭却没有失窃，而且这家人一点防备措施都没有，那么，这到底是怎么回事呢？

27. 新的单词

下图中有3个单词，请在前面分别填写相同的一个四字母单词，从而让3个单词变成全新的单词。

LINE
PHONE
WATERS

28. 坏蛋

有几个人登上了同一艘游轮，其中七个是好人，三个是坏蛋。游轮在中途翻船了，七个好人都沉到水底淹死了，而三个坏蛋却浮在水面上，这到底是怎么回事呢？

29. 想要回家的弥斯小姐

弥斯小姐有一天从办公室走出去，去拜访了几位客户。等她回到家

的时候，却发现钥匙留在了办公室里。虽然她没有爬墙，也没有使用备用钥匙，但她最终还是进了家门。

请问，弥斯小姐是如何做到的？

30. 现在有了三匹马

有一位先生在马套上套了两匹马前行，走了几公里之后他还是感觉太慢了，于是他又套上了一匹马。但是套上这匹马之后，马车却走得更慢了，这是为什么呢？

31. 火柴分对

将10根火柴如下图码成一排，每次拿出1根火柴越过2根火柴，然后交叉放到第3根火柴上。请通过这种方法最终将这10根火柴分成5对。

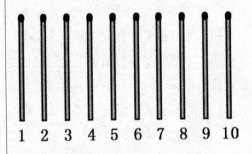

32. 上周遗失的金戒指

曾经有一个人非常喜欢吃螃蟹，有一天他来到一家大餐厅，据说这家餐厅的大闸蟹是最新鲜的。

当服务员将他点的清蒸大闸蟹端上来的时候，他立即扯下一只蟹腿吃了起来，但是，他吃了几口后发现这只大闸蟹并不是新鲜的，而是冷冻过的。于是他放下手中的蟹腿，低着头对着螃蟹吹气，一旁的服务员问到底发生了什么事，这个人说："我正在和这只螃蟹沟通呢，上周我在它的老家不小心丢失了一枚金戒指，我想问问它知道吗？"说完，这个人对着服务员说："你猜它怎么说？"服务员摇了摇头。

那么，你知道答案是什么吗？

33. 兄弟二人过河

曾经有一对兄弟到冰天雪地的北极去探险，在半路上他们被一条冰河挡住了前进的道路。这条冰河非常宽，河水又非常凉，如果他们不尽快想办法渡河，就很有可能被冻死。可是兄弟二人沿着河走了半天，始终没有办法绕过去。

此时，哥哥说："要是有树就好了，我们有斧子和锯子等工具，有树的话我们就可以造一艘小船了。"但是，在冰天雪地的北极又怎么可能找到树木呢？后来还是弟弟想到了一个好办法，使兄弟二人成功渡过了冰河，而且没有沾湿衣服。你知道他们

是怎么做的吗？

34. 看到彼此的脸

有两个人一个面朝南、一个面朝北站着，不准回头，也不准走动，更不准照镜子。请问，他们该如何看到彼此的脸呢？

35. 醉鬼

有一个酒鬼无意中在一本书中看到"酒醉对身体有害"的提醒，于是他做了一个艰难的决定。

你知道这个酒鬼做了什么决定吗？

36. 一群淡定的人

在一艘船上坐着一群闲聊的人，此时船开始下沉，但是他们谁都没有惊慌，也没有人着急去穿救生衣，也没有人上救生艇逃命，大家还是做着之前的事情，最终船沉没了。

你知道这到底是什么情况吗？

37 从洞中穿过

在一张纸上，剪出一个大小和1美分硬币相当的圆孔。

请问，在不弄破纸张的情况下，该如何将1美元硬币从孔中穿过？

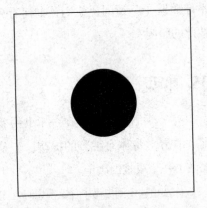

38. 过河的计策

古希腊哲学家泰勒斯曾经做过吕底亚王麾下的一名士兵。有一次，吕底亚王出征，被水流湍急的河流困住。就在吕底亚王无计可施的时候，泰勒斯想出了一条妙计，使得大部队在没有用到其他任何工具的情况下，顺利渡过了河流。

请问，泰勒斯想到了什么妙计？

39. 老鼠也能做销售员

彭尼在美国纽约开了一家零售店，不过他的生意很不景气，营业额不断下降，仓库中积压了很多货物，也因此成为了老鼠们的栖身之所。

彭尼非常生气，他经常会去仓库消灭老鼠。很快，他发现了一个奇怪的现象，那就是这些老鼠都很少独居，他在一个老鼠洞中总能够找到很多老鼠。彭尼是一个非常聪明的人，他突然想到可以让老鼠做推销员替自己推销货物，果然之后他的货物就全部被销售出去了。

那么，彭尼是如何让老鼠做推销员的呢？

40. 巧辨小偷

很久以前，某支商队的商人们各带着一袋金子，他们在穿过一片森林的时候，忽然有一个商人大声叫道："不好了，我的金子被人偷走了。"同行的人都不明情况，此时一个老人骑着一匹白马过来，老人在听了被偷商人的诉苦之后说："我的这匹马是一匹神马，偷金子的人只要一拉它的尾巴，它就会叫。"说完之后，老人将马拉到一棵大树下面，然后让所有的人分别去拉马尾巴。

所有的人都过去拉了，但是马始终都没有叫，不料等老人过来嗅了嗅每个人的手之后，立刻指着一个人说："你就是小偷。"

刚开始这个人百般抵赖，但在老人说出自己之所以这么说的理由后，他最终承认了盗窃行为。

你知道老人是如何识别小偷的吗？

41. 被劫的珠宝

一家珠宝店的老板雇佣了一位保镖押送一箱珠宝，不料半路遇到了强盗。在整个打劫过程中，保镖始终和珠宝在一起，但最终珠宝店老板还是损失了珠宝。请问，这是为什么？

42. 触犯法律

很久以前有个人触犯了法律，被国王处以极刑。这个人不甘心，他恳请国王宽恕他，国王说："你毕竟触犯了法律，死罪不能饶恕，不过我可以让你自己选择一种死法。"此人听后非常开心，于是说出了自己选择的死法。国王听到他的选择后虽然有些后悔，但碍于自己国王的威严，最终还是答应了他的死法。

请问，这个人到底选择了怎样的死法呢？

43. 公司职员上下班

下图中有一名普通的公司职员，他每天乘坐地铁上下班。一般情况下，他早晨在C站的1号站台下车，然后到2号站台换车去公司。到傍晚时，他居然还是从C站的1号站台下车，然后到2号站台换车回家。

请问，这到底是怎么回事？

44. 遗产

乔德尔夫妻只有一个儿子，他们夫妻俩没有兄弟姐妹，父母也早已过世，更没有养子养女。可等乔德尔夫妻双双去世之后，他们的儿子却只得到了一半不到的遗产。

请问，这是为什么？

45. 没有什么

有一个人背着非常重的东西赶路，他越走越觉得东西重，后来重物竟然从肩膀上滑落了，于是他请一位路过的人帮他扶上去，对方问他会给什么报酬，这个人说："没有什么。"等到路人帮他把东西扶上去之后，路人居然向这个人要"没有什么"的酬劳。

两人争执不下，后来居然因为这件事情而吵到了警官那里，警官听完两个人的对话之后，对路人说："你告他是非常有道理的，那么你现在帮我把这本书拿过来。"就这样一个简单的过程，警官帮助那个人给了路人"没有什么"。

那么，警官到底是怎么做的呢？

46. 奇异的人种

从前有一个旅行家徒步周游了世界，等他回来后，很多朋友要他讲讲在路上的见闻。有一天，这个旅行家给大家讲了两个奇异的人种。

旅行家讲道："在非洲的一个丛林中，我拜访了一个土著部落，在那里，有个人有两颗心脏，而且他的两颗心脏都可以跳动，所以他被奉为神明。"人们听完之后感觉非常奇怪，旅行家接着讲道："我还去过大洋洲的一个部落，在那里所有的人都只有一只右眼……"就在旅行家讲得起劲的时候，突然一个人的笑声打断

了他的话语。旅行家问这个人笑什么，这个人说："我想说你说的这些事情根本就不是什么奇怪的事情，我的邻居也有两颗心脏，而且只有一只右眼。"

那么，你认为这个人能拿出相关的证据吗？

47. 朋友打来的电话

一天晚上，罗斯在给保罗打电话时问了一个问题，保罗对罗斯说："好的，我现在告诉你……"保罗刚挂掉电话，此时电话铃声又响起来了，这是他的另外一个好朋友乔治的电话，他问了一个和罗斯一模一样的问题，可是这次保罗却说："这我怎么会知道。"

保罗和罗斯、乔治的关系都非常好，同时他也没有和两位中的任何一位开玩笑。那么，这到底是怎么回事呢？

48. 绕远

一只猴子蹲在一张圆桌上，小斯坦德和它面对面。现在小斯坦德想要转到猴子的背后，于是他绕着圆桌走，可是无论他怎么走，猴子总是面对着他。

这到底是怎么回事？

49. 布里泽里奇倒茶

布里泽里奇给自己的朋友讲了一件不可思议的事情。

布里泽里奇讲道："昨天下午，我们家来了几位客人，于是我泡茶招待他们。按道理，喝茶端起来喝就是了，但是这一次他们却将杯子转了一下才开始喝。"

你能猜出这到底是为什么吗？

50. 换个思路考虑问题

在如图所示的板盒中放着标有"○"和"×"记号的卡片各3张，卡片的形状和大小完全一致。在板盒的中间留着一张卡片的位置，其他的卡片可以通过这个位置上下移动。请问，能不能将这6张卡片的位置完全调换一下呢？在对调的过程中不能将卡片拿出来，也不能跳过中央的位置再放到其他位置。

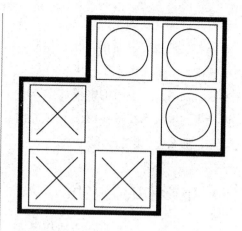

51. 让座

乔德里斯上了公交车，然后坐在最后一个空位置上。随他之后上来了一位老先生，站在了他的旁边。乔德里斯是一个喜欢做好事的人，但是此次他面对这个老人却丝毫没有让座的意思。

你知道这是什么原因吗？

52. 上下楼的方式

A先生是一个奇怪的人，他们家住在一栋大楼的10楼，A先生在外出下楼的时候会选择乘电梯，但是上楼的时候几乎不乘电梯。

请问，A先生为什么会有这样奇怪的行为呢？

53. 过山涧的方法

这里有一个4米宽的山涧，下面就

是万丈深渊，在山洞上没有桥，来往的人都是通过自己带的木板过山涧。有一次，一个人带来了一块3.9米长的木板，而另外一个人的木板是3.1米，两个人的木板都没有到4米，两人相向而来，那么他们该怎么过河呢？

54. 电影中的男主角

某电影院上映了一部动作喜剧片，可是男主角越是搞笑，台下的观众就越悲伤。

这是怎么回事呢？

55. 不同寻常的管子

有一年，日本的一支南极探险队准备在南极过冬，这是他们首次在南极过冬，他们需要想办法用运输船把汽油运到基地以备越冬之需。

但是这支队伍还是准备得不是很充分，在他们实际操作过程中，他们发现所带的输油管不够长，而他们一时间又无法找到合适的替代物，如果返回日本，至少需要两个月的时间，这件事情让所有人手足无措。

此时，队长看到南极的冰天雪地突然想到了一个办法，他要用自己的办法制造出一根管子。其实这种管子的制作方法非常简单，材料也非常普通，而且让所有人激动的是，按照队长的方法，这种管子要多长就可以制造多长。

那么，你知道该如何制造这种管子吗？

56. 骆驼和猫

有一位牧人收养了一只骆驼，但是这只骆驼总是一副懒洋洋的样子，就算是有人打它骂它，它都不愿意动一动。

折腾了几天之后，牧人就感觉有点疲倦了，他对骆驼说："假如你之后再不听我的话，我就把你牵到市场上卖掉。你这个不值钱的东西，我要将你按1块钱出售出去。"但是，他刚说完就后悔了，因为这样做他太亏本了。不过他是一个言出必行的人，既然说出去了就一定要兑现。

第二天，牧人牵着骆驼去市场。一路上他不停地责怪自己和骆驼，因为按1块钱出售确实有点亏了，即使是卖100元，也都有点亏。此时牧人突然想到了一个好办法，他赶紧跑回家，抱来了一只老猫，然后将骆驼和老猫放在一起，在集市上大声喊道："这么好的骆驼现在只卖1块钱，乡亲们，赶紧来买吧！世界上再也不会有这么便宜的骆驼了。"他的吆喝自然吸引了一些人，但当对他的骆驼感兴趣的人走过来时，他又喊出了一句出人意料的话，结果感兴趣的人都离开了。

夜幕降临的时候，牧人还是没有将自己的骆驼卖出去，他只好牵着骆驼、抱着猫回家了。回来之后他对自己说："我发誓要将这头骆驼按1块钱的价格卖出去，现在我履行了我的誓言，只不过没有人买而已，这不能怪我。"

那么，牧人到底对感兴趣的人说了什么，从而让那些人离开了呢？

57. 乔治切煎饼

乔治是一个著名的厨师，善做煎饼。有一次，一位顾客说家中来了客人，希望乔治能够尽量将一张煎饼切成大小相等的8块，不过只能切3刀。

最后，乔治还是满足了这个顾客的需求，请问他是如何做到的？

58. 找到金库的密码

在第一次世界大战期间，荷兰女间谍爱伦·凯拉装扮成舞蹈明星来到法国巴黎，她通过高超的外交手段和格里菲将军搭在了一起，并且还知道了格里菲将军藏匿机密文件的金库地址。

但是爱伦·凯拉还是不知道秘密金库的锁该如何打开。金库是要借助密码才能打开的，而这个密码只有将军一个人知道。爱伦·凯拉猜想这个密码应该在将军的笔记本或者其他什么地方记着，于是她开始一个个排除有可能的地方。

一天晚上，爱伦·凯拉灌醉了格里菲，又一次溜进了书房，来到秘密金库的旁边。她之前已经尝试了很多次，但始终都不能猜出密码，此时她突然看到墙上挂着的钟表，钟表已经停止工作了，而指针指在9时35分15秒，于是爱伦·凯拉大胆猜测密码应该和这个时间有很大的关系，但是这里只有5个数字，而密码要6位数，剩下的一个数字是多少呢？最终，爱伦·凯拉还是成功破解了金库密码。

那么，你知道金库密码是多少吗？

59. 抓盗贼的方法

欧洲一个国家博物馆内的一颗大钻石被盗了，盗贼几乎没有留下任何线索，当时报警器没有响，而博物馆中的门窗也没有一扇被弄坏。尽管如此，安全专家巴拉德还是找到了一个非常不起眼的对位孔，这个孔非常小，大概只能容一只小老鼠通过，而且在橱窗的边缘也的确是看到了一些白色的短毛。

第二天，巴拉德让助手在报纸上刊登了一条消息，宣称现在已经抓获了盗取钻石的盗贼，并且还将盗贼的照片刊登了出来。没想到，过了半个月，巴拉德竟然真的抓到了盗贼。这到底是怎么回事呢？

60. 局长眼中的预测机

一位天才的人工智能专家发明了一种预测机，一旦有人问它一个小时之内会不会发生某种事情，如果它亮绿灯，就表示会发生；而如果亮红灯，则表示不会发生。

这种预测机一经推出就受到了人们的欢迎，尤其是警员们，因为它可以帮助他们减轻工作量。但是警察局局长并不开心，因为他知道这种机器根本就不可靠，在他用一句话做了测试之后，他就更加坚定了自己的观点。

你知道局长是用哪句话做的测试吗？

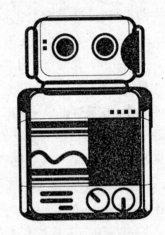

61. 但丁盘中的小鱼

有一次，诗人但丁接受邀请，参加了威尼斯执政官举行的宴会。

在宴会上，但丁发现听差给意大利各城邦使节的鱼都很肥大，而自己的却非常瘦小。对此，但丁并没有说什么，但是他也没有动筷子的意思，他用手拿起那条小鱼，放到自己耳朵旁边，似乎在听什么，听完之后又放回了盘中。

执政官看到了这一幕，非常好奇地问但丁说："您在做什么呢，刚才？"但丁说："几年前，我的一位朋友去世了，我们为他举行了海葬。现在我不知道他的遗体有没有沉入海底，所以我就问这些小鱼，看他们知不知道这些情况。"

执政官问但丁："那么小鱼到底说了什么呢？"随后，但丁的回答让所有人都哈哈大笑起来，笑完之后，执政官让听差给但丁重新换了大鱼。

那么，你知道但丁是如何回答执政官的吗？

62. 公园里的花岗岩

一家公园购买了一批漂亮的花岗岩，其中最大的一块重达15吨，最小的也有150公斤左右。为了好看，负责人希望将大花岗岩放到小花岗岩上面，但是重达15吨的花岗岩谁能搬得动？

就在几位园丁束手无策的时候，一位新来的员工想到了办法，最终按照领导的指示将大花岗岩放到了小花岗岩上面。

请问，新来的园丁是如何做到的？

63. 被击中的空姐

一个月黑风高的夜晚，一位住在旅馆中的空姐被人枪杀了。

警探赶到现场时发现窗户是关着的，玻璃上有一个弹孔，调查之后发现凶手是从对面30米外的屋顶上射击的，而枪上装了消声器，种种迹象表明凶手只开了一枪。但令人奇怪的是，空姐的胸部和腿部都中弹了，大腿被子弹射穿，而胸部留有子弹。

警探们也没有头绪了，他们找到了警长，而警长最终揭开了谜底，那么，到底是怎么回事呢？

64. 聪明的警官

在美国波士顿郊区的一座村庄里，有人发现他们家一头60多斤重的猪被别人偷了，他们怀疑是邻居偷的，于是就打电话报了警。

接到报案之后，警官迅速骑摩托车赶到现场，询问邻居是不是偷了猪。邻居回答道："您看我身材这么瘦小，怎么可能扛得动60多斤重的猪。"警官仔细端详了一下，感觉邻居说得也很在理，但他并没有就此离开。

过了一会儿，警官把邻居抓了起来，并说他就是偷猪贼。这到底是怎么回事？

65. 区分衣服

两位盲人各自买了两件黑衣服和两件白衣服，衣服的布料和大小完全相同，两位盲人不小心将衣服混在了一起。

那么，他们该如何有效区分开衣服呢？

66. 聪明的企业家

利普顿是美国著名的企业家，他自己开了一家食品店，为了能够吸引到顾客，他请来了非常著名的漫画大师洛宾·哈特每周为橱窗画一幅漫画。在众多的漫画中有一幅非常吸引人，画的是一个爱尔兰人背着一只痛哭流涕的小猪，而且还加了一句话："可怜的小猪成了孤儿，它的所有亲属都被送到利普顿的食品加工店做成火腿了。"顾客们对这个漫画赞不绝口。

为了进一步扩大漫画的影响，利普顿紧紧抓住这幅漫画的主题大做文章，并想出了一个新奇、独特的点子。这个点子引来了全国各地的参观者，食品店的生意自然是络绎不绝。那么，利普顿到底做了什么呢？

67. 两只假老鼠

在一个遥远的国度里，有两位非常出色的木匠，他们的手艺都很高超，实在是分不出高低。

有一天，国王准备举办一场比赛，看到底谁才是最优秀的木匠。国王让他们每个人做出一个老鼠来，谁做得更像，谁就可以被封为"全国第一木匠"，同时还能够得到很多奖品。在这三天时间里，两个木匠都在竭力工作，等到评审的时候，国王认为第一个木匠的要胜于第二个的，所以国王决定册封第一个木匠。

但此时，第二个木匠却提出了异议，他说老鼠像不像不能由人来决定，而是应该由猫来决定。国王也认为他说的有道理，于是就让人抓来了一只猫，结果这只猫居然径直冲向了第二个木匠做的"老鼠"。

最终，自然是第二个木匠获得了胜利。那么，这到底是怎么回事呢？

68. 猛兽出没的村庄

有一位勇敢的探险家来到一个猛兽出没的村庄，在这个村庄中住着老实族和骗子族，老实族的话全部都是真实的，相反，骗子族的话全部都是假的。勇敢的探险家想要知道今天野兽有没有出没过，于是他找来一位村民，这位探险家通过一个问题就得到了自己想要的答案，而且确保是真实的。

请问，这位探险家问了什么问题？

69. 伯爵的画像

一位伯爵在过生日的时候，请来了一位画师给自己画像。等到画师画完之后，伯爵说画得不像，以此压低价格。画师和伯爵争辩了很久，伯爵也没有涨一块钱。画师很生气，索性拿着画离开了。

第二天，伯爵却主动找到画师，希望以高价购买这幅画。

请问，画师到底是用了什么办法使伯爵主动出高价购买的？

70. 罗马尼亚语招牌

在瑞士住着甲、乙、丙、丁4个中国人，其中甲会说罗马尼亚语和德语、乙会说德语和法语、丙会说法语和意大利语、丁会说西班牙语和英语。

有一次，甲、乙、丙、丁一起去旅游，途经一座小桥，桥上竖着一个牌子，上面用罗马尼亚语写着几句话，甲看到之后用德语告诉了乙。

请问，乙如何用最简单的方法将内容告诉丙和丁？

71. 想要结婚的小姐

都司丽小姐自认为可以随时找到结婚对象，有一年夏天她决定和第一个向她求婚的男子成婚。可是到秋天的时候，都司丽说已经有人40多次求她结婚了，但是她却还没有成婚。

这件事情听起来非常矛盾，这到底是怎么回事呢？

72. 不翼而飞的邮票

一个小偷以极高超的手法偷走了国际邮票展会上最珍贵的一枚邮票，而他的整个偷盗被一名参观者看到了。这名参观者跟踪小偷并记下了小偷住的旅店以及房间号，随即报了案。

几分钟之后，警察大汗淋漓地赶来，对现场进行了搜查，可是在房间里，警察除了看到一台已经打开的旧电扇、一张床、一张圆桌、一个小柜子之外，其他什么都没有发现，显然这些无法定小偷的罪。

根据店主回忆，自从小偷回来之

后，就没有其他人进过这个房间，也没有看到小偷出去过。

警察再次对房间进行了大搜查，最终找到了那枚邮票。

请问，邮票到底藏在什么地方？

73. 猴子模仿人

猴子是一种喜欢模仿人动作的动物。有一天，一个人到动物园中看猴子，只见他走到猴子跟前，右手抚摸自己的下巴，猴子也做出了相同的动作；他又闭上左眼，猴子也闭上左眼；他睁开眼睛，猴子也照办了。

此时，旁边的一个人说："猴子虽然模仿得很像，但是有一个动作它永远不会模仿。"

请问，这个人说的动作到底是什么？

74. 困在小岛上的人

有个人到海边旅游，有一次，他经过一座小桥到一个小岛上，不料在返回时，他刚上桥就听到了吱吱嘎嘎的声音，好像桥要断了似的，于是他只能返回小岛上。他不会游泳、四周也没有其他人，所以他只能自己想办法离开。谁知道这一想就是十天，到第十一天时，他终于回到了对岸。

请问，他是如何到对岸的？

75. 分牛的老人家

一位老人要分家，他现在有17头牛，想要将这些牛公平地分给三个儿子。他认为老大吃的苦最多，所以准备给他1/2；老二的贡献也不少，于是准备给他1/3；第三个儿子刚刚大学毕业，所以准备给他1/9。

牛是老人的宝贝，他不愿意杀死牛，那么请问该如何按照老人的方法分牛呢？

76. 笼子里的鸽子

有个人准备将50只鸽子放进10个鸽子笼中喂养，但是他想让这10个鸽子笼中的鸽子数量完全不相同。

请问，他能够做到吗？

77. 落魄男子抽香烟

尼古丁·奈德是一个落魄的男子，他甚至都没有钱去买一包好一点的香烟，他只能借助自动卷烟机自己卷烟抽，而他的烟草来源主要是捡拾别人抽剩的烟头，他可以将3个烟头卷成1支烟。有一次，他捡了10个烟头，但是他想卷成5支烟。这显然是一件很难完成的事情，但是，尼古丁·奈德最终却完成了。

那么，你知道他是如何完成的吗？

激发创新力的思维游戏

创新力其实就是创新的能力。现代社会日益复杂，竞争也相当激烈，很多人都看到了创新力的重要性，可以说，一个人能否拥有强大的竞争力，关键就要看其是否拥有足够的创新能力。

创新力和生活质量的提高、工作成绩的优异等方面有着莫大的关系。愿本章中的思维游戏，能够帮助更多的人激发创新力。

1. 解决问题的日本妇女

在很久以前，人们用洗衣机洗完衣服之后，机器上面会沾上很多小棉团，当时一些技术人员对此进行了改造，在洗衣机上增加了很多零配件，结果使洗衣机的体积变得非常大，使用起来也更加复杂，自然也就提高了洗衣机的成本，最终这种改造还是被放弃了。

但是该问题一直存在，这让很多家庭主妇感到头疼，不过日本的一位家庭主妇并没有感觉到头疼，也没有发任何牢骚，而是想要找到一种非常好的解决办法。有一天，她突然想到了自己小时候捕捉蜻蜓的情景，于是她想到了办法。

这个日本妇女没有理会别人的嘲笑，开始了一轮又一轮的试验，最终获得了成功。同时她的这项发明还申请了专利，使她获得了高达1.5亿日元的专利费。那么，你知道她发明了什么东西吗？

2. 报废电缆的妙用

在很多年前，美国一根穿越大西洋底的电缆出现了问题，需要更新，这条消息很快就传开了。

后来，一个很不起眼的小珠宝商居然买下了那根废旧的电缆，当时很多人都为他的疯狂举动而万分诧异，他们实在想不出这根废旧的电缆有什么用。

最终，这个珠宝商居然借助这条电缆发了大财，那么，这到底是怎么回事呢？

3. 不可搭成的桥

请问，你可以完成下图中桥的搭建吗？

4. 手帕的革新

日本东京有很多夫妻店，其中有一家手帕夫妻店，因为他们出售的手帕样式较为单一，根本无法和大型超市的相比，所以他们的生意越来越差，老板也为此绞尽了脑汁。

这一天，小店老板坐在店里看着街上来来往往的游客，发现他们手中的手帕上都印着卡通人物以及一些花草树木。当他的视线落在两个看地图的游客身上时，小店老板突然想到了什么，后来他们的生意终于火爆了起来。

那么，小店老板想到了什么呢？

5. 拾荒者的改变

一位收废品的先生准备将自己收回来的易拉罐卖掉，但是一个易拉罐只能赚几分钱，就算收再多的易拉罐也赚不到多少钱。后来，这位先生想到了一个好办法，让他的易拉罐卖出的价格上涨了七八倍。

那么，你知道他是怎么做的吗？

6. 聪明的画家

利普曼是一位美国画家。一次，他用家中仅有的一块画板和一支很短的铅笔作画，可到修改的时候却找不到橡皮擦。等他好不容易找到一块橡皮擦，将之前的错误擦掉之后，却又忘记铅笔放在什么地方了。就这样，他不是在找铅笔就是在找橡皮擦，心情非常糟糕。

针对这种状况，利普曼想到了一个解决办法，他为此还申请了专利，获得了大量的财富。

那么，利普曼到底是怎么做的呢？

7. 新的结合物

一次，一位食品加工商从外地买回大量的蔗糖和面粉，不料，当他租到船，踏上返程之行的时候遇到了大风浪，结果船上的所有蔗糖和面粉全都被打湿了。眼看着一大船的货物就要泡汤了，这位食品加工商想到了一个让这些报废的糖和面发挥作用的方法。

那么，你知道他是怎么做的吗？

8. 刀工出众的妇女

下图是一个钳子形状的布片，有一个心灵手巧的妇女用剪刀剪了三刀，居然剪出了一个正方形，那么她是怎么做到的呢？

9. 吹尘器的改进性发明

1901年，英国伦敦火车站举行了一个吹尘器的表演。

吹尘器的功效很好，很快就将火车车厢中的灰尘全部清理干净了，但美中不足的是，灰尘被吹得到处都是，等到尘埃落下来之后，桌子上就积满了灰尘。见此情景，技师赫伯·布斯苦思冥想了很久之后，终于找到了解决该问题的办法。

那么，你知道他解决问题的办法是什么吗？

10. 失恋中的改变

1935年，凯文·米毛失恋了，在那段日子里，他非常痛苦。一次，他偶然看到窗台上的玫瑰花枯萎了，于是感觉更加痛苦了，因为他联想到了自己已经死亡了的爱情。于是，他将这些枯萎了的玫瑰花剪了下来，用一根黑色的丝带扎起来，寄给了自己之前的恋人。

这样做了之后，凯文的心情稍微平静了一些。在这件事情的启发下，凯文做了一件非常有意思的事情，从而成为智利首都圣地亚哥的一颗明星。那么，他到底做了什么呢？

11. 莫可里的发明

莫可里是古埃及的一位音乐家。一天，他在河边散步时，不小心踢到了一个东西，发出了非常悦耳的声音。他捡起来一看，发现原来是一个乌龟壳，就将它带回家中。

之后，莫可里发明了世界上第一把小提琴，那么你知道他是怎么做的吗？

12. 不同的赚钱方法

某地发现了金矿，一些淘金者来到这里，想要挖金矿赚钱。

然而，就在他们到来的时候，一条大河挡住了他们前进的道路，很多人都在叹气，有些人选择游了过去，有些人选择绕远道走了……

其中有一个人做了一件大家都没有做的事情，最终发了大财。那么，他到底做了什么呢？

13. 犹太人的智商

有一个穿着体面的犹太人来到银行，只贷款1美元，却拿出了一张50万美元的票据作担保。营业员很奇怪，便问这个犹太人为什么有那么多钱，还要借贷1美元。犹太人笑嘻嘻地说了一句话，营业员才恍然大悟，不得不佩服犹太人的智商。

那么，他到底说了什么呢？

14. 娱乐中的启发

一位美国的皮货商非常喜欢到纽芬兰的海边，在冰面上凿洞钓鱼。每一次他都会将钓上来的鱼放到冰面上，鱼很快就会被冻得硬邦邦的。等他将鱼带回家的时候，鱼还没有解冻，这种鱼吃起来味道非常鲜美。

后来，这位皮货商根据这个有趣的现象，开始了自己的研究和发明，那么，他到底做了什么呢？

15. 因祸得福的小牧童

有一个美国的小牧童，他的主要工作就是将羊群赶到牧场中去，并且监视它们不要越过铁丝网到旁边的菜园子中去。

有一次，小牧童不小心睡着了，这些羊越过了铁丝网，将隔壁菜园子搞得一塌糊涂，他因此被老板呵斥了一番。后来，小牧童观察到旁边有一块玫瑰园，那里没有栅栏，但是羊从来不去那里。

因为这个发现，小牧童在铁丝网上加了一些东西，使得羊群再也不敢越过铁丝网了。那么，你知道他加了什么吗？

16. 出版商的发现

艾伦·莱恩是企鹅公司的创始人，在他17岁的时候，他就在自己伯父开办的出版社工作，等他的伯父去世之后，他继承了伯父的全部家产，并且担任了出版社的董事。其实，当时的出版社已经濒临倒闭，而艾伦一直在苦思冥想能拯救出版社的办法。

有一天，艾伦一个人逛到了一家书店，他看到书店中全是高价新版书、再版小说和一些庸俗的读物，根本没有其他可看的书。此时，他灵机一动，想到了一个能让自己出版的书更畅销的好办法。后来，此举不仅成功地拯救了出版社，还让他创办了企鹅公司。

那么，他具体是怎么做的呢？

17. 善于做广告的出版商

一位美国出版商的手中有一批书无法销售出去。有一天，这位出版商灵机一动给总统送去了一本。日理万机的总统怎么可能有时间认真听他的推销，于是顺口说了一句："挺不错的书。"出版商回去之后大打广告，宣称："这是一本得到总统赞赏的书。"自然这本书的销量走俏。

不久之后，这位出版商的手中又有了一批滞销书，于是他又给总统送去了一本。鉴于上次的情况，总统干脆说："这本书非常糟糕。"不料这位出版商又大打广告，宣称："这是一本总统非常讨厌的书。"很多读者就是因为这句话而开始关注这本书。

等到第三次出版商送书给总统的时候，总统没有做出任何回答，但是出版商还是做了广告。那么，他到底是如何做广告的呢？

18. 价格昂贵的粥

很久以前，一家粥店的生意非常不景气，后来，店主想出了一个好主意，之后店里的生意每天都很火爆，这是为什么呢？

19. 搭建羊圈的儿子

很久以前，有一个农夫叫卡尔奇多，他是一个非常优柔寡断的人。卡尔奇多拥有3只绵羊和3只山羊，他想建造羊圈。他交给儿子12块大小和长度一样的隔板，让他建造6个正方形的羊圈，3个大的圈养绵羊、3个小的圈养山羊，还要求大的是小的的2倍。

儿子刚动工，卡尔奇多就改变了主意，他要求大小比例变成3：1，儿子笑了笑，按照父亲的要求去做了；不一会儿，卡尔奇多又要求将羊圈变成长方形，儿子笑了笑，继续按照父亲的要求去做了。

原来，儿子想到了一个办法，他可以根据需要任意改变羊圈的面积和形状。

请问，儿子搭建的羊圈到底是什么样的？

20. 瓦特分苹果

某天，瓦特去采购，他用6只大小不一的袋子装下了买到的100个苹果，其中每只袋子所装的苹果数量都含有6这一数字。

请问，瓦特是怎么做到的？

21. 尼克装蛋糕

尼克是一家食品店的送货员。一次，他所在的食品店接到了一个订单，上面写着："定做9块蛋糕，将这些蛋糕放在4个盒子里，每个盒子装的蛋糕都不能少于3块。"

做蛋糕并不是难事，关键是装法让尼克犯难了。那么，你能帮尼克想出一个办法，将蛋糕按照要求装进去吗？

22. 谁的名字靠前

一个大剧院邀请了三位著名的演员同台演出，三位演员都要求在海报上让自己的名字靠前，要不然就拒绝演出。

当时，三位演员同台演出的消息已经传了出去，如果改变会带来很大的负面影响。无论得罪哪一个演员都对剧院不利，但是又没有办法让三个人的名字都靠前。

不过，剧院的经理最终还是成功地解决了这个难题，那么他到底是怎么做的呢？

23. 哥伦布立鸡蛋

哥伦布在发现新大陆之后声名鹊起，他甚至成为了很多人心目中的英雄，但还是有些人瞧不起他。

在一次为哥伦布举办的庆功宴上，几个贵族直接取笑他，说发现新大陆根本没有什么了不起，还说哥伦布发现新大陆纯属是一种偶然，不带有任何智慧的因素。

哥伦布听完之后并没有生气，而是拿起一个鸡蛋对他们说："你们有办法让它立起来吗？"人们跃跃欲试，但无论怎么尝试，鸡蛋都无法立在桌子上。

最后，哥伦布做了一个小动作就将鸡蛋立在了桌子上，那么他到底是怎么做的呢？

24. 两位小贩的结合

哈姆威是一个普通的糕点师傅，后来，他从西班牙移民到了北美。

1904年的夏天，美国即将举办世界博览会，于是哈姆威将自己的糕点工具搬到了会展地点路易斯安那州，

并且获得了当地颁发的准许出售薄饼的许可证，而他的"邻居"是一位卖冰激凌的小贩。哈姆威原本以为自己的生意会火爆起来，但是更多的人还是去购买冰激凌了，他的生意一直没有起色。

冰激凌小贩的生意实在是太好了，很快他就把用来装冰激凌的小碟子用光了。当哈姆威知道这件事情之后，很快就想到办法帮助了"邻居"，而通过这个办法，哈姆威也向"邻居"推销出去了大量的薄饼。

那么，哈姆威的办法究竟是什么呢？

25. 降落伞的质量

一家军工厂的主营业务是生产降落伞，按照规定，每当生产出十个降落伞之后，就会由十个士兵背着降落伞从高处跳下，以检验降落伞的质

量。但是，每次检验的时候都会有士兵被摔死，军工厂的领导对此非常着急，经过仔细地检查，还是没有发现问题所在，但是伞兵被摔死的现象一直在发生。

万般无奈的军工厂只能高价聘请技术顾问来检查，技术顾问并没有发现技术方面的错误，于是他意识到应该是生产上出现了质量问题。后来，技术顾问颁布了一条命令，自此就再没有出现过伞兵被摔死的现象。

那么，你知道他的命令是什么吗？

26. 选美大赛

一场选美比赛接近尾声，只剩下4位佳丽参加最后一轮的智力比赛。主持人手持话筒说："今天的题目只有1个，4位佳丽同时串讲1个故事。现在我给出故事的开头'今晚的月光很好……'"

A佳丽随口说道："演出结束之后，我独自走在回家的路上，突然身后响起了枪声……"

B佳丽说道："我回过头，看到一个警察正在抓歹徒……"

C佳丽说道："经过一番搏斗，警察制服了歹徒。"

故事讲到这里似乎无法再说下去了，可是聪明的D佳丽却让故事结局更

加新颖。

你知道她讲出的结局吗？

27. 七喜的定位

上个世纪60年代的美国，可口可乐和百事可乐垄断了整个饮料市场，而1968年，七喜问世了。当时美国人已经习惯了可乐的味道，甚至很多人都认为只有可乐才是饮料。如何才能够打开市场？七喜公司的负责人为此伤透了脑筋。

但是后来，他们只通过一句简单的口号就打开了市场，并且在该营销策略实行的第一年里，七喜的销售量就提升了15%。那么，七喜的口号是什么呢？

28. 画家的智慧

一位物理学家、一位工程学家和一位画家聚在一起玩智力游戏。题目是这样的：借助一块气压表，知道一座宝塔的高度。他们可以尝试采用各种方法，最终创造性最强的人就是优胜者。

工程学家看到题目后很快想到了办法，他在塔底测量了大气压，然后再到塔顶测量了大气压，得到差值，然后根据每升高12米气压下降1毫米汞柱的公式，算出了宝塔的高度。

物理学家登上宝塔顶，看了看手表的秒针，然后将气压表放了下去，并记下了气压表的落地时间，再根据自由落体公式 $h=\frac{1}{2}gt^2$ 算出了塔的高度。

看起来画家有点为难了，但是最终的结果却是画家赢得了比赛，那么你知道他是怎么做的吗？

29. 海鸟肚子里的珠宝

很久以前，在一座海岛上有很多价值连城的珠宝，可是人们无法接近这座海岛。有一种海鸟能够接近这座小岛，这种鸟儿特别喜欢吃岛上的珠宝，于是人们开始捕杀飞回岸边的这种海鸟。时间久了，海鸟越来越少，而且它们很小心，生怕遇到人类。后来，有一个商人在海岸附近买下了一大片树林，并且围上栅栏，不让任何人靠近。不久以后，这位商人竟然得到了很多珠宝。

那么，你知道这是为什么吗？

30. 聪明的家臣

一位公主的庭院中盛开着红色和蓝色的花朵，但是公主很不满意，她说："真的是太无趣了，我们这个国家难道就只有这两种颜色的花吗？"家臣听到之后说："我明天就给公主想办法，请您明天从城堡上眺望吧！"家臣自然不能在花朵上染颜色，那么，他是如何满足公主的愿望的呢？

31. 做事要有勇有谋

一位老猎人对即将成年的儿子说："要想在大森林里生存，就要有勇有谋。"

有一次，老猎人在盘子中放了4个大苹果，问3个儿子用几支箭能射掉全部苹果。大儿子看了一会儿说："我需要3支箭。"二儿子一听，急忙说："我只需要2支箭。"小儿子想都没有想说："我只需要1支箭。"

大儿子和二儿子听后很不服气，认为弟弟是在说大话，但没想到小儿子真的一箭就让4个苹果落地了。

你知道他是如何做到的吗？

32. 水和可乐

现在我们手中有1杯可乐，喝掉半杯之后，再用水加满；然后喝下去半杯，又用水加满；最后一口气喝完。那么，我们总共喝掉了多少杯可乐，多少杯水？

33. 没有买到茶叶之后

一位美国商人知道中国南方的茶叶非常好，而且价格相对比较便宜，于是他就想将中国南方的茶叶运到美国来出售。

但非常不巧的是，当他长途跋涉来到盛产茶叶的地方之后，才发现当地的茶叶已经被抢购一空，很多买到茶叶的人却没有合适的容器来装茶叶，都在为此而犯难呢。相比之下，这位美国商人看着自己空空的箩筐犯了愁。

但是，这位美国商人很快就想到了赚钱的办法，而他的确也赚到了不少钱，那么，他到底是怎么做到的呢？

34. 箭头的方向

在1张硬纸板上画1支箭，然后将这幅画对准桌上的任意物体，箭头指向该物体。此时，你可以跟任何人打赌，说自己能在不接触这张纸和不移动桌子的情况下，使这支箭转向另外一边。

你知道这是为什么吗？

35. 苹果中的"星星"

奥尼尔是一个五岁的小孩子，他非常聪明。

有一次，他从幼儿园回来之后就跳到父亲身边，然后告诉父亲说他有一个重大的发现。父亲就问他说："有什么发现呢？"奥尼尔非常开心地说："我发现苹果中藏着小星星。"父亲睁大了眼睛，他不明白儿子的话到底是什么意思，因为他吃了几十年的苹果，从来没有发现过星星。

接着，奥尼尔从书包里摸出一个苹果，然后拿起水果刀，在父亲面前煞有介事地表演了一番，果然证明了苹果中藏有星星。

那么，你知道奥尼尔是怎么做的吗？

36. 好主意

很久以前，在某个富裕的部落中有一头神河马，部落首领对它照顾有加。

每到首领生日的时候，首领都会带着收税官以及神河马一起乘坐华丽的彩船，沿河收税。按照当地的习惯，交给首领的金币重量应该和神河马的体重相等。于是，在收税营房的旁边有一个硕大的天平，神河马站在一端，另一端不断堆放金币，直到天平平衡。

因为首领对神河马照顾得非常好，所以神河马的体重不断增加，有一次天平的杠杆居然被它压断了，而换一个新的天平需要好几天。

这一次首领非常生气，他对收税官说："我今天就要将金币收上来，而且数量要丝毫不差，如果今天太阳落山的时候还办不好，我就砍了你的头。"

可怜的收税官苦思冥想了许久，终于想到了一个好主意，在太阳下山之前丝毫不差地交了金币。

你知道收税官用的什么办法吗？

37. 推销的方法

日本有一个叫佃光雄的人，有一天，他带着一种叫"抱娃"的黑色玩具到百货公司进行推销，虽然尝试了很多次，但他的玩具始终无法推销出去。他没有办法，只能将这些玩具都丢到仓库中。

佃光雄的干儿子是一个非常聪明的小伙子，有一天，他在百货公司看

到身穿泳衣的女模特模型，这些模型的手臂都非常白，于是他想到了推销"抱娃"的办法。果然，按照他的做法，"抱娃"一时间成了抢手货。

那么，他到底是怎么做的呢？

38. 奇妙的方法

桌子上放有6块糖和3个茶杯。某人需要以如下的方式将糖放入汤杯中：每个茶杯的糖块数量必须是奇数、6块糖必须都用上、6块糖不能分开。

如果你是这个人，你该如何完成？

39. 解决上厕所的问题

有一家生意非常好的电影院，它的各种硬件设施都很不错，唯独厕所很小。每一次观众上厕所的时候，都要排很长的队，观众因此怨声载道。

然而电影院也有自己的难处，他们因为种种条件限制而无法改建这个厕所。如何满足观众上厕所的问题，一直深深地困扰着电影院的领导们。

万般无奈之下，领导找到了当时著名的创造学家多湖辉，希望他能够帮忙想一些办法。

说来奇怪，按照多湖辉的办法，虽然厕所没有改建，但是一个月之后，就再也听不到观众的抱怨声了。那么，你知道多湖辉的办法是什么吗？

40. 一笔完成

有些字母是没有办法一笔完成的，但是转换一下思维，我们就可以找到一笔写完的办法。那么，你知道该如何去做吗？

41. 喜欢喝酒的小气鬼

甲和乙是两个小气而又喜欢喝酒的人，现在在一个杯子中装有酒，两个人都想喝。

请问该如何分配这些酒才能让甲、乙二人都没有怨言呢？

42. 聪明的宫女

很久以前，有一位国王得到了一颗孔内有9道弯的"九曲明珠"。国王非常喜欢这个宝贝，于是他下令让文武百官想办法用一根线将"九曲明珠"穿起来，这下让所有人犯难了，因为其孔径非常小，根本没有办法穿，而且里面有9道弯，怎么能穿过呢？就在此时，有一个宫女想到了好办法，人们按照这个宫女的办法，果然穿起了"九曲明珠"。

那么，你知道她的办法是什么吗？

43. 剪开绳子

乔里奇是一个非常聪明的孩子，他经常想出绝妙的方法来解决生活中的问题。

有一次，乔里奇的爷爷买回来几个拼装的玩具飞机，乔里奇和其他几个兄弟都想得到它，可爷爷说："我有一根绳子，你们谁能够将它从中间剪开，还能保证绳子还是一条绳子？谁做到了，飞机就是谁的。"最终，乔里奇想到了办法，从而得到了玩具飞机。

请问，乔里奇的办法是什么？

44. 神枪手

下图是一张正方形的硬纸板，

在没有折叠的情况下，神枪手开了一枪，只用了一颗子弹就击中了四个边。

请问，神枪手是如何做到的？

45. 上升的水位

下图有2个容积均为10升的桶，各自装了9升水；另外有1个盛满水的大勺子，水为1升。

在不移动桶的情况下，能否让2个水桶的水都上升到桶口处？

46. 抓鸟儿的方法

有一位老师在上课的时候给学生出了这样一个问题，他说："空中有两只一前一后飞行的鸟儿，我们能用什么方法将这两只鸟儿都抓住呢？"

很多人都开始猜测，有的说用一张大网，有的说用气枪，有的甚至还说用麻袋……虽然学生们的想法很多，五花八门什么都有，但其中很多方法都是无法付诸行动的，最后老师说出答案的时候，让很多人都感到很意外。

那么，你知道答案是什么吗？

47. 聪明的老校工

20世纪60年代，某大学研究院的一台机器出了问题，维修人员需要弄清楚这台由100根弯管组成的进口机器的内部结构，并找出每根弯管各自的入口和出口，但是他们没有任何图纸资料可以查阅。

这是一项艰巨的任务，时间不容拖延，为了能够尽快解决问题，大家集思广益。

就在专家们一筹莫展的时候，一个老校工却想出了解决办法，你知道他的办法是什么吗？

48. 100万美元赎金

斯密斯先生开办了一家公司，在短短几年时间里赚得盆满钵满，但就在此时不幸发生了，他的儿子在一次旅游中被绑架了，绑匪索要100万美元的赎金。斯密斯夫妇思考许久之后，终于决定报案。但是经过好几天的调查，警方始终找不到有用的线索。为了能够让孩子平安回来，斯密斯决定破财消灾，为此他筹备了100万美元准备交给绑匪。但是警方提醒他，根据他们的经验，就算交了赎金，人质安全回来的几率也很小。斯密斯想到自己花了100万美元还无法让儿子安全回来，心里非常难过。

后来，斯密斯想到了一个很好的办法，他对这100万美元做了一点手脚，竟然使得歹徒们窝里斗，最终成功救回了自己的儿子。

那么，斯密斯到底是怎么做的呢？

49. 三家裁缝店

在英国伦敦的一条街上有三家裁缝店，为了能够招来更多的生意，三家店分别在自己的门口树立了广告牌。

第一家在广告牌上写道："本店是伦敦最好的裁缝店。"

第二家在广告牌上写道："本店是全英国最好的裁缝店。"

虽然前面两家裁缝店做足了广告，但是他们的生意还是没有第三家的好。

那么，你知道第三家的广告牌上写着什么吗？

50. 特殊的骑马比赛

一场奇怪的骑马比赛正在进行，规则是哪匹马跑得慢反而是胜利者。于是，参赛的两匹马几乎都"停滞不前"了，比赛实在没有办法进行下去了。为了尽快完成比赛，组委会想出了一个办法，使比赛很快就比完了，而且也评出了胜利者。

请问，组委会的办法是什么？

51. 偷越边界的间谍

甲国和乙国正在闹边界纠纷，甲国的间谍企图通过偷越边界进入乙国，但对方的戒备非常森严，所以没有成功。后来这位间谍企图挖地道偷越边界，但是挖出的浮土一增加，就很容易被敌方的侦察机发现。

请问，有什么好的越界办法吗？

52. 不能左转

乔和唐德斯走在马路上，前面就要左拐弯了，唐德斯问乔说："你能不往左转，而走完这条马路吗？"乔笑着说："当然可以。"说完，他就按照自己的想法做了，果然没有拐弯就走完了这条马路。

请问，乔是如何做的？

53. 被串起来的字母

用坚硬的金属制成A、B、C，现在如图用绳子将它们串起来。

请问在不剪断绳子的情况下，该如何取下B？

54. 融冰的办法

1903年，"高斯号"探险船抵达南极洲，刚好赶上了极昼的天气，船被冻在了冰上，无法动弹。只有打开大约1000米长，10米宽的航道，才能够保障探险船行驶到没有结冰的海面上，否则人们都会被冻死在海上。为了能够开凿航道，人们想了很多办法，也用了几乎所有能用到的工具，但是都无法打开冰面，因为天气实在太冷了，刚刚凿开的冰面很快又会冻住。正当大家一筹莫展时，突然一个海员说他想到了办法，按照他的办法，大家终于得救了。

那么，这个船员提出了什么办法呢？

55. 铺设大厅中的地板

波尔多城堡大厅在建成之后需要贴地板，相关部门要求必须贴五边形的地板砖，而且每块五边形地板砖的大小和形状都要一样，只有铺到边上才可以切碎地板砖。

请问，用五边形的地板砖铺地可以铺得没有缝隙吗？

56. 坏事变好事

英国有一家专门生产足球的厂商被告上了法庭，厂商对此感觉非常无辜。原来事情是这样的：原告是一位足球迷的妻子，这位妇女控诉她的丈夫迷恋足球已经到了一种痴迷的状态，严重影响到了他们的生活，所以，她要求这家厂商赔偿损失费10万英镑。

这家厂商感觉这个案子实在匪夷所思，所以他们准备对此置之不理，但是，他们的公关顾问认为应该赔偿给这个妇女10万英镑。

那么，这位公关顾问到底是怎么想的呢？

57. 一点点改变

有一位农民种了一些西瓜，但在西瓜还没有成熟的时候，市场就已经饱和了。这位农民对此非常失望和痛苦，此时西瓜的价格降得很厉害，销路一点都不好，他看着满地的西瓜非常心痛。

但这是一个聪明的农民，此后不久他就想到了好办法，最终将所有的西瓜全部卖了出去，而且价格也很高，那么，他到底是怎么做的呢？

58. 如何画曲线

在不借助曲线板和圆规的情况下，只用直尺、三角板和铅笔，如何画一条如图所示的曲线？

59. 电风扇的革新

1952年，日本东芝电器公司的仓库中积攒着大量的电风扇，这些电风扇始终卖不出去，销售部门为此非常头疼，他们想了很多办法，但是效果都不是很好。

当时的电风扇都是黑色的，面对着仓库中积压的那么多黑乎乎的东西，公司负责人和销售部门的领导感到非常头疼，他们整天唉声叹气，但也实在想不出更好的办法。为了能够找到办法，他们召集东芝公司7万名员工，让大家一起想办法，看能不能将这些电风扇推销出去。此时一个底层的员工提出了一个办法，而他的办法也引起了所有人的关注。经过技术人员的研究之后，他们决定采纳这个员工的建议。

不久之后，东芝电器公司推出了一批别样的电风扇，在日本甚至全世界引起了轰动，销量也是一路领先，在3个月的时间里就售出了几十万台。

那么，你知道这位员工的建议是什么吗？

Part 5

增强应变力的思维游戏

　　我们每天会遇到各种各样的事情，这些事情有些是我们曾经经历过的，有些却是全新的。

　　很多人在面对全新事物的时候，不知道该如何应对，尤其遇到有人刁难时，更是手足无措，甚至恼羞成怒。其实我们可以通过增强自身的应变力来改变这种情况。增强我们的应变力，能够让我们在任何事情面前都游刃有余。

1. 顺利通过天桥

一辆装载着集装箱的大卡车要从一座天桥下通过，可是集装箱顶部高出天桥3厘米，而这些集装箱都非常笨重，拆卸非常不方便，绕道走的话又太耽搁时间了。

请问，有什么办法能够让大卡车通过呢？

2. 轮胎爆掉了

杰米尔的父亲开车去见朋友，但是在半路上一个车胎居然爆掉了，当他将4个螺丝卸下来，准备换备用胎的时候，却不小心将这些螺丝踢到了下水道里，现在你有什么办法帮助杰米尔的父亲吗？

3. 特工的减肥之法

胡佛曾经担任过美国联邦调查局的局长，他在任的时候接见了一位特工，这位特工之后被提拔为迈阿密地区特警队的负责人。

但是，之后这位特工严重发福，而当时美国联邦调查局要求特工严格控制体重。这位特工很为自己的体重发愁，他知道当胡佛看到他的身材的时候，肯定不会原谅他，于是他开始思考，终于想到了一个非常好的减肥

办法，最终还得到了胡佛的嘉奖。那么，他的减肥方法是什么呢？

4. 爱因斯坦的旧大衣

20世纪最杰出的科学家毫无疑问是爱因斯坦，他的杰出贡献得到了世人的认可。我们来看一个关于爱因斯坦的小故事。

有一次，爱因斯坦在纽约的一条街道上遇到了一位老朋友，那位朋友看到爱因斯坦的大衣已经很旧了，于是说："您似乎需要增添一件新大衣了，您身上的这件也太旧了。"爱因斯坦则说："没有关系，反正全纽约的人都不认识我。"

无独有偶，几年之后，爱因斯坦和那位朋友又一次相遇，此时已经誉满全球的爱因斯坦还是穿着当年那件旧大衣。那位朋友又一次建议他换一件新大衣。

那么，你知道爱因斯坦是如何回答的吗？

5. 让马飞起来的本领

很久以前有个人遭到陷害被判死刑，在问斩之前，这个人被送到国王面前，国王也没有发现案件有什么问题，于是批准开刀问斩。

此时，这个人突然说："请不要

杀我，我有特殊的技能。"国王非常好奇，于是对他说："你有什么特殊的技能呢？"这个人说："我可以让您的马学会飞。"这句话刚说出来，所有人都目瞪口呆。这个人要求国王给他一年的时间训练这些马匹。国王批准了他的要求，还选了一个死囚作为他的助手。

请问这个人能让马飞起来吗？

6. 农夫的智慧

一只老虎看到一个农夫赶着老牛耕田，它心中很是不理解，于是趁着农夫休息的时候对老牛说："你为什么这么听他的话？"老牛说："人的个子虽然小，但是他们有十足的智慧，所以我只能听他们的指挥。"

老虎不知道农夫有什么智慧，于是想等到农夫回来问个清楚。农夫回来后看到老虎，非常害怕。老虎说："您不用怕，您有智慧，我有力量，我很佩服您。但是我想知道智慧到底长什么样子，只要您能够拿出智慧让我看，我就放您走；如果您拿不出来，我就会认为您是在骗我，我就会吃掉您。"

农夫最终还是拿出了他的智慧给老虎看，并且还凭借自己的智慧杀死了老虎。那么，你知道农夫是怎么做的吗？

7. 一头牛吃草的故事

某处有一棵树，在距离树7米的地方有一堆草，用一根3米长的绳子拴着一头牛，但牛还是将所有的草都吃完了。这是为什么呢？

8. 逃脱这间房子

有这样一个好玩的地方，那里每年都要举办一次智力竞赛。这一年，一共有8名选手进入最后的决赛，相关人员将这些参赛者带到了8间教室里，然后指着教室的门说："现在将你们分别关到这8间教室里，门外还有警卫把守，看你们谁有办法能够只说一句话就让门外的警卫心服口服地让你们出去。不过有两个条件需要注意——不准硬闯出门、出去之后不能让警卫跟着你。"

这些参赛者中只有一个人顺利离开了这间教室，最终他获得了高额的奖金。那么，你知道这个人到底说了什么吗？

9. 到底有几桶水

一天，国王在自己的花园散步，他指着花园里的水池问自己的大臣说："这个水池中总共有多少桶水？"

国王身后的几个大臣面面相觑，都不知道该如何回答。于是国王下令，让他们3日内回答出答案，如果能够答出来就有重赏，如果答不上来就会有惩罚。几位大臣都不知道如何回答，后来出现了一个小孩，他答了出来。

那么，小孩是怎么回答的呢？

10. 到底该扔谁下去

有三个非常著名的物理学家、数学家和生物学家同时乘坐一艘船，他们在航行的过程中出现了意外，为了让船正常航行，必须扔下去一个人。那么该将谁扔下去呢？

针对这个问题，有一家报社向社会征集答案，收上来的答案形形色色，但是一直没有一个让所有人都信服的答案。后来，一个小孩子的答案脱颖而出。那么，这个小孩子是如何回答的呢？

11. 潜水艇里的老兵

1988年10月27日，日本的一艘商船撞沉了秘鲁的一艘潜水艇，艇长和其他6个人当场死亡，剩下的22个人随着潜水艇沉了下去。

就在这紧急关头，潜水艇内的人推荐老兵詹姆斯担任艇长。时间一分一秒过去，最终大家在詹姆斯的带领下脱离了险境，死里逃生。

那么，你知道詹姆斯是如何做到的吗？

12. 油漆匠的徒弟

在很久很久以前，有一个刁钻的农场主聘请一位敦厚老实的油漆匠为他漆家具。他们之前商定，漆好的新家具要和旧家具的颜色完全一样。如果能够满足这个要求，那么油漆匠就可以领到双倍的工钱，如果做不到，农场主就分文不给。老油漆匠忙活了两天，又是上色、又是刷漆，将新家具漆得非常漂亮，但是农场主却说没有光泽，所以没有给油漆匠工钱。油漆匠的徒弟知道这件事情之后，非常生气，于是他决定去找这个农场主。

后来，等到农场主又一次要求老油漆匠漆家具的时候，这个徒弟替师傅去了，结果要来了双倍的工钱。

你知道徒弟是怎么做的吗？

13. 保加利亚队的战术

在一次欧洲男子篮球比赛中，保加利亚队和捷克斯洛伐克队在半决赛相遇。

当时两个球队实力相当，所以这场半决赛非常精彩，在比赛进行到倒数第八秒的时候，保加利亚队领先2分，而且球权还在保加利亚队手中，看起来他们稳操胜券。但是当时的赛制比较特殊，这场比赛保加利亚队只有赢捷克斯洛伐克队5分以上，才能够顺利晋级，在短短的8秒钟内得到3分是很不容易的一件事情。保加利亚队的教练果断叫了暂停，然后对队员进行了详细的分工，结果在剩下的8秒钟时间里，他们送给了捷克斯洛伐克队2分。可是最终他们却顺利晋级。

你知道他们是如何做的吗？

14. 反应超快的老人家

有一天，一个老人家骑着毛驴赶路，此时过来一个小伙子，那个小伙子对老人家挥挥手说："喂，朋友，最近可好？"

老人家并不认识这个小伙子，但还是非常礼貌地说："谢谢你啊小伙子，我很好，你呢？"但令人意外的是，那个小伙子居然撇撇嘴说："我是在和毛驴打招呼，又没有问你，你回答什么？"说完之后还得意地哈哈大笑，此时老人家反手就给了毛驴一个耳光，然后说了一句话，这句话让

小伙子非常尴尬。

那么，你知道这位老人家说了什么吗？

15. 拿回九龙杯

有一次，切斯利到中国访问，完成工作之后他从上海回国。他的朋友在上海的一家大酒店为他举办了隆重的欢送宴会。

在宴会上，这家酒店用到了非常珍贵的九龙杯，切斯利看到九龙杯非常精致，竟然将其中的一个放到了自己的公文包中。要知道这套九龙杯是这家酒店的镇店之宝，酒店自然不愿意让切斯利带走，但是又不能当面指出。当时酒店的负责人明确指出一定要拿回九龙杯，但是一定要小心行事。

之后一位酒店员工在接下来的魔术表演中，成功拿回了这个九龙杯。

你知道他是怎么做的吗？

16. 灭火的方法

有一次，美洲草原着火了，大火借着风就好像要吞噬草原上的一切，当时有一队游客正好在这里游玩，面对这突如其来的大火，众人吓得手足无措。

就在万般紧急的状况下，出现了一位年老的猎人，他让众人拔掉一些

干草，然后清理出一片空地。

这时，火势越来越猛，大家都担心大火会逼近自己，只有老猎人一直气定神闲。他让大家站在空地的一边，自己则走向另一边——那边正是大火即将到来的方向。随后，老猎人做了一个非常简单的动作，就成功扑灭了大火。那么，他到底是怎么做的呢？

17. 波音747

1988年4月27日，美国阿波罗航空公司的一架波音747飞机在飞往檀香山机场时失事了。令人惊奇的是，驾驶员紧急降落之后，除了一名空姐因为意外遇难之外，飞机上89名乘客和其他机组人员无一伤亡。

相关人员以及记者迅速赶往现场调查，面对严峻的形势，波音公司经过一段时间的调查之后指出，这架飞机已经飞行了20年，按照技术规定早应该退休了，此次事故的原因就是飞机过于陈旧。

之后，波音公司的形象不但没有受到损害，反而订单倍增。你知道是什么原因吗？

18. 狄更斯钓鱼

英国小说家狄更斯有一天和一位

老朋友到湖边钓鱼，就在他们钓得起劲的时候，突然一个陌生人走到狄更斯的身边，对他说："您好，您是在钓鱼吗？"狄更斯很热情地回答了对方，并且说："可是不知道为什么今天一条鱼都钓不上来，昨天我在这里的时候钓上来了15条鱼呢。"那个人说："那您知道我是做什么的吗？这个湖是禁止钓鱼的，我就是管理这件事情的。"说完之后，他就从口袋中拿出了罚款单。

看到这个情景，狄更斯不慌不忙地问道："你知道我是谁吗？我是大作家狄更斯，你可不能罚我的款，因为……"那个人听了狄更斯的话之后，就没有罚款。

那么，狄更斯到底说了些什么才免去罚款的呢？

19. 智斗彪形大汉

汤姆逊是著名的心理学家。有一次，他在回家的路上路过一片寂静的丛林，当时一个人影都没有。汤姆逊身上没有带什么行李，只有口袋里有200元钱。突然，在他身后不远的地方出现了一个带着鸭舌帽的彪形大汉，不管汤姆逊快走还是慢走，这个人一直跟着他。

后来，汤姆逊突然转过头，向那个彪形大汉说了一句话，对方听完之后就离开了。那么，汤姆逊到底说了什么？

20. 完整的方糖

斯德尔先生在自己的咖啡中加了一块方糖后去接电话，10分钟后，他将方糖从咖啡中完整地拿了出来。

请问他是如何做到的？

21. 小汤姆租房子

只有5岁的小汤姆因为父母工作的关系，随父母一起搬到了城市里。

小汤姆一家来到城市之后开始租房子，找了一天终于在晚上找到了一家干净而且舒适的公寓，但是房东对他们说："不好意思，这里的房子只租给没有孩子的人，你们都知道小孩子很吵闹，而且会将墙壁弄得一塌糊涂。所以，实在是不好意思……"

小汤姆一家人只能离开了这里，但是小汤姆不甘心地回过头再去找房

东，结果一家人成功住进了这所公寓里。

小汤姆到底是怎么做的呢？

22. 哲学家救故乡

古希腊米利都学派哲学家阿那克西米尼的故乡是美丽的莱普沙克斯城。

有一年，阿那克西米尼随着亚历山大大帝远征波斯，就在军队快要攻打到莱普沙克斯城的时候，为了救故乡于危难，他前去面见国王。亚历山大大帝知道了他的来意，还没有等他开口就说："我敢对天发誓，我不会同意你的请求。"

但没有想到，阿那克西米尼大声对亚历山大大帝说了一句话，正是因为这句话，莱普沙克斯城免于战火。那么，你知道哲学家到底是如何救了自己家乡的吗？

23. 银行没有意义的规定

有个人着急用钱，于是他去银行取4000美元。

等到他到银行的时候，营业员告诉他低于5000美元的取款全部到自动取款机前排队，就算是有急事也不能通融。这个人很无奈，看着自动取

款机前面的长队，他心急如焚。此时他看见身边一个人顺利取走了5000美元，于是想到了一个办法。

最后，这个人不但成功取走了4000美元，而且还让银行不得不取消了这项没有意义的规定。

那么，这个人到底是如何做的呢？

24. 司机的演讲

爱因斯坦的司机是一个非常聪明的小伙子，他的记忆力非常好，而且脑子非常灵活。

当时，爱因斯坦已经提出了相对论，为此经常要去世界各地演讲。有一次，爱因斯坦在赶往某大学演讲的路上，突然感到一阵头晕，他知道是过度劳累所致。司机劝他回去休息，但是爱因斯坦不愿意让别人空等，所以坚持要去演讲。司机只好试探着说："如果您不介意的话，这场演讲我替您讲吧！"前面已经说过这个司机是一个非常聪明的小伙子，他听了很多次爱因斯坦的演讲，对演讲的内容能倒背如流。

爱因斯坦最终同意了司机的要求，事实证明，司机的演讲非常成功。但就在这个演讲即将结束的时候，台下的一位教授提出了一个非常

深奥的问题。聪明的司机根本无法回答这个问题，但是他想到了一个很好的办法解除这个尴尬。

那么，你知道聪明的司机是如何做的吗？

25. 跌倒的女演员

1928年设立了奥斯卡金像奖，自1929年起每年在美国的洛杉矶举办一次。在一次颁奖典礼上，一位女演员不小心被自己的晚礼服绊到，摔倒在了舞台上，当时大家都沉默了，都不知道该怎么办，要知道这可是全球直播。

不过，聪明的女演员在接过奖杯发表获奖感言的时候，为自己刚才的失误圆了场。那么，你知道她是怎么说的吗？

26. 商人催债的方法

很久以前，有一个商人非常大方，他将很多钱借给了自己的朋友，而等到他急需用钱的时候却发现手中已经没有多少钱了。

此时，商人很着急，可登门催债的话感觉有点不礼貌，而且他也不好意思；但是不催债的话他又确实有点吃不消了。这该怎么办呢？

不久之后，他想到了一个办法，他在自己商店的门口贴了一张告示，上面写道："年关将至，银根吃紧，请下列借款者务必快点还钱。"

在短短的一个月时间里，借款者纷纷将之前的借款都还给了他。这到底是怎么回事呢？

27. 逃脱险境

麦斯尔和杰米斯通过软梯下到一个深谷中，他们准备探寻深谷中的洞穴。他们刚走了几米，谷底就涌出了水，一会儿工夫就淹没了他们的腰部，而且水位还在上涨。他们没有想到谷底还会有水，出门的时候也没有带救生用具，而且他们也不会游泳，所以只能依靠软梯离开谷底。但是软梯的负重是160千克，而他们两人的体重均为90千克左右，如果两个人同时攀爬的话软梯肯定会断掉；而如果分开攀爬的话，后面那个人有可能被大水淹死。

现在你能想到好办法让他们两人逃生吗？

28. 柯南和更夫的配合

柯南是个非常聪明的孩子。有一次，他和父亲一起出门，晚上住在一家小旅馆中。半夜的时候，房间中闯入了一个手中持有钢刀的强盗，他用钢刀逼迫柯南和他的父亲交出所有的财物。

此时，远处传来了打更的梆子声，强盗有点心虚了，他催促柯南快点交出财物，柯南对强盗说："如果您非常着急的话，我需要点亮灯才能够尽快找到。"就在打更的梆子声在窗下响起的时候，柯南点亮了灯，并且将父亲藏在枕头下的钞票全部交给了强盗。可就在这个时候，门外的更夫居然大喊："抓强盗！"很快人们冲进了房间，最终无路可逃的强盗被抓住了。

那么，你知道柯南是如何给门外的更夫暗示的吗？

29. 大臣的智慧

很久以前，有一位国王决定对自己的国家实行改革。当时国王手下的一个大臣犯下过错，需要处斩。这个大臣被称为天下第一智者，国王想要留下这个人才，但是又不能破坏法度，于是他想到了一个奇怪的办法，希望这个大臣能够借助自己的智慧挽救自己的生命。

国王让两位武士各执一瓶酒，然后对那位大臣说："这两瓶酒中一瓶是美酒，一瓶是毒酒，而这两位武士有问必答，其中一个只说真话，一个只说假话。另外，两位武士知道彼此的底细，也就是说他们知道对方拿的是什么酒，说的是什么话。现在，你可以向其中一个武士问一个问题，然后你可以根据他的回答来判断酒是否有毒。"

大臣思考了一会儿之后提出了一个巧妙的问题，结果不仅喝到了美酒，而且免于一死。

那么，你知道大臣是怎么问问题的吗？

30. 老鼠的繁殖能力

老鼠有着惊人的繁殖能力，据说一只母老鼠每个月生产一次，每次能生下12只小老鼠。这些小老鼠在2个月之后就有了繁殖能力。

假设现在开始饲养一只刚出生的小老鼠，10个月之后会变成几只老鼠？

31. 二战时期的故事

在二战时期，英国的一位情报人员约翰要将一份很重要的情报送出去，但是在路上他必须经过一座东西方向的桥，这座桥有重兵把守，没有通行证是不会被放行的。

约翰当然没有通行证，不过他观察到在桥的中央有一个亭子，里面有

一些守卫，这些守卫每隔5分钟时间会出来巡视一番，其他时间都在亭子里睡觉。

通过这座桥要用7分钟的时间，为了避免被守卫发现，约翰该如何过桥呢？

32. 高级的反驳方法

切斯特·郎宁是加拿大的前外交官，他的父母都是美籍传教士，而朗宁出生于中国的襄阳，是吃中国奶妈的奶长大的。

切斯特·郎宁在竞选省议员的时候，受到了以莱特为首的反对派的阻挠，当时还有过一段非常精彩的辩论。

当时莱特质问切斯特·郎宁说："你怎么可以竞选议员呢？你曾经喝过中国人的奶，你的身上肯定有中国人的血统。"

那么，你知道切斯特·郎宁是如何回答的吗？

33. 师生二人的辩论

柏拉图是苏格拉底的学生，两人都是古希腊非常著名的辩论家。

有一次，苏格拉底和柏拉图就一件大家都关心的问题展开了公开的辩论，当时两个人的意见分歧很大。他们据理力争，都不愿意退让。柏

拉图情急之下对着众人说："你们不要相信他的话，苏格拉底说的话都是假话。"

那么，苏格拉底到底是如何帮自己解困的呢？

34. 驳斥对方的方法

贝尔克里是美国著名的逻辑学家，他和美国参议院议员威尔逊的意见总是无法统一，每次他们见面之后都会争吵起来。

有一次，威尔逊找到了一条自认为可以让贝尔克里败下阵的论据，于是他对对方说："所有的共产党人都在攻击我，现在你也攻击我，那么你就是共产党人了？"

那么，你知道贝尔克里是如何回敬威尔逊的吗？

35. 无所不有的百货公司

美国一家百货公司的门口贴着一则广告："无货不备。如有缺货，愿罚10万美元。"

为了能够得到这10万美元，有一个法国人千方百计地难为公司经理。他进门之后就问道："潜水艇在什么地方？"经理没有说话，而是将他直接带到了22层，那里果然有一艘潜水艇。这个法国人不甘心，于是继续

说："我还想看看飞船。"经理又将他带到了9层，那里果然有一艘飞船。法国人还是不罢休，他继续问道："那么你们这里有没有肚脐长在脚下面的人？"

那么，你知道这位经理是如何对付这个法国人的吗？

36. 给鱼翻了个身

欧洲中世纪时期，有一个来自阿拉伯的年轻人带着很多礼物出访某个欧洲国家，他受到了隆重的接待，该国的国王和王后还专门为他举办了一场盛大的宴会。

但是，在这场宴会中，这个年轻人出了一点失误，当时他当着国王的面将烧鱼翻了个身。按照该国的规定：不能当着国王的面翻动任何东西，否则就要被判处死刑，就算是王公贵族也不能例外。

虽然大臣们都为这个年轻人求情，但是国王还是要依法处死这个年轻人。不过他又告诉年轻人说，他可以提出一个要求，除了免除死刑，任何要求都可以得到满足。而此时这个年轻人已经镇定了下来，他将自己从死亡边缘拉了回来。

那么，这个年轻人到底提出了什么要求呢？

37. 士兵击中帽子

有一个士兵刚刚学会开枪，排长让他用眼罩蒙上眼睛，又让他将他的帽子挂起来，再要求他先向前走50米再转身开枪，并且要求子弹必须击中帽子。

你知道士兵该如何做才能一枪击中帽子吗？

38. 喝干海水的方法

寓言家伊索还是奴隶的时候，有一次他的主人喝醉了，主人发酒疯的时候说他要喝干海水，并且愿意用自己的全部财产做赌注。主人第二天清醒过来以后才发现自己失言了，他非常懊恼，可是全城人都已经知道了这个消息，而且很多人都等候在海边，等着看他出丑。

主人没有办法，只能找聪明的伊索帮他解决问题。那么，你知道伊索给主人出了什么好主意吗？

39. 精彩的第一节课

有一所学校建在一个地势比较低的地方，当时为了防御山洪，教室的门槛设置得非常高，足足有40厘米。虽然大家都知道这件事情，但是谁都忘记了去提醒新来的女老师。

在这位女老师第一次来上课的时候，她带着自信的笑容向教室走来，但是在她要跨过门槛的时候，不小心摔倒在了教室门口。当时的气氛很尴尬，学生都不知道该怎么办，而女老师则慢慢爬了起来，然后走到讲台上，做了一段非常精彩的自我介绍。那么，你知道这位女老师是怎么做自我介绍的吗？

40. 反戈一击

托马斯·赫胥黎是英国著名的博物学家。在达尔文提出进化论之后，他就一直大力支持和宣传，因此还和宗教势力展开了激烈的论战，当时有人骂他是"达尔文的猎犬"。有一次，在伦敦的一场辩论会上，宗教头目看到他后，对其他人说："小心啊，这只狗又来了。"

那么，你知道托马斯是如何反击的吗？

41. 机智巧辩

古罗马陷入战乱的时候，一位母亲对她想成为乱世英雄的儿子如此说道："每个人都会背叛正直的人，而神明则会遗弃不正直的人。无论你是否正直，都无法得到好报，大可不必趁乱逞能。"但儿子却并没有放弃，反而利用这段话的逻辑说服了母亲。那么，这位儿子到底是怎么说的呢？

42. 士兵的回答

某国元首在检阅部队时询问士兵："假如我下令让你们向我开枪，你们会执行吗？"几乎所有的士兵都回答说："会，因为执行命令是士兵的天职！"

只有一个士兵高喊着："不，我不会这样做！"

元首非常高兴，他说："我终于找到了一位懂得元首生命价值的士兵。"接着他又问道："你为什么不会对我开枪呢？"

你知道士兵是如何回答的吗？

43. 地震后的消息

某地发生了大地震，收音机中不断播报着受灾情况和寻人启事。

有一位老人认真听着收音机中的报道，有认识他的人问："收音机里播放你孙女的消息了吗？"老人回答说："没有。"然后他接着说，"不过我知道我孙女肯定没事。"

你知道老人是如何知道的吗？

44. 自讨无趣的皇家公爵

有一次，谢里登在访友归来的路上，遇到了两位皇家公爵。这两个人平时经常讽刺谢里登这位作家出身的议员，这一次他们仍不打算放过这个机会，于是他们装作非常热情地和谢里登打招呼，其中一个拍着谢里登的肩膀说："谢里登先生啊，我们两个人正在讨论您是更愚蠢一些呢，还是更无赖一些。"谢里登听完这个人的话之后，立即回敬了一句话，他的反击非常巧妙而且辛辣，使得两位公爵无地自容。

你知道谢里登是怎么说的吗？

45. 先生是位"妻管严"

曾经有一位先生是出了名的"妻管严"，但是他在外边却总是装出一副大男子主义的样子。

有一次，这位先生和朋友们闲聊，说自己在公司里是领导，在家里也是"头"。不想他的这句话被一旁的儿子听到了，儿子立即向母亲报告了这一切。等到这位先生回家之后，他的妻子很冷淡地问："你要是家里的'头'，那我呢？"

请猜一下，这位'妻管严'先生是怎么解释的?

46. 侍从救地方官

有一次，一位国王去一个地方打猎。这个地方的地方官听说之后慌忙赶出来迎驾，并跪在国王的马前为民请命，希望他在打猎的过程中不要踩踏庄稼。谁知道，国王听完之后非常生气，呵斥了地方官一番。此时国王身旁的侍从见势不妙，赶紧站出来指着地方官说："你身为地方官，难道就不知道我们的国王喜欢打猎吗？"地方官只好连连点头。

之后侍从又说了两句话，不但救了地方官，而且还让国王意识到了自己的错误。

你知道侍从说了什么吗？

47. 反应敏捷的山姆

有一天晚上，山姆和好朋友迪特在书房中聊天。

聊着聊着，山姆想起自己家中"阴盛阳衰"的情况，于是长叹一口气，迪特问他为什么叹气，他说：

"我是在想，女人就好比是水，男人就好比是船，水可载舟，也可覆舟……"他的话还没有说完，他的妻子就走进来，厉声问道："从结婚到现在，我让你翻过几次船？今天你要是不当着迪特的面说清楚，我绝对不会善罢甘休。"

山姆是一个非常机灵的人，他只说了一句话就帮助自己化解了险情。你知道山姆说了什么吗？

48. 卖保险

美国有位著名的保险推销员叫亨特尔，有一次，亨特尔被分派到美国新兵培训中心推销军人保险。

亨特尔到培训中心后，就开始给新兵们解释军人保险所带来的保障，他说："假如在战争中您不幸身亡了，而您生前买过军人保险的话，政府就会向您的家属赔偿至少20万美元；但如果您没有买这份保险的话，政府只需要给您的家属6000美元的抚恤金……"

此时，一个新兵非常沮丧地回应了亨特尔的话，他说："钱多有什么用呢？多少钱都无法换回我的生命了。"

眼看推销陷入了僵局之中，但是亨特尔是一个很聪明的推销员，他只用了一句话，就让在场的所有新兵都买下了这种保险。而他的这次推销做到了百分之百的成功率，以前从来没有人达到过如此高的效率。

那么，你知道亨特尔当时说了什么话吗？

49. 作家和批评家相遇

有一次，一位著名的作家在公园中散步，当时只有一条仅能容一个人通过的小路，这位作家刚走上这条小路，就看到对面走过来一位批评家，批评家对他说："我从来不给蠢货让路。"

这位作家则笑嘻嘻地退到了路边，然后说了一句话。

请问，这位作家是如何回敬批评家的？

50. 钢琴家和观众

波奇是著名的钢琴家，有一次他在美国休斯敦演出的时候，发现全场一半的座位都空着，这让他感到非常苦恼和失望。

不过，没过多久波奇就冷静了下来，他希望用幽默的语言来化解这种尴尬。他走到台前，对观众说："我今天发现了一个秘密，休斯敦的人都很有钱。"人们听后都感到很疑惑，

直到听到波奇的解释后，观众们才恍然大悟。

那么，你知道波奇是如何解释的吗？

51. 不愿下跪的诗人

乌克兰有一位诗人叫齐司弗里克，有一次沙皇要见他，于是派人将他请到了大殿上。

来到大殿的齐司弗里克看到诸位大臣都是一副奴颜婢膝的样子，心生反感，于是他凛然正气，丝毫没有要下跪的意思。此举惹怒了沙皇，他说："你是什么人？全国所有的人见到我都要下跪，你为什么不跪？"

那么，你猜齐司弗里克是如何说的呢？

52. 外国友人会保守秘密

富兰克林·D. 罗斯福是美国第三十二任总统。有一次，一位外国友人向罗斯福打听某小岛上建立潜艇基地的计划，罗斯福故作神秘地看了看四周，然后压低声音对对方说："你能保守机密吗？"那位外国友人非常兴奋，以为自己可以知道这天大的秘密了，于是赶紧说："我当然能。"

那么，你猜接下来罗斯福会说什么？

125

53. 小丑的智慧

一个小丑正在动物园的露天剧场里表演，突然舞台旁边狮子笼里的狮子跑了出来，所有人都吓傻了，他们拼命往大门方向跑。

狮子兽性大发，在追赶的过程中连续伤了好几个人，直到管理人员出现用麻醉枪制止了狮子。等到人们都冷静下来时候，大家却发现找不到那个小丑了。

小丑跑到了安全的地方，请问小丑去了什么地方？

54. 买驴子和上学

有一天，班主任在上课的时候发现少了一个学生，于是准备上门去找这个旷课的学生。

原来学生不是旷课，而是辍学了。这个孩子的父亲是一位农夫，他对老师说："我希望他接受教育，以免他以后成为一个愚蠢的人，但是学费太贵了。"

老师不动声色地说："去学校上学对他的教育很有用，这些钱根本就不贵。"

家长听了，还是说："可我还是嫌这个数字太大了，这些钱都足够买一头小毛驴了。"

接下来，班主任只说了一句话，就说服家长让孩子继续上学了。

那么，你知道班主任对家长说了什么吗？

55. 罗西尼听曲子

19世纪意大利著名的歌剧作曲家罗西尼是一个严于律己的人，他非常重视创新，同时也非常厌烦别人的模仿和抄袭行为。

有一次，一位年轻的作曲家请罗西尼听自己新创作的作品，并希望罗西尼能够给予一些意见。罗西尼在听的过程中已经知道这首曲子模仿了很多作曲家的曲子，所以，罗西尼听着听着就不开心了。

当这位年轻人还在演奏的时候，罗西尼站起来摘下自己的帽子，然后坐下，过一会儿又重复一次，这样做了很多次。他的行为自然引起了年轻人的注意。

演奏结束后，年轻人问罗西尼说："是不是天气太热了？"那么，你知道罗西尼是如何说的吗？

56. 帽子和脑袋

安徒生先生是丹麦著名的童话作家。有一次，安徒生在街上散步的时候遇到了一位陌生的年轻人，年轻人看到安徒生头上戴着一顶破旧的帽子，于是嘲笑他说："可怜的先生，我能知道你头上那是什么东西吗？它难道是一顶帽子吗？"

你知道安徒生接下来是如何对付那个无理的年轻人的吗？

57. 三位国家领导人的梦

第二次世界大战期间，美国、英国和苏联的国家首脑在德黑兰举行了首脑会议，当时很多通过的决议都是斯大林提出来的，于是，罗斯福和丘吉尔就准备嘲笑斯大林。

有一天早上，会议还没有开始的时候，丘吉尔说："我昨天晚上做了一个梦，梦见我成了全球的主宰。"

罗斯福接着说："我昨天也做了这样的梦，我成了全宇宙的主宰。斯大林元帅，不知道你昨天晚上梦到

什么了吗？"

你知道斯大林是如何说的吗？

58. 演讲中的干扰

威尔逊在担任英国首相的时候，有一次在做一个重要演讲的过程中，出现了一个捣乱的人，对方高声叫着："狗屁！全是垃圾。"

这突如其来的干扰让演讲陷入了尴尬之中。

没想到威尔逊微微一笑，然后用安抚的口吻说了一句话，他的这句话不仅救了场，还让这次演讲取得了空前的成功。

那么，你知道威尔逊说了什么吗？

59. 一丝不挂的拥抱

在第二次世界大战期间，有一次丘吉尔刚洗完澡光着身子从浴室中出来，就听见有人敲门。进门的是美国总统罗斯福，他看到一丝不挂的丘吉尔，准备转身出去。

但是，丘吉尔却张开双臂和对方拥抱，让罗斯福进来的同时，还说了一句话，这句话让两人笑得前仰后合。

你知道丘吉尔说了什么话吗？

60. 苏格拉底式的幽默

据说，苏格拉底的妻子心胸狭窄，总是絮絮叨叨，而且喜欢骂人，是非常有名的悍妇。但是每当面对妻子给自己带来的尴尬时候，苏格拉底总能够找到办法解除困窘，令人十分佩服。

有一次，苏格拉底正在和学生们讨论问题，就在大家讨论得非常起劲的时候，他的妻子突然冲了进来，对着苏格拉底就破口大骂，过了一会儿又拎着一桶水进来，猛地泼到了苏格拉底的身上。

学生们惊愕万分，都以为这一次苏格拉底要和妻子大吵起来了，但是苏格拉底摸了摸湿透了的衣服，然后非常风趣地说了一句话。

苏格拉底的这句话不但化解了尴尬，而且让学生们更加佩服苏格拉底的涵养和智慧。

那么，你知道苏格拉底到底说了什么吗？

61. 流行的东西

赫尔岑是俄国著名作家，有一次他接受朋友的邀请去参加一场音乐会，但是这场音乐会非常枯燥，上演不久赫尔岑就捂上耳朵睡着了。之后，朋友感觉非常奇怪，就问赫尔岑是不是不喜欢音乐。赫尔岑摇摇头说："这种低级的音乐有什么好听的。"

朋友惊讶地说："这里演奏的都是最主流的流行音乐。" 赫尔岑非常平静地说："难道流行的东西就是高尚的东西吗？"朋友说："不高尚的东西怎么可能流行起来呢？"

那么，你知道赫尔岑是如何回答的吗？

62. 承认错误的卡耐基

卡耐基很喜欢小狗，于是养了一条，并且将其命名为雷斯。有一次，卡耐基带着雷斯去公园散步，遇到了一位警察，警察严厉地问他："你为什么让你的狗跑来跑去的，却不给它系上链子或者戴上口罩，难道你不知道这样做是违法的吗？"没等卡耐基解释，警察就严厉教训了他一番，并说以后如果不注意的话，就严惩不贷。

其实卡耐基早就尝试过，但是雷斯就是不愿意系链子，更不愿意戴口罩。虽然当时卡耐基满口答应了警察，但是他依旧我行我素。

卡耐基和雷斯再去公园散步的时候，又遇到了之前的那位警察，但是这一次卡耐基并没有被教训，更没有被罚款。

那么，你知道卡耐基是如何做到的吗？

Part 6

锻炼判断力的
思维游戏

      一个人对一件事情表现出来的态度、做出的反应或者采取的行为方式就是这个人的"判断力"，它的运用是一个人诸多能力的体现，如记忆力、感知力、预测力……这种能力并不是上天赋予人们的"礼物"，需要不断沉淀和历练才能逐渐提高。

      在遇到问题时，只有开动脑筋，自己去寻找问题的答案，并做出自己的判断，才能使判断力不断得到提升。

1. 判断公共汽车的方向

如下图所示，有A和B两个汽车站点，如果图中车辆是中国的公共汽车，那么请判断这辆车是驶往A站，还是驶往B站？

2. 错误率极高的朋友

有个人一直在考虑自己的婚姻问题，他总是无法下定决心，于是他想去听听朋友们的建议和意见。第一个朋友先对他说："我说的话60%都是正确的。"第二个朋友也先对他说："我的话只有20%是正确的。"这个人思考了一会儿之后，就参考了第二个朋友给予的建议。

你知道这是为什么吗？

3. 出了问题的钟表

乔德尔斯的钟表出现了一点问题，有一天，他们家的钟表显示的是8点55分；1分钟之后显示的是8点56分，2分钟之后还是8点56分；再过1分钟之后，又变成了8点55分。等到9点钟的时候，乔德尔斯知道问题出在什

么地方了。

那么，你知道是什么原因吗？

4. 掷硬币

有两个人在掷硬币。其中一个人说："投掷2枚硬币，它们全部正面朝上或者全部反面朝上的概率是50%，因为每一个硬币都有两种可能；当投掷3枚硬币时，它们全部面朝上或者面朝下的概率也是50%，因为3枚硬币中至少有2枚硬币朝上的一面是一样的，而剩下的硬币面朝上或者面朝下的概率均为50%，所以3枚硬币同时面朝上的概率为50%。"

请问他的这种说法正确吗？

5. 蜘蛛和军队

有一年的冬天，拿破仑的军队开赴荷兰重镇，但是，他们在半路就被挡了回去。原来荷兰人打开了水闸，大水阻挡了拿破仑军队前进的步伐，拿破仑只好命令撤退。

正在这时，拿破仑突然看到了一只正在大量吐丝的蜘蛛，于是他又下令大军停止撤退，并且原地开始做饭和操练队伍。

两天之后，拿破仑的军队攻破了荷兰。你知道他们是怎么做到的吗？

6. 两个人的影子

假设蜘蛛侠和蝙蝠侠的身高都是180厘米，他们两人分别站在相邻的两栋楼的顶楼边缘。蜘蛛侠所站的那栋楼高50米，而蝙蝠侠所站的那栋楼高150米。当时红日当头，在地上投射下了他们的影子。

请问，谁的影子更长一些？

7. 古希腊人的数字展览

古希腊人推崇数字，在他们的眼中，数字就是艺术。而有些艺术家喜欢奇数，有些则喜欢偶数。

请看下面几幅画，不通过计算，仅通过直觉，你能说出哪些计算结果是奇数，哪些计算结果是偶数吗？

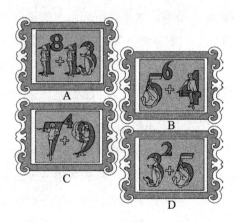

8. 房间里的蜡烛

房间里点燃着10支蜡烛，风吹灭了2支蜡烛，过了一会儿又吹灭了1支。此时主人将窗户关了起来。

请问，最终还剩下几支蜡烛？

9. 从无限到无限

华盛顿酒店拥有无数间客房，无论酒店住客有多满，都可以为新到的客人提供房间。因为酒店经理会把1号房间的客人调到2号房间，把2号房间的客人调到3号房间，以此类推，最终总是能为顾客空出1号房间来。

假设新到无数位客人，那么酒店经理应该怎么做，才能将房间空出来呢？

10. 跳开题目中的陷阱

一位老年人有些驼背，一位年轻人有些瘸，两人一起经过一个陌生的村庄。对面走来一个中年人，他好奇地问年轻人道："这位驼背的老年人是你的父亲吗？"年轻人回答道："是的。"中年人又问老年人道："这位瘸腿的年轻人是您的儿子吗？"老年人斩钉截铁地回答道："不是。"

中年人有点糊涂了，他再次问年轻人："这位驼背的老年人真的是你的父亲？"年轻人再次回答道："是的。"他又重复问老年人道："这位瘸腿的年轻人真的不是您的儿子？"

老年人再次坚定地回答道："不是。"

如果我们假设老年人和年轻人说的都是真话，那么他们两人之间到底是什么关系？

11. 哪段路程更短

假设一座小城，道路纵横交错。如图，从小城甲地出发要穿过一段距离，到达该小城的另一端乙地。现在有两种方法：

A. 沿着小城边缘走；

B. 在小城中穿街走巷。

请问，这两种方法哪种走的距离更短一些？

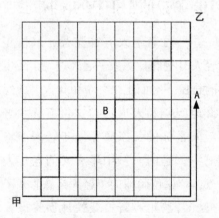

12. 谁离得更近

有个人骑着自行车从A地到B地，而另一个人开车从B地到A地，他们在半路相遇。

你知道此时谁离A地更近吗？

13. 一个奇怪的人

有这样一个人，他头戴着安全帽，安全帽上还绑着一把扇子；左手提着一台电风扇，右手拿着两个水壶；脚上还穿着溜冰鞋。

请问，这个人准备去什么地方？

14. 妹妹的年龄

有这样一对孪生姐妹，姐姐出生于2001年，而妹妹却出生于2000年，请问这样的事情可能发生吗？

15. 石头的重量

有两块石头，其中一块是另一块重量的100倍，如果同时将两块石头从大楼上抛下，在不计空气阻力的情况下，请问哪一块下落得快呢？

16. 两个小大力士

有两个小朋友想要知道谁的力气更大一些，于是甲拿着两个核桃和一个鸡蛋对乙说："我们各挑一种东西，然后用力去捏碎，谁先捏碎谁就是大力士。"看到甲手中的鸡蛋和核桃，乙有点为难了，他不知道自己该如何选择。那么，如果你是乙的话，你会选择哪一个？

17. 舀来舀去的牛奶和茶

甲和乙各有一个杯子，分别装了半杯牛奶和半杯茶。甲装的是半杯牛奶，乙装的是半杯茶。

甲将自己杯子中的牛奶舀出一勺放入乙的茶中，接着乙又从自己的杯子中舀出一勺茶和牛奶的混合物放入甲的杯子中。

请问，现在甲杯子中的茶和乙杯子中的牛奶是否同样多？

18. 头顶的缆车

有位父亲带着儿子爬山，他们休息一会儿，爬一会儿。

他们在小路边的长椅上休息时，两个缆车车厢刚好从他们头顶经过，父亲说："我们现在正好在半山腰。"儿子感觉非常奇怪，于是问父亲是如何断定他们在半山腰的。

那么，你知道父亲会怎么说吗？

19. 沙漠中的供水商

有一个供水商用一个大皮囊装着25升水横穿沙漠，他遇到了一位要买19升水的客人，不久又遇到一位要买12升水的客人。显然商人没有足够的水卖给这两个人，他只能卖给其中的一个人。在酷热的沙漠中，这个供水商想尽快完成这次交易。

如果供水商从大皮囊中倒出一升的水需要10秒，那么他将和哪位客人做生意呢？

20. 作案的全过程

一家公司的女出纳提着一个空手提袋去报警，她对警察说："我刚从银行取了10万美元的公款，我带着这些钱来到十字路口的时候，突然冲出来一个骑着摩托车的劫匪，他狠狠打了我一拳，然后将手提袋中的钱拿去了。"

听完这位女士的报警之后，警察笑着说："女士，我们还是谈一谈你作案的事情吧。"之后这位女出纳不得不交代了自己和男朋友商量好作案的经过。

那么，警察是如何知道女出纳是"监守自盗"的呢？

21. 座位的秘密

某次派对上，有一个圆桌坐着5个人。其中，A是中国人，会英语；B是法国人，会日语；C是英国人，会法语；D是日本人，会汉语；E是新西兰人，只会说英语。

请问，为保证彼此之间能顺利交流，应该如何安排5个人的座位？

22. 餐桌上的座位

一家5口人坐在一起吃午饭，爷爷先坐在餐桌前，并向其他人询问各自的座位。妈妈和爸爸分别选择坐在女儿和儿子旁边。姐姐认为妈妈坐在弟弟左边，而弟弟则认为，自己的右边坐着爷爷或者爸爸。

请问，这餐饭，全家人是怎么就座的？

23. 谁说了谎

驶远了的游轮上，齐聚了山本和他的一群朋友。当他们玩得正开心的时候，山本的一位朋友大喊起来："我的一个装有机密文件的公文包不见了！"山本立刻叫来了游轮上的5位船员，并一一询问情况。

船长说："刚才我在驾驶舱里，一直没有离开过，不信可以查看录像带。"

技师说："我一直在机械舱里保养发动机，保证它能一直保持一定

的速度运行，但没有人能证明这一切。"

电力工程师说："我刚才在顶层甲板上挂日本国旗。我挂上去后，发现挂倒了，又重新挂了一次。不信你们可以去看。"

其他两名船员则说自己在休息舱打牌，可以相互作证。

请问，假设其中一个人在说谎，那么到底是谁偷走了公文包？

24. 购物的同学

有4个同学一起去商场，他们每个人买了一样东西，分别是：一个随身听、一双鞋、一条裤子、一件上衣，而这4件商品正好在商场的4个不同的楼层中。现在知道：甲去了1层、随身听在4层出售、乙购买了一双鞋、丙在2层购物、甲没有购买上衣。

那么，你能判断他们各自在哪个楼层买了什么东西吗？

25. 两种颜色的字母

根据下面的逻辑，Z应该是黑色的还是白色的？

A（白）；F（白）；K（白）；P（白）；U（黑）；B（白）；L（黑）；O（黑）；T（白）；

V（黑）；C（黑）；H（白）；

M（白）；R（白）；W（黑）；

D（白）；N（白）；S（黑）；

X（白）；E（白）；J（黑）；

Y（黑）……

26. 复杂的亲戚关系

有一个人在看照片，旁边的人问她在看谁的照片，她说："照片上的人的丈夫的母亲，是我丈夫的父亲的妻子的女儿，而我丈夫的母亲只生过一个孩子。"

请问，这个人到底在看谁的照片呢？

27. 三个抽屉里的钥匙

乔治很粗心，经常丢钥匙。有一天他的姐姐想要故意刁难他，于是将他的钥匙放了三个抽屉中的一个里，并且在三个抽屉上都贴了纸条。

姐姐在最左边抽屉的纸条上写上：钥匙在这里；在中间抽屉的纸条上写上：钥匙不在这里；在最右边抽屉的纸条上写上：钥匙不在最左边抽屉里。

然后姐姐对他说："三张纸条只有一句是真话，其他都是假话。你现在能不能只打开一个抽屉就取出钥匙。"乔治想了一会儿之后，果断打

开了一个抽屉，果真找到了钥匙。

那么，乔治打开的究竟是哪个抽屉呢？

28. 被安排满了的周五

乔克密斯在家休息的时候接到了一个电话，对方想要在下下周周五来拜访他。

乔克密斯却说："那天下午我不在家，下午1点的时候我要参加一个学生的婚礼，4点的时候我要去参加一个朋友孩子的葬礼，晚上我又要去参加我姐姐丈夫的爸爸的生日宴会。所以我没有办法接待你。"

其实乔克密斯在撒谎，你能听出来吗？

29. 时间对照

罗伯特买了一块新手表，在与家里大挂钟的时间作对照后，他发现新手表每天比大挂钟慢3分钟。他又将大挂钟与电视的标准时间作对照，发现

大挂钟每天比电视快3分钟。据此，他认为新手表的时间是标准时间。

请判断下面对罗伯特推断的评价是否正确。

A. 新手表比大挂钟慢3分钟，大挂钟比标准时间快3分钟，可以得出，罗伯特的推断正确。

B. 新手表必然是标准时间，因此罗伯特的推断正确。

C. 罗伯特应该直接拿手表与电视上的标准钟对照，而不是与大挂钟相对照。因此，罗伯特的推断错误。

D. 罗伯特的新手表比大挂钟所慢的3分钟是不标准的；而大挂钟比标准钟快的3分时间是标准的。所以，因为两个"3分钟"并不相同，罗伯特的推断错误。

E. 无法判断罗伯特的推断是否正确。

30. 儿女成群的老人

有一位老人有七个子女，老人按照出生的先后次序给他们命名为甲、乙、丙、丁、戊、己、庚。现在我们知道如下的情况：

① 甲有三个妹妹；

② 乙只有一个哥哥；

③ 丙是女孩，而且她有一个妹妹；

④ 丁只有两个弟弟；

⑤ 戊有两个姐姐；

⑥ 己是个女孩，但是她和庚都没有妹妹。

根据以上的条件，你能够猜出谁是男孩，谁是女孩吗？

31. 参观植物园的学生

有一所学校组织了全年级90位同学去植物园参观，他们的排列顺序是：男、女、男、男、男、女、男、男、男、女、男、男、女、男、男、男、女……

请问，最后一位同学是男孩还是女孩？

32. 瓶子中的液体

有4个瓶子，其中分别装着白酒、啤酒、可乐和冰红茶。但是装有冰红茶的瓶子上的标签是错的，而其他瓶子上的标签都是正确的。

第一个瓶子上的标签是："第二个瓶子中装的是白酒。"

第二个瓶子上的标签是："第三个瓶子中装的不是白酒。"

第三个瓶子上的标签是："第四个瓶子中装的是可乐。"

第四个瓶子上的标签是："这个标签是最后被贴上去的。"

根据上面的提示，你能判断出每个瓶子中各自装的是什么吗？

33. 想逃脱的兔子

有一只兔子正在一个小湖中划船，湖面呈圆形，半径是R。一只跛脚的狼一直在岸边盯着这只兔子，它想要抓住兔子并吃掉。虽然兔子在岸上的奔跑速度快于这只跛脚的狼，但是在湖中它划船的速度只是狼奔跑速度的1/4。不过狼不敢下水，但是它可以沿着湖奔跑，以找机会抓住准备上岸的兔子。

那么，兔子最终能不能将船划到岸边，从而上岸逃脱呢？

34. 四种假设

所有物质实体都可以再分，而任何能再分的东西都不是完美的。所以，灵魂不是物质实体。

请问，以下哪项是使上文结论成立的假设？

A. 所有可能再分的东西都是物质实体。

B. 没有任何不完美的东西是不可再分的。

C. 灵魂是可分的。

D. 灵魂是完美的。

35. 地图中的城镇

下图是一张地图，A、B、C、D、E、F各代表一个城镇，C在A的南边、E在B的东南边、B在F的西南边、E在C的西北边。

有如下问题请解答：

① 图中的1是哪个城镇？

② 哪个城镇位于最西边？

③ 哪个城镇位于A的西南边？

④ 哪个城镇在D的北边？

⑤ 图中的6是哪个城镇？

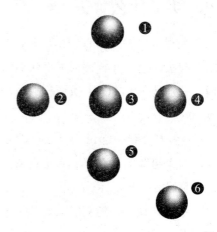

36. 铁道线附近的居民

某铁路沿线的一侧有100户居民，他们的房子沿着铁路分布。根据这些居民的要求，市政府准备在附近建造一家医院，唯一的要求是让100户居民到医院的距离和最小。

那么，你知道医院该建在什么位置吗？

37. 瑞恩教授的行程

瑞恩教授为下周作出了如下的活动安排：参观科技馆、去税务所、去医院看外科、去餐厅就餐。但周三，餐厅停止营业；周六，税务所休息；科技馆只有周一、三、五开放；外科大夫也只在周二、五、六坐诊。

请问，瑞恩教授要想在一天内完成所有的事，应该选择在周几去做？

38. 买了什么

乔纳斯、迪克和汉森在某个周末一起去商场，并各自买了不同的东西，分别是书包、CD、英语词典、篮球中的一个。

3个人聚到一起讨论自己买的东西。每个男孩的话都有一半是真话，一半是假话。

乔纳斯说："迪克没买篮球。汉森没买CD。"

迪克说："乔纳斯没买CD。汉森没买英语词典。"

汉森说："乔纳斯没买书包。迪克没买英语词典。"

请问，他们各自买了什么？

39. 该给谁发牌了

希尔乐和3位朋友一起玩扑克牌。希尔乐是发牌的人，他将第一张牌发给了自己，然后按照顺时针的顺序给3位朋友发牌。牌发到一半的时候，希尔乐的手机响了，他放下手中的扑克牌去接电话，等他接完电话，却忘记该给谁发牌了。他问3位朋友，但是大家都忘记了该给谁发牌了。其中一个朋友突然笑着说："算了，我们还是重新开始发牌吧。"另外一个朋友却说："不行，不行，我们还是数数手中的牌吧。"

请判断他们需要重新发牌吗？

40. 吝啬鬼的曲折逻辑

从前，有一个吝啬鬼去饭店吃面。他花了10美元点了一份清汤面，等面上来后，他对服务员说："请换成20美元的海鲜面。"服务员说："可是您没付钱啊。"吝啬鬼回答："刚才不是给你了吗？"服务员说："但您只是付了清汤面的钱啊，海鲜面的钱还没付。"吝啬鬼说："还差10美元，我不是给你清汤面了吗，刚好20美元。"

请问，服务员是否应该为吝啬鬼换上海鲜面呢？

41. 社区家庭比赛

有一个社区举办了家庭智力比赛，一共有4个比赛项目，每项比赛每家都派出一名成员参赛。

第一项的参赛选手是：A君、B君、C君、D君、E君；

第二项的参赛选手是：F君、B君、A君、D君、G君；

第三项的参赛选手是：C君、H君、A君、Q君、F君；

第四项的参赛选手是：G君、A君、B君、H君、E君。

在这次比赛中，M君因为临时有事没有参加活动。

请就此判断谁和谁是一家人。

42. 正确与否的判断

在下面的三个论断中，只有一个是正确的，你知道是哪一个吗？

A. 这里只有一个正确的论断。

B. 这里有两个正确的论断。

C. 这里有三个正确的论断。

在下面的三个论断中，同样只有一个是正确的，你知道是哪一个吗？

A. 这里只有一个论断错误。

B. 这里有两个论断错误。

C. 这里有三个论断错误。

43. 互联网狂躁症

有一位专门研究各种精神紧张症的英国专家，他在调查了很多经常使用网络的中国人之后，得出结论：越来越多的中国人在使用互联网之后出现不同程度的不适反应。

他之前对10000个经常上网的人进行抽样调查，有1/3的人承认他们在上网之后感到烦躁和恼火；而20岁以下的网友中有44%的人承认有上述感觉。因此，这位专家指出的确存在互联网狂躁症。

根据上述资料，判断下面的选项哪一个不可能成为导致"互联网狂躁症"的病因？

A. 上网的人数急剧增多，通道较为拥挤，为了访问一些较为繁忙的网址，需要等待很长的时间。

B. 上网者经常在不知道网址的情况下搜索所需要的资料和信息，成功的概率非常小，有时候花费了大量时间也没有得到预想的效果。

C. 虽然有些国家的互联网是免费的，但是中国还是实行上网收费制，这显然制约了网络用户的上网时间。

D. 在互联网中可以接触到各种各样的知识和信息，但是知识和信息过量很有可能使人们失去信心，从而丧失个人注意力。

44. 排名次

一次期末考试中，詹姆斯、鲁尼、杰森、汉克分别获得了前四名。在公布成绩前，他们曾经对自己的成绩做出预计：

詹姆斯说："我不可能是第四名。"

鲁尼说："我将会是第二名。"

杰森说："我比詹姆斯高一个名次。"

汉克说："我比杰森高两个名次。"

等公布成绩后，只有一个人估计错误。

请问，4个人的名次分别是？

45. 谁先谁后

甲、乙、丙、丁、戊、己6人排成一队进行训练。其中，己不是最后一个人，他与最后一个人相距两个人；戊也不是最后一个人；甲前面至少站着4个人，但还不是最后一个人；丁不是第一个人，前后分别至少有两个人站着；丙不是最前，也不是最后。

请问，这6个人站队的顺序是？

46. 倒在地上的老人

一天，A警官在街上巡逻，突然他听到了一声枪响，然后看见不远处一位老人从一个门里出来，等到A警官赶过去的时候，发现老人背部中枪，已经死去。

A警官开始询问现场的两位目击者，第一个人说："我看到老人正准备锁门的时候，突然枪响了，他就倒在地上了。"

第二个人说："我听到枪声之后不知道发生了什么，所以立即赶过来看。"

A警官听完他们的话之后，立即拘捕了其中的一个人，你知道A警官拘捕了谁吗？

47. 被拿错了的杯子

某家公司给每一位员工发了一个水杯，员工们在杯子上贴上了自己的名字，但是水杯的长相都一样，经常会被拿错。在一周以后，人事经理发现了这个问题，她检查了5个人的水杯，结果发现这5个人手中的都不是他们自己的水杯。

人事经理统计了一下，结果如下：自己的水杯不是洪思丽的，也不是德尔斯特的；德尔斯特的水杯不是洪思丽的，也不是英格丽的；英格丽的水杯不是马良斯的，也不是德尔斯特的；洪思丽的水杯不是马良斯的，也不是英格丽的；马良斯的水杯不是英格丽的，也不是人事经理的。

那么，德尔斯特到底拿着谁的水杯，而他的水杯又在谁的手中？

48. 谁杀死了间谍

R是一个双重间谍，他出生于罗马。有一次他为了刺探情报潜入某国境内，但不幸被人杀死，凶手一直没有找到。警探在他尸体旁边发现了一个用血写成的"X"，而这个"X"很有可能和杀死他的凶手有关系。

下图是3个嫌疑人，那么你知道到底是谁杀死了R吗？

A. 间谍NW12号　　B. 间谍UP3号　　C. 间谍WY7号

49. 被偷了的小偷

有一个小偷到公交车上去作案，他成功偷窃了一位时髦小姐的皮包，在准备下车的时候又偷了一位穿西装先生和一位老奶奶的钱包。小偷下车之后躲在一个角落里清点他偷到的钱，发现3个钱包中居然只有300美元。紧接着他发现自己的钱包居然不见了，要知道他的钱包里有800美元呢，同时，他还在自己的口袋中发现了一个纸条，上面写着："你这该死的小偷，我让你尝尝我的厉害，居然敢偷我的东西。"

那么，你能猜出是谁偷了小偷的钱包吗？

50. 初级会计职称考试

有一所成人学院要统计初级会计职称考试通过率，本届一共有132人参加考试，经过统计后有如下的3个判断：该学院有些学生通过了初级会计职称考试、该学院有些学生没有通过初级会计职称考试、该学院的学生会主席没有通过初级会计职称考试。

以上判断如果只有一个是正确的，那么你可以得出一个怎样的结论呢？

51. 女孩子的年龄

有一天，有人问库里索娃的年龄，这个古灵精怪的小女孩对对方说："我后天就要满21岁了，但是我在去年元旦的时候却只有十几岁。"

那么，你认为库里索娃的话可信吗？

52. 点牛排的那位先生

有4个好朋友约好去一家西餐厅吃饭，他们选好一张圆桌之后，按照下图的位置坐下来，等到服务生将菜单送上来的时候，他们分别点了主菜、汤以及饮料。

在主菜方面，马克点了一份鸡排、肖恩点了一份羊排、坐在B位置的人点了一份猪排；在点汤方面，汤姆以及坐在B位置的人都点了玉米汤、马克点了一份洋葱汤、还有一个人点了一份罗宋汤；在饮料方面，汤姆点了一份热红茶、马克和肖恩都点了冰咖啡、另外一个人点了果汁。当大家点完之后，才发现自己和邻座人点的东西都不一样。

假设马克坐在A位置，那么是坐在哪个位置的哪个人点了牛排？

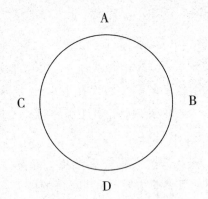

53. 喜欢刁难人的老教授

有一位新来的教授需要尽快了解办公室里面的每一个人，于是他问了很多人很多问题。

当他问一位老教授的年龄时，老教授告诉他："我在45年前的时候就在这里教书了，我比我儿子大27岁，而现在我年龄的个位数和十位数换个位置就是我儿子的年龄。"

那么，你知道这位老教授的年龄吗？

54. 时间和路程的问题

两名侦探走同样的一段路，第一名侦探一半时间跑步、一半时间步行；第二名侦探跑步行进一半的路程、步行一半的路程。他们的跑步速度和步行速度一致。那么，两位侦探谁先完成这段距离？

55. 参加体育运动的三兄弟

在某年的夏天，有兄弟三人参加了三项体育运动，分别是体操、撑竿跳和马拉松。

现在知道如下信息：

① 老大没有参加马拉松的比赛；

② 老三没有参加体操项目；

③ 在体操比赛中获得全能冠军的人没有参加撑竿跳比赛；

④ 老三不是马拉松冠军。

请问，谁是体操全能冠军？

56. 狐狸又一次的成功

有一次，狐狸得罪了"森林之王"老虎，老虎非常生气，咆哮着要找狐狸算账。

这天，狐狸被老虎赶得走投无路了，只好挺起胸脯对老虎说："你不要轻举妄动啊，我是有法术的，我能够猜出你心里想的任何数字。"老虎自然不相信，于是狐狸说："你现在心里想一个数字，然后用5乘以这个数字、再乘15、再除以3、再乘以4，你将最后的答案告诉我，我就能知道你想的是什么数字。"老虎很怀疑，但还是告诉了狐狸它的得数是1400，狐狸立即说："你心里想的是14，对不对？"老虎听完之后大惊失色，吓得立即逃跑了。

那么，你知道狐狸是如何知道老虎心中的数字的吗？

57. 种玉米分金币

很久以前有一位农场主，因为他的土地比较多，因此他雇了两个人给他种玉米。雇佣的两人中，有一人擅长耕地，但不擅长种玉米，另一人恰好相反，他擅长种玉米，但不擅长耕地。农场主有20英亩的玉米，想让他们各包一半，于是雇佣者甲从北边开始耕地，雇佣者乙从南边开始耕地。

甲耕一亩地需要40分钟，乙却得用80分钟，但乙种玉米的速度比甲要快上3倍。

种完玉米后，农场主按照事先商量好的，一共给了他们20个金币。那么，请问两个人如何分这20个金币才算公平呢？

58. 爬出深井的青蛙

有一只青蛙不小心掉进了一口18米深的井中，它每个白天爬上来6米，到了晚上滑下去3米。

按照这样的速度，它需要多少天才能够爬出这口井？

59. 有很多"腿"的房间

在一个房间中，有几张3条腿的凳子和4条腿的椅子，每张凳子和椅子上都坐了一个人。椅子腿、凳子腿和人腿加起来一共有39条。

那么，你能知道有几张凳子、几张椅子以及几个人吗？

60. 帆船的变化

有一个人在酷热而又无风的茫茫大海中摇着一艘几乎处于静止的帆船，显然他已经筋疲力尽了。

突然，这个人想到了一个好办法，

他在帆船后方甲板上架了一个大型送风扇，然后借助发电机来驱动风扇，让大风一直朝着风帆的方向吹，如下图所示。

请问，在这种情况下，这艘帆船会出现怎样的变化？

A.向前行　B.向后跑　C.不动

61. 买衣服

阿曼达、萨拉、维娜和赫本4个人一起来到一家商店选购衣服。售货员对她们说道："A牌每件90元，B牌50元，C牌100元，D牌95元。"

买完衣服后，4个人一起聊天。阿曼达说："我这件衣服花了90元。""是吗？"买了C牌的人说，"我买的比赫本那件要贵。"另一个人对萨拉说道："我买了最便宜的那种。"赫本告诉萨拉："我买的这件比你买的要便宜。"

请问，根据上述对话，四人各自买了什么牌子的衣服？

提高数算力_的 思维游戏

显然，没有多少人喜欢数学，一提到数学或者数字，很多人都会有疲乏甚至烦躁的感觉。

事实上，拥有强大的数学计算能力，对我们的生活很有帮助，我们必须有意识地加强这方面的训练，从而更好地应对飞速发展的时代。

1. 两家公司的待遇

两家公司同时打出了招聘启事，启事中的内容基本一致，唯独有如下不同：

A公司：年薪100万元，每年提薪1次，每次20万元。

B公司：半年薪50万元，每半年提薪1次，每次5万元。

如果不考虑其他的待遇和要求，单纯从薪酬的角度考虑，哪一家公司的待遇更好一些？

2. 石匠出的数学题

很久很久以前，古希腊的一个小镇子上有一个很古怪的石匠，他叫泽克·尔斯特，他去世的时候在自己家的墙壁上留下了一道非常奇怪的数学题：

从数字和为45的一个数里，减去另一个数字和也是45的数。当相差的数字和也是45时，这道题目就做对了。

这道题目让当地人伤透了脑筋，很多数学爱好者也慕名前来，但却都苦思冥想得不到答案。后来有人发现从1到9这9个数字的和正好是45，于是恍然大悟，这个人最终解开了这道奇怪的数学题。

那么，你能推算出这道题目的算式吗？

3. 算出100来

不能改变"1、2、3、4、5、6、7、8、9"的顺序，但是可以将相邻的数字合并为一个数字，然后在其中间添加加号和减号，你能够让其结果成为100吗？

4. 警探和警长的对话

一位警探对他的长官克里斯特警官说："警长早上好，请问现在是几点钟呢？"

克里斯特警官是一个很奇怪的人，他没有直接答复自己的下属，而是对他说："从午夜到现在这段时间的1/4，加上从现在到午夜这段时间的一半，就是现在的时间。"

根据克里斯特警官的话，你能够帮助警探算出现在的时间吗？

5. 小朋友玩棋子

有一个小朋友喜欢将爷爷的围棋棋子当玩具玩，他发现黑色的棋子要比白色的多2倍，于是他从这堆棋子中每次取出4个黑棋子、3个白棋子，很多次之后，白棋子全部取完，而黑棋子还有16个。

那么，请问黑棋子和白棋子各是多少个？

6. 聪明的司机过桥

某广场上有一座小桥，桥全长4.5米、宽10米，而桥的载重量为1吨，一旦超过一点，桥就会垮塌。现在有1辆重量为1.01吨的小车要通过小桥，虽然它只超过了一点点，但是也没有办法通过。这辆车的司机非常聪明，他想了一会儿就想出了一个过桥的好办法。而且他的方法不但不需要减轻小车的重量，也不会对桥身有任何的影响，能够让小车顺利通过。

那么，你知道聪明的司机想到的是什么办法吗？

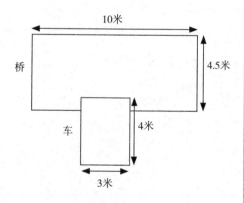

7. 一道"24点"的题目

很多人都玩过"24点"的游戏：将扑克牌中的大小王拿掉，然后开始给两个人平分其他的牌。每人每次抽取两张牌，根据这4张牌的点数进行四则运算，计算出24点（A代表1，J、Q、K都代表10），谁先想出算式谁就算赢。

现在有6、6、4、8这4个数字，请给它们加上四则运算符号，使其结果为24。请列出尽可能多的算式。

8. 奔跑着的小狗

有一对姐弟，他们从相距400米的两地，沿着直线相向而行，姐姐和弟弟的速度都是2米/秒，在他们启程的时候，姐姐的小狗跑向弟弟，速度是3米/秒。当小狗和弟弟相遇之后，又转身跑向姐姐，就这样小狗一直在他们中间跑来跑去，直到姐弟俩相遇。

请问，在这个过程中，小狗总共奔跑了多少米？

9. 三位搭车的先生

乔司先生乘坐出租车到甲市去，在半路的乙村庄遇到了亨特先生和李斯里先生，于是他们3个人乘坐同一辆车前行。

等他们到甲市办完事情之后一起再坐同一辆出租车回家，亨特先生在乙村庄下车，而乔司先生和李斯里先生一同回家。

如果从乔司先生家到甲市总共需要支付出租费60元，而乙村庄正好在甲市和乔司先生家的正中间，3个人分别支付自己的车费，那么他们各自应该支付多少钱？

10. 爬楼梯的乔尔

有一天，乔尔上班快要迟到了，等他走到公司楼下的时候，正好看到电梯刚刚上去，他等不及电梯，于是准备爬楼梯上去。

乔尔的公司在这栋大楼的8楼，如果乔尔爬到4楼需要花费48秒，那么他继续爬到8楼需要多长时间？

11. 小朋友采蘑菇

有5个小朋友一起去采蘑菇，他们中只有齐斯里斯很认真地在采蘑菇，剩下的4个人都躺在草地上聊天。等到快回家的时候，齐斯里斯已经采了45个蘑菇，其他人手中1个都没有。齐斯里斯将自己的蘑菇全部分给了其他人，自己一点都没有留下。

在回家的路上，布雷恩特找到了2个蘑菇，巴斯尔特找到了和自己手中数目相同的蘑菇，诺特勒斯丢了2个蘑菇，克斯科尔德则丢了一半蘑菇，此时他们每个人手中的蘑菇数量相等。

那么，最初齐斯里斯到底分给4个小朋友各多少个蘑菇？

12. 算年龄

A、B、C三人一直对自己的年龄保密，但其实还是有迹可循的：如果调换A的年龄数字位置，就能得到B的年龄；C年龄的两倍正好是A与B两个年龄的差数；而B的年龄比C的年龄大9倍。

请问，A、B、C三人分别多大？

13. 年轻的妈妈和聪明的小朋友

有一位年轻又漂亮的妈妈带着孩子去公园玩，很多人都以为她是孩子的姐姐。人们觉得很好奇，就问起了这位女士的年龄。她的孩子很聪明，他这样对别人说："4年前，妈妈的年龄是我年龄的7倍，但是现在她的年龄是我的4倍。"

请根据这些信息，推断出这位妈妈的年龄。

14. 放入桶里的乒乓球

在1个桶里放乒乓球，第1分钟放10个，之后每分钟放入的数目增加1

倍，这样下去，10分钟之后乒乓球正好填满了这个桶。

那么，你知道什么时候桶中有半桶乒乓球吗？

15. 算出现在的时间

诺拉是一个典型的数学迷，她总是提出一些奇奇怪怪的问题让别人计算。

有一天，诺拉的好朋友亚当的手表停了，但他又想知道现在的时间，于是诺拉对他说："再过1999小时2000分钟2001秒，我的手表正好是12点。根据这个提示你自己算时间吧。"

你能帮他算出时间来吗？

16. 疯狂填数字

请分别将1、2、3、4、5、6、7、8、9，这些数字填在下面3个算式的括号里，从而使这3个等式成立。

( ) + ( ) = ( )

( ) − ( ) = ( )

( ) × ( ) = ( )

17. 小学生称体重

有5个小学生去称体重，但是她们找到的这台秤只能称50千克以上的重量。她们想到了一种办法，结果称

出了所有人的体重。她们先上去两个人，然后一次换一个，轮流上去称出两个人的体重，最后得到了如下的结果：61.5千克、61千克、60.5千克、60千克、59千克。

那么，你知道这5个女孩的体重分别是多少吗？

18. 沙漠中的冒险者

沙漠中的9个冒险者迷路了。他们发现所带的水只够喝5天。到了第二天他们在沙漠中发现了足印，于是他们开始寻找这些人，等到找到时，却发现这些人早已经断水了。现在，如果两批人合用这些水，只能够维持3天。

请问，第2批有多少人？

19. 总在降价的衣服

有一家服装店进了一批时尚服装，当时标出了2000元的高价；过了一段时间不怎么流行这种款式了，于是店主降价为800元，销量也还不错；之后店主又降价为320元，此时销量就很一般了；之后店主按照他的降价规律将衣服降到了更低的一个价格。此时的标价正好是衣服的进价。

那么，这种衣服的进价到底是多少呢？

20. 完全数

所谓的完全数，是指其所有约数之和（包括1，但不包括该数本身）等于该数的数。例如，最小的完全数是6，其约数为6、3、2、1，而除了其本身之外，其他的和为6。

目前总共发现了38个完全数，那么你知道倒数第二小的完全数是多少吗？

21. 半秒钟的事故

有调查显示，人在打喷嚏时，通常会闭眼半秒钟。试想一下，你的车正以每小时65千米的速度在路上行驶，而这时，你突然打了一个喷嚏。有些事可能恰巧会在这个时候发生，例如你前面大约10米处的一辆汽车为避免撞到一只横穿马路的猫而突然刹车。在这半秒钟时间里，你的车已经行驶的距离是多少？可以避免这场事故的发生吗？

22. 最接近10的数字

借助6个"3"和6个"."组成几个数字，让它们的和尽量接近自然数"10"。

请问，哪个算式最接近10？

23. 推算等式

现在有这样两个等式：

12345679×9=111111111

12345679×18=222222222

现在，不通过计算，你能不能在如下的算式中填入合适的两位数，从而让等式成立呢？

12345679×（　　）=333333333

12345679×（　　）=444444444

12345679×（　　）=555555555

12345679×（　　）=666666666

12345679×（　　）=777777777

12345679×（　　）=888888888

12345679×（　　）=999999999

24. 蛋糕分块

一块方形蛋糕的顶端和四周都覆盖有糖霜装饰。如果想要将其平均分成5块体积相等，且覆盖有等量糖霜的小蛋糕，那么，要怎么做呢？

需要注意的是，因为侧面也覆盖有糖霜，因此不能简单地将蛋糕按平行线分为5份，因为这样只会让其中边上的两块蛋糕覆盖有较多的糖霜。

25. 让不等式成立

将1、2、3、4、5、6、7、8、9分别填入下面的括号内，让所有的不等式都成立。

请问，你能想到填写方法吗？

( )	<	( )	>	( )
∧		∧		∧
( )	<	( )	>	( )
∨		∨		∨
( )	<	( )	>	( )

26. 学生组成的方阵

有一所学校组织活动，校长让学

生排成一个方阵，最外层的人数是60。

那么，这个方阵中总共有多少人？

A. 256　B. 250　C. 225　D. 196

27. 树木和年龄

有一个小朋友在7岁的时候知道了种植树木的重要性，于是他在自己家前面的山上种植了10棵橡树，而每隔1.5年他就再种10棵，种到150棵的时候就不再种了。

已经长大了的他对妻子说："这批树中，最早种的那10棵树的年龄是最后一批树的8倍。"

那么，据此你能知道他现在的年龄是多少吗？

28. 算出对角线的长度

按照图中给出的尺寸，你能算出从A到B的长方形对角线的长度吗？（每个小格为1厘米。）

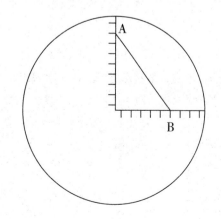

151

29. 连续整数的和

请以最快的速度说出连续整数之和为1000的组合有几组？

30. 属于两个人的彩票

现在有1张售价为1万元的彩票，这张彩票是之前两个人各花5000元买下的。现在这两个人准备将这张彩票拍卖，两人分别将自己的出价写在纸条上，然后交给对方看。出价高的那个人最终获得彩票，但是要按照对方的出价付给对方费用。如果两个人的出价相同，那么就平分这张彩票。

如果你是其中一个人，你该如何出价从而让自己更有利呢？

31. 巴德尔遇到的难题

著名的裁缝巴德尔最近遇到了一件麻烦事。前几天有人送来了1块长方形的布料，这块布料中间有1个长方形的孔洞，客人希望巴德尔能帮着补一下，不过补好之后整块布料要呈正方形，不准有余料，更不能将布料剪成碎块，最多可以剪成两块然后拼上来。

这块布料如下图所示，中间长6米、宽1米的地方就是这个孔洞，整个布料长10米、宽7米。孔洞在布料的正中间，距离布料分别为2米和3米。

请问，你能帮助巴德尔吗？

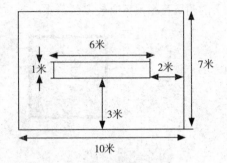

32. 中介公司的收费方法

一家中介公司按照服务项目所涉及的金额，按照一定的比例收费。他们的标准如下：1万元及其以下收取50元的费用；1万元以上、5万元（含）以下的部分收取3％；5万元以上、10万元（含）以下的部分收取2％，比如一项服务涉及的金额是5万元，那么收取的服务费是1250元。

现在有一项服务涉及的金额为10万元，那么请计算该中介公司的收费金额。

33. 购买厨房餐具的夫妇

有一对聪明的美国夫妇去超市买餐具，当他们到超市的时候才发现身上所带的钱正好可以购买21把叉子和21把勺子，或者购买28把小刀。然而谁都知道，购买的叉子、勺子和小刀的数量必须相等，只有这样才能配套使用。

这对夫妻想了一会儿就想到了采购的叉子、勺子和小刀的数量，而且正好用完了他们身上的钱。他们非常开心地回家了。

那么，你能知道他们所采购的叉子、勺子和小刀的数目吗？

34. 泳道到底有多长

如下图，在直径为100米的圆形场地上建造一座长方形的游泳馆，其边长为80米。再在游泳馆内建造一座菱形的游泳池，而菱形游泳池的顶点正好接在长方形游泳馆各边的中点上。

请计算出游泳池泳道的长度。

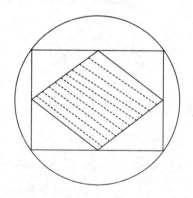

35. 球的体积

有1个正方形的塑料盒子，如果在里面放入形状、大小完全相同的小球，总共可以放4层、16个，放完之后刚好到盒子的边缘。

取出另1个相同的塑料盒子，在里面放入1个正好能装满这个盒子的大球。

现在请问两个盒子中装的球哪个体积更大？

36. 算出小正方形的面积

下图是1个边长为5厘米的正方形，其内部还有1个小正方形。

你能快速算出中间那个小正方形的面积吗？

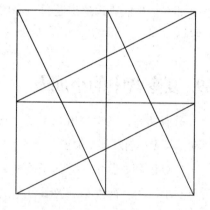

37. 计算器上的数字

下面是两个人的对话：

"首先拿出1个计算器，然后从1到9任选一个数字输入进去。"

"好的，那我输入5好了。"

"然后输入乘号键，再输入15873。"

"好的，我已经照办了。"

"请再输入等号键。"

"答案是79365。"

"请再输入乘号键，然后输入7。"

请猜猜接下来的结果会是什么？

38. 算出物品的数量

有这样一道题：有一些物品，目前不知道其数目。以3个3个的方式计数，最终余下2个；以5个5个的方式计数，最终余下3个；以7个7个的方式计数，最终余下2个。这些物品到底有多少个？"

那么，你能算出这道题目最小的答案吗？

39. 夏令营中的小朋友

暑假期间，某学校组织了夏令营活动，很多小朋友都参加了。

在英语夏令营中，男孩子需要戴黄色的小帽子，而女孩需要戴红色的小帽子。在每个男孩子眼里，戴黄色小帽子的人和戴红色小帽子的人一样多；在每个女孩子眼里，戴黄色小帽子的人比戴红色小帽子人多1倍。

那么，你能推断出男孩子和女孩子的人数吗？

40. 快速算答案

请问：0.0495×2500+49.5×2.4+

51×4.95的答案是多少？

　　A. 4.95　　B. 49.5　　C. 495　　D. 4950

41. 填充七角星

在下图的七角星中有15个小圆圈，请将1到15这15个数字分别填入下图的小圆圈中，让每个菱形的4个数的总和都为30。

你能做到吗？

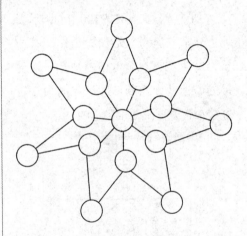

42. 忘记带钱包的男人

一天，某位先生去离家1600米远的公园和女朋友约会，约会的时间是下午1点20分。这位先生下午1点整的时候出门，其行走速度是每分钟80米，而且是匀速前行。等到1点5分的时候，这位先生的母亲发现他没有带钱包，于是母亲以每分钟100米的速度追了出去。

这位先生在1点10分的时候发现自

已没有带钱包，于是他不慌不忙地依旧以每分钟80米的速度往回走。两人在半路相遇，这位先生拿好钱包后仍旧以每分钟80米的速度向公园走去。

如果我们忽略掉这位先生和母亲递交钱包的时间，那么这位先生浪费了多长时间？

43. 牛奶瓶的秘密

将一个牛奶瓶放在桌上，其下半部分是圆柱形，高度为瓶身高度的3/4，上半部分为不规则形状，占总瓶身高度的1/4。现在，牛奶瓶里的牛奶仅剩下半瓶，假设牛奶瓶的内径忽略不计，在不打开瓶塞的情况下，如何利用直尺测量出牛奶占整个牛奶瓶的百分比？

44. 找回丢失的数字

下图中的竖式中丢失了很多数字，请通过思考将这些丢失的数字全部找回来。

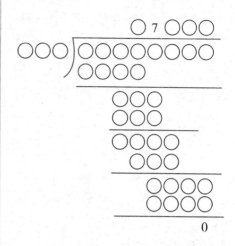

45. 停电晚上用的蜡烛

巴希尔在家中看书，突然房间里一片漆黑，他知道是保险丝断了，这已经是常事了。他点燃了两根蜡烛，然后在烛光下继续看书，直到父亲最终将保险丝换好。第2天，父亲问巴希尔昨天晚上断了多长时间的电，然而断电的时候巴希尔根本没有注意当时的时间，更没有注意什么时候来的电，同时他也不知道蜡烛原本的长度。他只记得两根蜡烛原本是一样长短的，但是粗细不同，其中粗的1根如果用完的话能用5个小时，细的1根用完的话能用4个小时。巴希尔去找剩余的蜡烛，父亲却说他已经丢掉了，并且说："残烛几乎都烧光了，已不值得保留。"接着父亲对巴希尔说："两根蜡烛剩下的不一样长，1根蜡烛的长度是另外1根的4倍。"

根据这些已知条件，聪明的巴希尔很快算出了蜡烛的燃烧时间，也就知道了昨晚断电的时间。那么，你能算出来吗？

46. 猴子分桃子

5只猴子一起分1堆桃子，但是怎么分都平分不了。最后通过商量，猴子决定先睡觉，等到第2天再分。半夜有1只猴子偷偷爬起来，将1个桃子扔到了后山，

此时正好可以分成5份，这只猴子将自己的1份藏起来，然后睡觉去了。之后又有1只猴子爬起来，将1个桃子也扔到了后山，此时也正好能分为5份，它也将自己的1份藏起来，然后睡觉去了。结果第3只、第4只、第5只都是这样做的：将1只桃子扔到后山，然后藏起自己的1份。

如果最后剩下了1020个桃子，那么请问最开始有多少个桃子？

47. 因病去世的先生

有一位先生因病于1945年8月31日离开人世，他的出生年份正好是他在世时某年年龄的平方与他该年年龄的差。

现在根据这些已知条件，请推断出这位先生是哪年出生的。

48. 惧内的M先生

有一家公司的办公地址是在市中心，但是总裁M先生却住在郊区的一个小镇上，他每次下班之后都会乘坐同样的一辆火车回小镇。小镇的火车站到他们家还有一段距离，而他的私人司机会开汽车去接他。因为火车和司机都非常准时，所以火车和司机会同时到达小镇的火车站。

有一次，司机因为各种事情比以往迟了半个小时出发，M先生到火车站后，没有看到接他的司机，又担心自己回去太晚会让妻子埋怨，于是沿着公路往家的方向走。半路上M先生看到了自己的汽车，于是急忙上了车，命令司机赶紧往回赶。回到家之后，正如M先生所料，他的妻子非常生气，说："这次你又到什么地方鬼混去了，你足足迟到了22分钟……"

通过上面的小故事，你能算出M先生步行了多长时间吗？

49. 趣味数手指

我们来做这样一个游戏：

数大拇指为1、食指为2、中指为3、无名指为4、小指为5；然后换过来，无名指为6、中指为7、食指为8、大拇指为9；再换过来，就这样一直数下去，如同下图。

那么，数到1981该到哪个指头了，10972753981又该到哪个指头了？

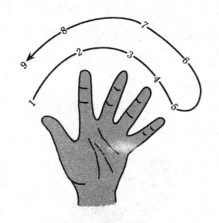

50. 聪明的商人

有个商人挑着1个装满12千克油的大桶去集市上卖，此时正好过来两个人，其中一人带着1个5千克的小桶，另外一人带着1个9千克的小桶，他们一人要买1千克的油，另外一人要买5千克。

那么，这个商人该如何做成这两笔生意呢？

51. 走过狭窄的小桥

在一个漆黑的夜晚，有4位旅行者来到一个既没有护栏又非常狭窄的桥边，他们需要手电筒照明才能通过小桥，但是他们只有1盏手电筒，而且小桥非常狭窄，每次最多只能容纳3个人。

他们每个人独自过桥需要3、4、6、9分钟，如果两个人同时过桥的话，那么耗费的就是走得慢的那个人的过桥时间。

现在请帮他们设计过桥方案，以便让他们4人用最短的时间走过这座小桥。

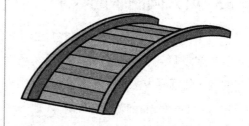

52. 把甜饼分给好朋友

帕德尔·修斯金早上的时候收到了1包妈妈亲手制成的新鲜小甜饼。就在他准备打开包装的时候，他的4个朋友来了，之前他们的饼干都和帕德尔·修斯金分享过，现在帕德尔·修斯金需要回赠饼干给自己的朋友们。

帕德尔·修斯金将1半再加上半个甜饼分给了朋友甲，然后把剩下的甜饼的1半再加上半个甜饼分给了朋友乙，再把剩下的甜饼的1半再加上半个甜饼分给了朋友丙，最后他将剩下的甜饼的1半再加上半个甜饼分给了朋友丁。此时可怜的帕德尔·修斯金分光了所有的甜饼，一点都没有给自己留下，他非常伤心。

现在请问，你知道帕德尔·修斯金的盒子里到底有多少甜饼，以及每个朋友各自分到了多少甜饼吗？需要注意的是，帕德尔·修斯金从来就没有将盒子中的任意一个甜饼分成两半过。

53. 填入圆圈中的数字

下图中有8个小圆圈，请将1到8这些数字填写到里面，使得由线段联系的两相邻圆圈中两数之差不能为1。比如，最上面的那个圈中填写了5，那么第二行就不能出现4和6。

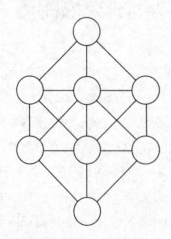

54. 去姨妈家

在自行车刚刚出现的时候，有一天，有两名年轻人骑着自行车去20千米之外的郊区看望自己的姨妈。当走过4千米的时候，其中一位年轻人的自行车出了问题，他将自行车锁起来后准备继续前行。现在他们有两种选择，要么2人同时都步行；要么1个步行，1个骑车。他们的步行速度都是每小时4千米，而他们的骑车速度都是每小时8千米。最终他们决定将步行的距离保持在最短的情况下，利用最短的时间到达姨妈家。

那么，之后他们该如何安排步行和骑车呢？

55. 仆人们分遗产

有一位绅士临死前留下了遗嘱，他将自己的遗产分为3部分，然后分别送给自己的3个仆人。会客室的仆人跟随他的时间是女佣人的3倍，而厨师跟随主人的时间是会客室那个仆人的2倍。遗产是按照跟随主人的时间来分配的。主人总共分出了7000元。

那么，会客室的仆人、厨师以及女佣人各自会分到多少?

56. 飞行着的苍蝇

有1只苍蝇发现了1个为正方体的大理石底座，想从上面飞过去。苍蝇准备从大理石底部的某个顶点出发，然后到达大理石右上角。即从图中所示的正方体左下角的A点出发，然后到达对面右上角的B点。

那么，你能为苍蝇设计1条最短的飞行线路吗?

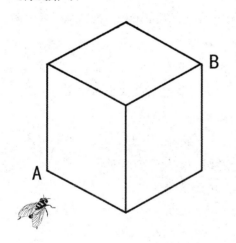

57. 还来还去的小费

有一天帕克给好朋友吉诺尔斯抱怨说："今天在分摊午餐费的时候，你骗了我。"

吉诺尔斯很无辜地说："为什么

啊，我原本以为你很大方的。"

具体的事情是这样的：在今天的午餐后，他们在分摊费用时，帕克给吉诺尔斯的钱和吉诺尔斯原本有的钱数相同。当时吉诺尔斯说："这太多了。"于是又还给了帕克一些钱，而这些钱和帕克所剩下的钱数相同。帕克也说："这样也太多了。"于是又还给了吉诺尔斯一些钱，这些钱和吉诺尔斯现在剩下的钱数相同。

现在帕克一分钱都没有了，而吉诺尔斯却得到了80美元。

那么他们在开始交换之前各自有多少钱?

58. 著名的弹子比赛

1908年夏，美国举行了一场著名的弹子对决，当时对阵的双方是"荷兰人"杜伯曼和"鹿角"卡拉汉，他们都有一袋子的弹子。他们二人的拇指功夫都非常高，现在终于可以一决高低了。

在比赛刚刚开始时，他们的弹子数相同。第1局，杜伯曼的弹子数增加了20个，但是在第2局和第3局他损失了2/3的弹子。最后，卡拉汉的弹子数是杜伯曼的4倍。

那么，你能不能算出比赛过后，他们各自还剩下多少弹子吗?

59. 不同的图案

下图中的每一种图案均代表一定的数值，上方和右方标示出竖列和横行各数相加之和。

那么，问号处应该填写哪个数字呢？

24	63	24	21	
✿	✿	✿	∿	33
∿	☆	∿	♛	?
♛	☆	♛	♛	33
∿	∿	∿	✿	27

60. 小朋友吹泡泡

有位小朋友在幼儿园参加了一场非常有趣的比赛，那就是吹泡泡比赛。在这次比赛上，每个小朋友都被发了1个管子，只要吹出最大的泡泡或者吹出最多的泡泡，那么就能够获得奖品。当父亲问这位小朋友一次最多能吹出多少泡泡的时候，他是这样回答的：

"我吹的泡泡的数字再加上这个数字，然后再加上这个数字的一半，然后再加上7，我就吹出来了32个泡泡。"

请根据小朋友的回答，计算出他

一次最多能吹出来的泡泡数。

61. 女星的年龄

20世纪20年代，古莉和阿曼妮姐妹在好莱坞非常风光，当时她们的年龄都是严格保密的，而一位滑稽的广告人员竟然借助这个问题嘲弄了好些记者。

当有记者问到古莉和阿曼妮的年龄时，这位广告人员说："如果将她们的年龄加起来就是44岁，古莉的年龄曾经是阿曼妮的3倍，而古莉现在的年龄是当古莉还是阿曼妮到了3倍于古莉那个年龄一半的那个年龄时阿曼妮年龄的两倍。"

当时很多记者被这位广告人员如同绕口令一样的回答绕晕了，那么你能帮助记者算出古莉和阿曼妮的真实年龄吗？

62. 算出圆的直径

如下图，有1个圆以A为圆心，在圆内还有1个长方形ABCD。现在知道BE的长度为5厘米，而BD的长度为9.5厘米。

请问这个圆的直径是多少？

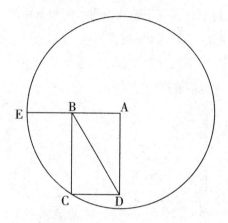

63. 教授研究赛马比赛

奥克里斯查教授是一位忠实的赛马爱好者，现在他就在研究一则关于赛马的消息，他认为比赛的胜者肯定在3匹马中：帕萨斯的赔率是4:1；乔德斯里的赔率是3:1；克布里斯特的赔率是2:1。教授想在每匹马身上都下注，以使得任何马获胜他都可以赢得13元。

假如，奥克里斯查教授给每匹马下注5元，当帕萨斯获胜之后，教授可以在这匹马身上赢得20元，却会在另外两匹马身上输10元。

请问，你能不能让教授无论在任何情况下都赢13元？

64. 阴影部分的面积

下图是两个正方形，小正方形的边长为3厘米，而大正方形的边长为4厘米，大正方形的左上角正好和小正方形的中心点x重合，大正方形沿着x点旋转，直到大正方形的某一边和线段ac相交于b点。

那么，你能不能根据以上的信息计算出阴影部分的面积呢？

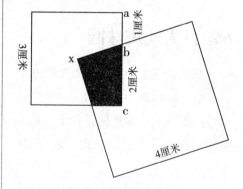

65. 喜欢收藏的先生

加尔文·克莱克是一个收藏爱好者。有一次他为了收藏一堆机械玩具而花费了大量的现金。这些机械玩具包括：自动倾卸卡车、蒸汽挖土机以及农用拖拉机等等。

现在知道加尔文·克莱克是分4批购买的这堆玩具：

第1批有1辆拖拉机、3辆挖土机和7辆卡车，为此加尔文·克莱克花费了140元。

第2批有1辆拖拉机、4辆挖土机和10辆卡车，为此加尔文·克莱克花费了170元。

第3批有10辆拖拉机、15辆挖土机和25辆卡车。

第4批有1辆拖拉机、1辆挖土机和1辆卡车。

现在请问，加尔文·克莱克购买第3批和第4批机械玩具总共花费了多少钱？

66. 巨大的蜘蛛网

在格力姆斯力城堡的阴暗凹室中存放着一座雕塑，凹室的大部分入口都被一张巨大的蜘蛛网挡住了，拱状的网的弧正好是圆周长的1/4，长20厘米。

那么，你能根据这些情况计算出蜘蛛网遮盖部分的面积吗？

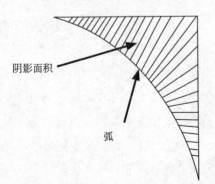

阴影面积

弧

67. 数学老师的题目

有一位奇怪的数学老师，她在上课的时候给同学们出了这样一道题目：

老师先是在黑板上写了8个数字，然后让同学们将这些数字分成两组，每组有4个数字，将每组的4个数字排列组合成两个数并相加，而两组相加后的结果必须一致。

如果你是这位数学老师的学生，你能解答这个题目吗？

68. 修士撞钟

有一位修士在钟楼上值班，他的工作显然不轻松，他需要在每个整点的时候撞钟。

现在知道他在5点的时候撞钟时间为25秒。

据此，你能计算出他在10点时的撞钟时间吗？

69. 掉入水中的帽子

沃尔修斯里是某船队的队长，有一次他的朋友卡萨诺瓦搭乘他的船前往某地。在船刚离开码头的时候，卡萨诺瓦就睡着了。等到船航行了1千米的时候，卡萨诺瓦的帽子被风吹到了海里，并且一直向下游漂去，而船继续向上游行驶。

等到卡萨诺瓦醒来的时候，已经是5分钟以后了，他马上让船长掉头去找帽子。5分钟后，卡萨诺瓦找到了帽子，而帽子此时正好在他们原来出发的地方。不管是上游航行，还是下游航行，船的速度都没有改变。

那么，你能根据上面提到的信息计算出河流的漂流速度吗？

70. 追风少年的速度

很久以前有一个喜欢追风的年轻人，他叫乔·摩尔。有一天他骑着自行车从一条非常险峻的山路上往下骑，他的车子很结实，同时他的技术也非常好，当时他的速度达到了每小时20千米，要知道他上山的时候速度只有每小时10千米。现在在他下到山底之后，又需要骑上山，然后再从另一侧下山。

那么，请计算出他往返旅行的平均速度。

71. 猫和狗的百米赛跑

一只猫和一只狗准备进行一场百米赛跑，他们邀请乌龟担任裁判。当狗到达终点时，猫还有10米才跑完。为了照顾一下猫的情绪，乌龟决定让它们再跑一次。这一次，乌龟将狗的起跑线向后延长了10米。

那么，这一次猫和狗能同时到达终点吗？

72. 猫和狗的往返跑比赛

有一位小朋友在家中养了一只狗和一只猫，他对猫和狗都训练了很长时间，有一天他决定让它们进行10米直线往返跑的比赛。

狗每次跳跃都有0.3米远，而猫仅为0.2米；但是当狗跳了2次的时候，猫已经跳了3次了。

请问，最终猫和狗哪个能获胜？

73. 盗贼分香槟

有一天，胡斯特先生发现自己的酒窖被盗了，他丢失了两打香槟酒，其中一打是每瓶2升的香槟、一打是每瓶1升的香槟。

不过当时盗贼感觉东西太重了，于是准备喝掉一些再说，他们将两种香槟各喝掉了5瓶，为了不让别人发现他们的偷盗痕迹，他们将空酒瓶也带走了。

等回到老巢之后，3个盗贼遇到了问题，他们不知道该如何平分这些香槟。现在他们有5个1升的空瓶、5个2升的空瓶、7个1升的满瓶、7个2升的满瓶。你能帮助他们将香槟和酒瓶都平分吗？

74. 八阶魔方的奥妙

1950年，本杰明·富兰克林发明了八阶魔方，其包含从1到64的所有数字，并且每行、每列的数字相加都会得到260。

请问，如下图所示，你能将缺失的数字补全吗？

52		4		20		36	
14	3	62	51	46	35	30	19
53		5		21		37	
11	6	59	54	43	38	27	22
55		7		23		39	
9	8	57	56	41	40	25	24
50		2		18		34	
16	1	64	49	48	33	32	17

75. 拖拉机站

某城市有3家拖拉机站，它们之间的距离不太远。

有一次，第1家拖拉机站借给了第2家和第3家一些拖拉机，数目分别和这两家各自拥有的拖拉机数目相等；过了一段时间之后，第2家拖拉机站借给第1家拖拉机站和第3家拖拉机站的拖拉机数目与它们各自拥有的拖拉机数目相等；又过了一段时间，第3家拖拉家机站借给第1家拖拉家机站和第2家拖拉家机站的拖拉机数目与它们各自拥有的拖拉机数目相等。

此时，3家拖拉机站都有24台拖拉机，那么原来它们都各自有多少拖拉机呢？

76. 探险家玩牌

3位探险家约好一起去探险，在路上他们感觉非常乏味，于是就打起了牌。

第1局，甲输给了其他两位，乙和丙的钱数都翻了一番。

第2局，甲和乙一起赢了，此时他们的钱数翻了一番。

第3局，甲和丙赢了，他们的钱翻

了一番。

到此，3位探险家都赢了2局比赛，而输掉了1局比赛，最后3人手中的钱是一样的。甲是个非常细心的人，他数了数自己口袋里的钱，发现自己输掉了100元。

那么，你能推算出甲、乙、丙3个人刚开始各自有多少钱吗？

77. 抽出的扑克牌

从一副扑克牌中抽出10张，从A到10各一张，将A看做1；用这些扑克牌拼成1个正方形，使得正方形每条边上的数字相加都为18。

请问，你能做到吗？

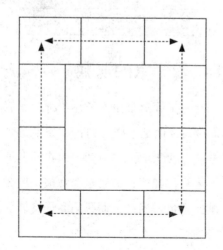

78. 倒来倒去的水

现在有1个能盛900毫升水的水壶、1个能盛500毫升水的水杯、1个能

盛300毫升水的水杯。

请问，在不使用其他容器、不在杯子上做记号的基础上，如何让两个水杯中都有100毫升水？

79. 妇女买鸡蛋

一位妇女这样说道："我在买鸡蛋时付给老板12美分，但是我认为鸡蛋太小了，于是让他再给我添2个。这样的话，每打鸡蛋的价格比之前降低了1美分。"

请问，这位妇女总共买了多少个鸡蛋？

80. 交易

巴拉克说："里贝里，我用6头猪换你的1匹马，这样你的牲畜数量就是我的2倍。"

科尔说："等一下，巴拉克，我用我的14只绵羊换你的1匹马，这样你的牲畜数量就是我的3倍。"

里贝里说："我有一个更好的办法，科尔，我用我的4头母牛换你的1匹马，这样你的牲畜数量就是我的6倍。"

听完3个人的谈话之后，你能计算出他们3个人的牲畜数量吗？

81. 方格中的数字

将提供的数字插入到格子中，使得方格中的每个横排、纵列和对角线上的数字相加为175。

请问，你能做到吗？

			5			
			14			
			16			
49	41	33	25	17	9	1
			34			
			36			
			45			

46	38	30
37	29	28
11	3	44
6	47	39

31	23	15
40	32	24
35	27	19
26	18	10

22	21	13
20	12	4
2	43	42
8	7	48

82. 有趣的纸条

拿出7张纸，分别写下1到7这7个数字，按照下图排列。现在将下面的6张纸每张剪一下，重新排列为7行7列，而且每行、每列、每个对角线上的数字总和为同一个数字。

请问，你能做到吗？

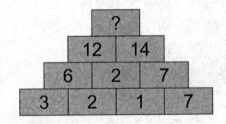

83. 正确的数字

你能填入下图中缺少的数字吗？

```
        ?
     12   14
    6    2    7
  3   2   1   7
```

84. 数学家的遗嘱

一位数学家在妻子怀孕时就立下了遗嘱，他是这样写的："如果是个男孩，他将继承2/3遗产，而我的妻子将继承1/3遗产；如果是个女孩，那么她将继承1/3遗产，而我的妻子将继承2/3遗产。"

没想到，在孩子出生之前，数学家就去世了，之后他的妻子生下了一对龙凤胎。

请问该如何遵照数学家的遗嘱分

配财产呢？

85. 业余网球比赛

一场业余网球比赛中，有1044个人报名，比赛采取淘汰赛。首先用抽签的方式抽出522对进行比赛，胜出的522个人进入第二轮。在第二轮中，比赛同样采取抽签的方式。

这样比赛下去，假如没有人弃权，最少需要打多少场比赛才能够决出冠军？

86. 放入抽屉的蛋糕

迈瑞在厨房的第一个抽屉中放入了2个巧克力蛋糕，在第二个抽屉中放入了1个巧克力蛋糕和1个香草蛋糕，在第三个抽屉中放入了2个香草蛋糕。

迈瑞的哥哥知道蛋糕的放法，但是不知道哪个抽屉放哪个蛋糕。

迈瑞打开一个抽屉，然后拿出1个巧克力蛋糕对哥哥说："如果你能告诉我这个抽屉中另外1个蛋糕是巧克力的概率是多少，我就给你想要的蛋糕。"

那么，这个概率是多少？

87. 酒桶中的酒

两个酒桶上标有字母A和B，而A桶中的酒要多于B桶。

首先，将A桶中的酒倒入B桶中，倒入的酒和B桶中的酒正好相等。然后将B桶中的酒倒回A桶中，倒入的酒和A桶中现有的酒相等。最后，再将A桶中的酒倒回B桶中，倒入的酒和B桶中现有的酒相等。

此时，两个酒桶内都有48升的酒，那么原本A桶和B桶中各有多少酒？

88. 冲咖啡的方法

泽里要去烧水泡咖啡，他洗水壶需要2分钟，烧开水需要12分钟，洗咖啡杯需要3分钟，洗咖啡壶需要2分钟，拿咖啡需要1分钟，因此他估算自己需要20分钟才能完成这份工作。

请问，你需要多长时间完成这份工作？

89. 吝啬鬼的保险箱

有一位吝啬鬼总是忘记自己保险箱的密码，这组密码由3个号码组成，而每个号码均由两个数字组成。吝啬鬼通过自己留下的线索可以提醒自己想起密码，线索如下：第1个号码乘以3得到的结果中数字均为1；第2个号码乘以6得到的结果中数字均为2；第3个号码乘以9得到的结果中数字均为3。

请问，你能够推断出这位吝啬鬼的保险箱密码吗？

90. 保险库里的金币

吉诺比利在检测一艘失事的轮船时发现了一个保险库，而就在这一天，他赚了一大笔钱。

吉诺比利从保险库中拿出4袋钱，里面各有60枚、30枚、20枚、15枚金币。之后他又看到了2袋金币，他发现这6袋金币的数量形成了一个特殊的递进关系。

请计算出另外2袋金币的数量。

91. 懒人过桥

一个懒人遇到了一个魔鬼，魔鬼对他说："你看到那座桥了吗？你每过一次桥我就让你的金钱翻一番，但你必须在过桥之后给我24元。"懒人同意了。

懒人按照魔鬼的方法做了两次，第三次过桥之后，他只剩下了24元钱，他给了魔鬼之后就分文没有了。

请问，这个懒人身上原来有多少钱？

92. 盘子中的巧克力糖

3个旅行者在一家客栈用餐，他们在吃晚饭后点了一盘巧克力糖，并准备平分。可是巧克力糖还没有上来，他们就睡着了。第1个人醒来之后，就将自己的一份吃掉了，然后继续睡觉。第2个人和第3个人也是这样做的。此时盘子中还有8块巧克力糖。

请问，原本有多少块糖？

93. 速度求差

在一次赛跑比赛中，每位选手都必须匀速跑完100米的路程，而最先到达终点者获胜。如果选手A到达时，选手B还有10米才跑完；而选手B到达终点时，选手C也还差10米。那么，请问，选手A领先选手C多少米？

94. 花园小道

某小区的花园小道宽2米，道路的一边为篱笆，小道如下图呈回字形，直到花园中心。

一天，一位女士步行丈量小道到花园中心的长度。请问，她总共走了多少米？

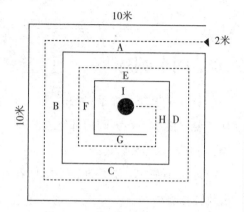

95. 空格填数字

请在空格中填入1到9，从而满足各行各列的运算式。

□	+	□	+	□	=	16
×		×		×		
□	+	□	÷	□	=	11
+		−		−		
□	+	□	×	□	=	8
‖		‖		‖		
62		35		13		

96. 不会被扔下去的海盗

一艘载有600名海盗的海盗船在暴风雨中出了一些问题，为了让船能够正常行驶，首领决定减少船上的人数。他让600名海盗站成一排报数，凡是报到奇数的人都被扔下去，报完之后再从头开始。

有一个很聪明的海盗，他选择了一个最安全的位置，无论怎样都不会被扔下去。

那么，你知道他站在什么地方吗？

97. 商贩的苹果

商贩甲和商贩乙是好朋友，有一天商贩甲出了一点事情，就将自己出售的苹果托付给乙帮着出售。已知甲和乙的苹果个数一样多，但是因为甲的苹果比较小，所以卖1块钱3个；而乙的苹果比较大，所以卖1块钱2个。现在乙为了方便，将所有的苹果都混在一起，以2块钱5个的价格出售。

等到苹果卖完之后，甲和乙开始分钱。此时他们都发现，这样出售苹果比单独卖要少7块钱。

请计算出甲和乙每个人到底有多少苹果。

98. 大正方形中的小正方形

下图的正方形中包含着一些小正方形，而且部分标记着数字。

这些标有数字的小正方形的边上曾经画有可将大正方形分隔开的分隔线，大正方形被分隔开的4个部分面积相同，而且每个部分都含有带1、2、3、4这些数字的小正方形，不过后来有人把分隔线擦掉了。

请问，你能够将分割线重新画出来吗？

99. 九个空格

将1到9这9个自然数填入到下面的方格中，使得每一行的3个数字组成1个三位数。

如果要使第二行的三位数为第一行的2倍，第三行的三位数为第一行的3倍，请问该怎么填？

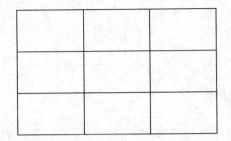

100. 两个圆环

有两个半径分别是1米和2米的圆环，要想使小圆在大圆内部绕大圆一周，小圆自身需要转几圈？

如果小圆在大圆外部，小圆自身需要转几圈？

101. 中尉的巧妙安排

在一次战斗中，一名中尉带领着360名士兵守卫一座重要城池。这名中尉将这360人分派到四面城墙上，并且让四周的敌人都看到每面墙上有100名士兵。

战斗非常激烈，不断有守城的士兵阵亡，中尉的士兵一直在减少：340人、320人、300人、280人、260人，但是在中尉的巧妙安排下，敌人看到的每面墙上的守卫士兵始终都是100人。见此情景，敌人慌了神，选择了逃走。

那么，你知道中尉是如何合理安排人员的吗？

102. 圆圈中的数字

第一，你能否将0到5这6个自然数填入到下面的圆圈中，使得每个数字的所有相邻数之和如右侧图？

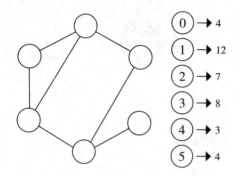

0 → 4
1 → 12
2 → 7
3 → 8
4 → 3
5 → 4

第二，你能否将1到9这9个自然数填入到下图的圆圈中，使得每个数字的所有相邻数之和如右侧图？

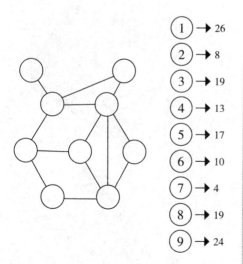

1 → 26
2 → 8
3 → 19
4 → 13
5 → 17
6 → 10
7 → 4
8 → 19
9 → 24

103. 三位数是多少

有这样一个三位数，减去7后刚好被7整除，减去8后刚好被8整除，减去9后刚好被9除尽。你能猜出这个三位数是多少吗？

104. 填写数字

你知道问号处应该填哪个数字吗？

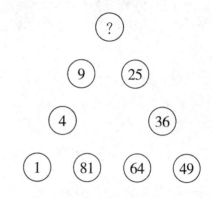

?
9   25
4   36
1   81   64   49

105. 完成等式

将数字1到9填入下面的图形中，使各数字按顺序依次计算后，等式可以成立。

	10	–	43	20
+	×	÷		=
			11	
×	+	+		÷
			12	
÷	–	–		×

106. 工作中的拖拉机

有5辆拖拉机，其工作时间和运送的白菜数如下图。

你能计算出A拖拉机运的白菜数量吗？

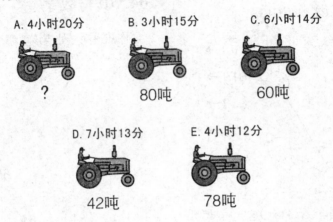

A. 4小时20分　　　　B. 3小时15分　　　　C. 6小时14分

?　　　　　　80吨　　　　　　60吨

D. 7小时13分　　　　E. 4小时12分

42吨　　　　　　78吨

107. 不断滚动的骰子

在不同规格的棋盘中滚动骰子，使骰子的一面和棋盘格的大小相等，然后将骰子滚动到邻近的棋盘格，每移动一次，骰子朝上一面的数字就会变化。

第一，如右图，一个骰子放在棋盘格的中央，要滚动6次，每次滚动一面，使得最终落在图中所示的格子中，并且骰子的"6"朝上，你能做到吗？

第二，如右图，你能否将5个骰子分别滚动6次，滚动到指定的格子中，并且最后朝上的面分别为"1"、"2"、"3"、"4"、"5"？

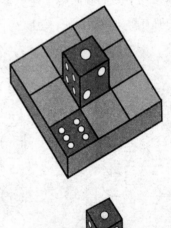

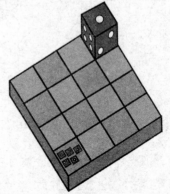

108. 长方形

　　将整数1到9分别作为长方形的长和宽，且不能使其成为正方形，那么，总共可以组成多少个不同的长方形？

　　下图是一个29×30的方框，现在要将所得到的长方形放到方框内，且每两个长方形之间不能出现重叠。

　　请问，能否做到？如果不能，最多能放入多少个长方形？

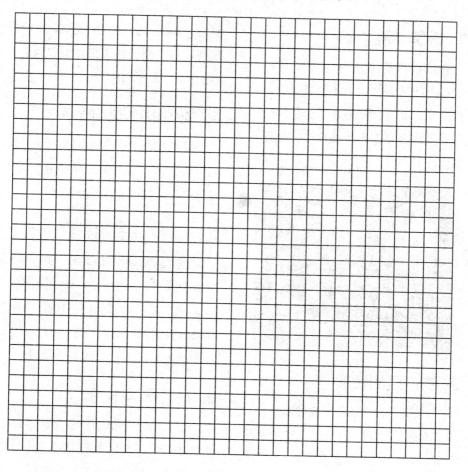

参考答案

Part 1 培养观察力的思维游戏

1. 板条"箱"

这种结构根本就不可能存在。通过下图揭示的板条箱的真正结构即可发现，其实它并不是一个箱体，只不过是两个互不连接的矩形"框体"结构。

2. 有问题的楼房

2楼的几根柱子都是前后交错的，梯子也是不可能放上去的，这个建筑在实际生活中是不可能存在的。

3. 恋爱与结婚的区别

当正着看这幅画的时候，看到的是一个微笑着的男人和一个微笑着的女人；如果将这幅画倒过来，就会发现刚才两个微笑的人都在愤怒地看着对方。

4. 找到露丝与汤姆

黑色的部分呈现出的是一个吹萨克斯的男人，男人旁边的白色及部分黑色构成的是一个女人的轮廓。

5. 从脸谱中找出差异

只有脸谱4与其他的都不同。其他脸谱中脸谱2、8、9都一样，脸谱1、7、12都一样，脸谱3、5、10都一样。剩余的脸谱4、6、11大致一样，但脸谱4的嘴形跟其他两幅略有不同。

6. 快速数黑棋子

很多人会因为图1的复杂而感觉这道题目很繁琐，于是错误地认为图2也非常复杂，其实通过观察可发现，图2中的黑色棋子分布比较规律，我们可以很快知道白色棋子的数量，然后再根据总数减去白色棋子的数量，就可以知道黑色棋子的数量了。

7. 用方格拼肖像

在你将这幅图颠倒过来以后，你看到的图案和正面时看到的图案一样，没有变化。

8. 花瓶碎片

A：6，7，8，1；B：2，3，4，5；C：12，11，10，9。

9. 巨鱼与小矮人

视角问题。当用其他物体盖住图中的人时，鱼看起来尺寸是正常的；当用物体盖住图中的手时，鱼看起来就显得特别大了。

10. 为宝塔找碎片

10与16相同。

11. 如何摆放消防设备

消防设备最应该放在仓库1和仓库6中。

12. 判断季节

左边的图片画的是夏天的房间。这是因为，钟表上表示的是11点钟，这个时候太阳正处于房屋的上方，并且夏天太阳高度比冬天高，照射进房间里的光线面积比较小。

13. 一个正方形失踪了

通过图片可以看出，原来5个小块图形中最大的两块2和3对换了一下位置以后，被那条对角线切开的每个小正方形都变得高比宽长了一些，也就是说图2中的大正方形其实并不是严格意义上的正方形。其本身的高度增加了，面积也增加了。增加的面积正好和缺失的那个小正方形面积相同。

14. 布置彩旗的方法

如果我们想要在每个面上都看到5面彩旗，那么我们可以按照下图的方式布置：

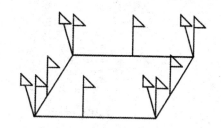

如果我们想要在每个面上都看到6面彩旗，那么我们可以按照下图的方式布置：

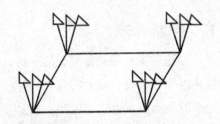

15. 找到最经济的方法

要弄清楚这个问题，首先我们需要观察下面的两个三角形，如何在三角形中找到一个点，让其到三个顶点的距离最短。其实这两个问题是相通的，因为不管三个村庄在什么地方，它们都可以组成一个三角形，我们需要的就是找到距离三个顶点最短的那个点。

当三角形的3个角都小于120°的时候，我们只要在三角形中找到一个点（这个点如果需要十分精确，找到三角形3个内角平分线的交点即是），其到任意两顶点的连线的夹角都是120°，那么，这个点到3个顶点的距离和最小。如图：

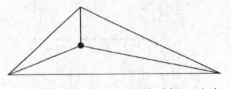

当一个角大于120°的时候，这个

角的顶点就是到3个点的距离和最小的点。

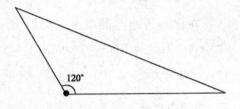

16. 圆圈的移动

要想解决这个问题，需要先了解，移动的圆圈可不可以叠加。

其实解决这个问题非常简单，我们只需要将最右边的一个圆圈移动到最左边，再将最下面的圆圈移动到中间那个圆圈的上面。

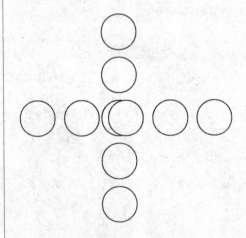

17. 变化多端的三角形

仔细观察后可以发现，原图中每个三角形的两边，都是另外两个三角形一边的延伸。如果三角形的边线能够延长的话，那么顶点的连线同样可以延长。我们将顶点的连接线继续延长，这样就又会出现3个交点，而这3个交点也可以成为新三角形的顶点。

所以答案如下图所示，再加入一个大的三角形，那么一共就有14个大小不等的三角形了。

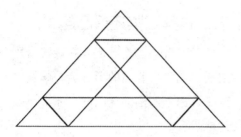

18. 观察鱼游动的方向

它们一行向右游，下一行向左游，依此类推。

19. 谁能放最后一枚硬币

很明显第一枚硬币的位置决定了最后一枚硬币的位置，需要通过观察和分析，从中找到共同点。

不妨再次观察一下这些图形，虽然它们的形状不一样，但是它们都有一个共同点，那就是具有中心对称性。如果有中心对称性，那么就有中心点。这就是它们的第二个共同点。从这个中心点出发，不管从什么方向放出一条射线，然后在这条射线上确定一个点，必定能够从相反的射线上找到一个对应的点。

你在放第一枚硬币的时候需要将其放在中心点上，然后对方在其他地方放硬币之后，你就在那一点的相反方向放一枚硬币。按照这样的放法，你最后肯定能够成为胜利者。

20. 剪完后的纸张

选B。展开后如下图所示：

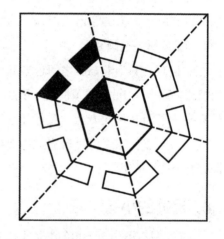

21. 找出相同的蜘蛛网

A和B相同，C和D相同。只需要换角度对比即可看出。

22. 残缺了的棋盘

不能覆盖。31个多米诺骨牌只能覆盖31个白格和31个黑格。但是在残缺的棋盘中，黑格有32个，而白格只有30个，31个骨牌自然无法完全覆盖。

23. 擦掉多余的线

应该擦掉I和J之间的这条线段。

首先，我们需要考虑什么样的图形才能够一笔画完，其中一个很重要的条件就是图形必须是连通的。在图形中线段的端点可以分为两类，奇点和偶点。如果以一个点为端点的线段数目为奇数的话，那么这个点就是奇点，反之则是偶点。比如图形中的C、F、I就是奇点。一个连通的图形，如果其奇点的个数为0或者2的时候，这个图形就能够一笔画完。

我们现在只有将I和J之间这条线段擦掉，那么I和J就变成了偶点，于是就只剩下了F和C两个奇点，我们任选一点作为起点，那么就可以完成一笔画完整个图形的工作了。

24. 滑冰的小孩

1个。只有图中右下角的那个小孩姿势与图片左上方的小孩溜冰姿势是相同的。

25. 三角形是否存在

不可能存在。里面的斜边在视觉上似乎是成立的，但在现实中其实是不可能的。不信可以找实物试试。

26. 找变化

从一个男子头像逐渐变成了一个跪着的女人（若是逆向则相反）。顺向来看，发生实质性变化的是第六幅

图。从第六幅图就可以很明显地看到男子头像变成了一个跪着的女人。若是逆向来看，从第五幅图可以很明显地看出图形从一个跪着的女人变成了一个男子头像。这两种观察发现的发生实质性变化的位置是不一样的。

27. 球是凹陷还是凸起

1个凹陷，5个凸起。在旋转图片之后，图中所有球的形状会一起发生改变，原来凹陷的球凸起，原来凸起的球凹陷。

28. 拼桌子的方法

第一组图形的拼装工作比较简单，凭借我们的第一感觉就可以完成，只需要将其中的一块木板翻转过来即可。

关键是很多人在拼凑完成第一组之后，思维就会形成定势，他们就会按照这种思维将第二组图形拼凑成这样：

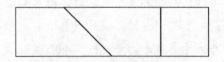

这种拼凑方法虽然可以，但并不是最简单的拼凑方法。

如果我们按照这种拼凑方法拼凑第二组图形，那么我们的思维就会形成惯性，很难再改变对事物结构的认

识。让这种思维继续延续下去，用这种思维拼凑第三组图形的话，那么就会将第三组拼凑成这样：

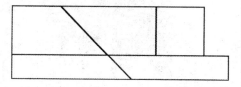

如果第二组还可以称之为桌面的话，那么第三组显然就无法称之为桌面了。

其实最好的拼凑方法应该如下：

图1

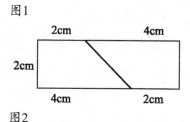

图2

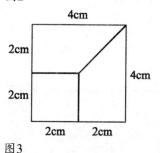

图3

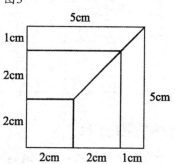

29. 切蛋糕的方法

如下图，找到各边的中心点，然后按照这些点连接起来的平面进行切割。

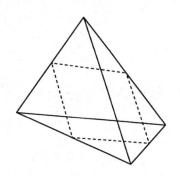

30. 判断时针和分针

A：左边的是时针，右边的是分针；

B：左边的是时针，上边的是分针；

C：左边的是时针，下边的是分针；

D：左边的是时针，右边的是分针。

31. 多面角出错

图中的帐篷是正六棱锥，那么其底面就是一个正六角形，而内角的度数是120°。假如侧面是正三角形的话，那么每个侧面的底角都是60°。此时在棱锥底面任意一个顶点处的三面角中，三个角分别是60°、60°、120°，但是这和"三面角的任意两个面角之和大于第三个面角"相矛盾，所以说根本就不存在这样的三面角。

32. 几根直线最多的交点

想让直线的交点最多其实是很难

179

的一件事情，但想让两条直线的交点最少就很简单，无非就是让两条直线平行。所以如果想要让几条线的交点最多，就需要尽量避免有两条及以上直线平行。所以，5条直线最多有10个交点。

33. 找出碎片来配对

另一片是B。

34. 一起设计公路图

可以将图中的e、f、g、m去掉。

从a穿过C的时候，借助到e，从而确定最短的距离，但是不经过e，也可以按照a—i—k—j—C的路线穿过C，这是e被去除的原因。其他3条线路去除的原因相同。

35. 观察朝向

如图，每一行和每一列中的箭头指向都是不同的。

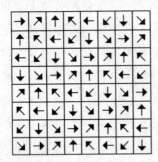

36. 能够吻合的长方形

选B。方法如下图：

37. 替警察辨认罪犯

选C。

38. 奇怪的大象

当我们看大象身体的时候，并不会发现它有什么奇怪的地方，但当我们视线下移的时候会发现大象有的腿并没有和身体连接在一起。

39. 变形建高楼

方法如下图：

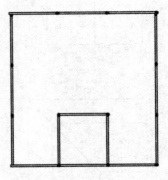

40. 赫尔曼栅格

会发现这些小圆点根本就是不存

在的。因为在赫尔曼栅格中，交叉处的四边都是亮着的，而白条的两侧是黑色的，所以当我们注视交叉处的时候，视网膜区域比注视白条的区域受到了更多的侧抑制，那么交叉处就显得比其他的地方要暗淡一些，注视交叉处就产生能够看到灰点的错觉了。

41. 连点画正方形

总共可以画出7个。画法如下图：

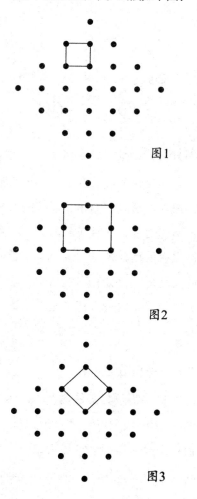

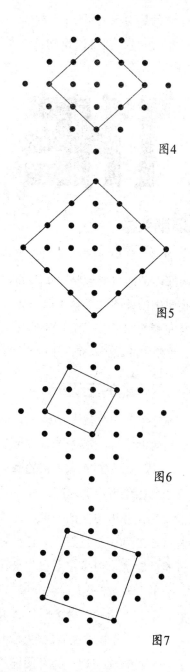

42. 拼出英文单词

按照题目的要求，我们将图中

的每个色块分别按顺时针的方向旋转180°，那么就可以得到英文单词"THE"。

43. 猜头像

能够看到兔子和鸭子的头像。如果将左边的图形看做是鸭子的嘴，那么你眼中的此图就是鸭子的头像；如果将左侧的图形看成是长长的耳朵，那么你眼中的此图就是兔子的头像。

44. 不可能的三叉戟

很多人乍一看会认为图中有3根尖齿，然而再仔细看会发现3根尖齿变成了2根，因为中间的那根尖齿轮廓夹在了旁边两根尖齿轮廓之间，仔细看还会发现它比旁边的要低一点。这幅图的神奇之处就在于我们感觉它没有一个完整的轮廓，但事实上它却是存在的，我们会发现3根尖齿会变成2根。当我们盖住右边一部分的时候，会发现它就是一个正规的拥有2根尖齿的叉子；然后再盖住左边，会有同样的感觉。这幅图给了人一种感官上的冲突。

1964年，这幅图第一次出现在人

们的视野中，但是直到今天也没有人知道这幅图的原作者是谁。

45. 双环填数

如下图的方法填写7到14：

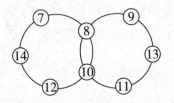

如下图的方法填写13到20：

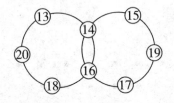

46. 完美的六边形

连接这些线条会形成一个非常完美的六边形。它们相互连接的点被三角形遮盖了，一旦线条消失在一个物体之后的话，视觉系统会自动延伸线的长度。就比如在本题目中，给人感觉每根线条的终点都像是三角形的中心，这样会导致定线错误。

47. 弯曲的线条

这些线条其实是笔直的，而且它们都是相互平行的，但是人们感觉它们好像是弯曲的。这种错觉是因为大脑皮层的方位敏感性细胞引起的，这种细胞对空间接近的斜线和单向斜线产生交互影响，从而让人们感觉这些线条是弯曲的。

48. 观察小方格

4和5。

49. 变暗了的小方块

没有区别。虽然很多人一眼看上去，中心的小方块比周边区域暗一些，但其实中心的小方块和周边的灰度值是一样的。在背景上画上黑线，就会感觉背景偏暗；在同样的颜色上画上白色的纹样，就会感觉偏白。事实上，整图都是一个灰度值，我们可以盖住黑线和白线交界处的线条来验证一下。

50. 巧妙找数字

仔细观察题目中的两幅图，可以发现，图1的第五列（从左到右），它的数字依次是5，25，18，7，24，这一串数字在图2中排成了24，7，18，25，5，并且成为了图2的第一行。同样的，图1的第四列4，19，22，11，13，在图2中以13，11，22，19，4的形式排在了第二行……

即图1中的竖列在图2中都被改为了横行。比如，图1中的数字12在第四行；同时12也在图2中的第三行，数学

老师在找数字的时候，只要将图1中的第四行，在图2中从7倒竖起来的竖行里，找到排在第三行的数字就行了。

51. 探长之死

探长的伤口在左侧太阳穴。

52. 蚂蚁巧搬家

答案如图所示。通过观察可以得知，图中已经给出的蚂蚁搬家有着一定的规律，其中左上角的两只蚂蚁是按照往右侧移动的规律行进的，右上角的两只蚂蚁是按照往下方移动的规律行进的，左下角的两只蚂蚁是按照往上方移动的规律行进的，右下角两只的蚂蚁则是按照往左移动的规律行进的，只有中间的蚂蚁是按兵不动的。

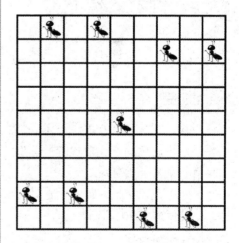

53. 图形是怎样构成的

A：1、2、3；

B：2、3、4；

C：1、3、4；

D：1、2、4。

54. 应该填入什么图案

应该填入三角形。仔细观察这些圆圈后，你会发现它们的排列顺序，刚开始是五角星形的，之后是圆形的，接下来是菱形的，最后是三角形的。依据这样的规则，不难看出答案了。

55. 找出不可能的骰面图

选E。如果观察力不够，拿张纸按照图片试一试就可以发现答案了。

56. 改变心情

可以。如果将图片颠倒过来，你会发现原来欢乐的会变成忧郁的，原来忧郁的则会变成欢乐的。

57. 叠在一起的纸张

最少需要5张。

如下图，最大的正方形1决定了整个图形的框架，将正方形2放在正方形1的右下方，将与正方形2同样大的正

方形3放在正方形1的左上方，正方形4放在正方形3的左上角，最后将正方形5放在最中间。

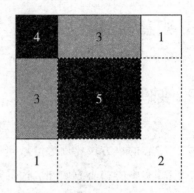

58. 下一个是什么

选A。我们可以看出3个六边形中，每个都有6个三角形，并且每个三角形都有一条边和六边形的某一条边重合。我们可以观察出图中三角形的高在逐步增大，并且增大的幅度基本上是六边形高度的1/4。以此推断可得出答案。

59. 不同表情的面具

这其实是同一张面具，随着角度的变化让它展现出不同的特点，尤其是嘴巴的形状，就算是轻微的角度变化都能够带来唇形很大的变化。我们的视觉系统对于这种改变非常敏感，所以面具看起来会呈现出不同的表情。

60. 按规律转换图形

选B。

61. 蚂蚁移动

如图所示：

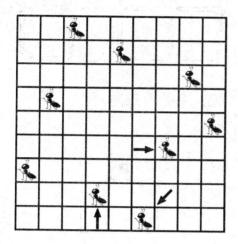

62. 奇妙找人脸

这张图片是由一个背景能够互相替换的两可画面组成的。如果从前面看，可以看到一张较为模糊的女人的脸，只不过中间被灯烛遮掉了一部分；而如果我们依据灯烛，我们就可以看到灯烛的左右各有一张女人的侧脸。

63. 搭建积木

这两个三角体并不是完全标准的三角体，如下图，一个上部凹进去一些，一个下部凸出来一些，这就解释了中间出现空缺的原因。

64. 找出基本图形

这6幅图只用到了一种基本图形，如下图所示：

65. 相同的图形

左边的图形有7个立方体排列在平面上，根据观察只有图形E与其相同。

66. 图片中的动物

根据观察，从左下角开始，沿逆时针方向旋转，每4个动物的顺序一致。

填法如下图：

67. 大小齿轮

需要逆时针旋转两圈半。

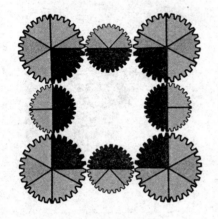

68. 三种水果的摆放

如下图，这张图中水果由里到外呈旋涡状排列，排列的次序是苹果、桃子和草莓。

所以空格处应该摆放桃子。

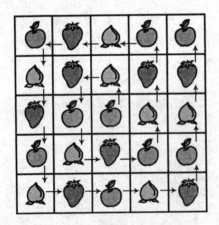

69. 木场长官遇到的难题

将下图原在虚线位置的钉子拿走，就会有5个小正方形和1个大正方形。

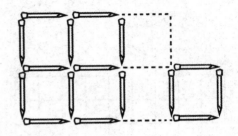

70. 涂黑的方框

方法如下图：

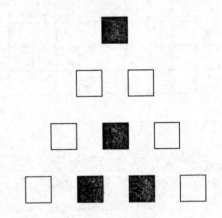

71. 图形中有两条鱼

方法如下图：

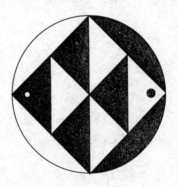

72. 摆放棋子

方法如下图：

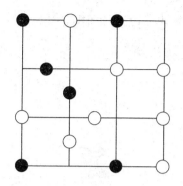

73. 区域的划分

方法如下图：

74. 西尔平斯基碎形

下图为第四次分割后所得的图形：

75. 物体的第六面

这个物体由6个立方体构成，下图是这个物体的样子，以及其第六面的样子。

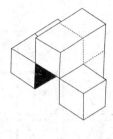

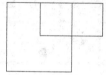

76. 相同的图形

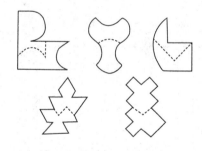

77. 白布上的墨水

方法如下图：

187

78. 四组图形

如果将A、B、C、D按照下面的方式排列，就可以看出答案是B。

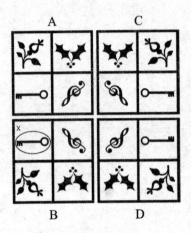

79. 粘在一起的圆圈

如下图，剪下来之后会呈正方形。

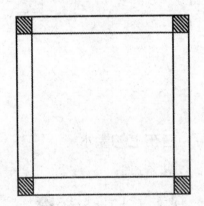

80. 轨道错觉

这幅图画的并不是椭圆形，在其中部其实是两条平行的直线，只是在其他射线的干扰下，看起来像椭圆形而已。

81. 被切割的圆形图片

方法如下图：

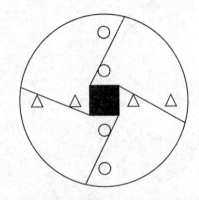

82. 不同类的图形

D与其他4个不是同一类。其余4个图形都包含凹面和凸面，而D只包含凸面。

83. 多米诺骨牌的摆放

方法如下图：

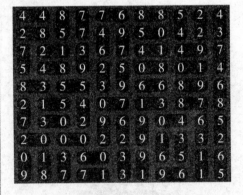

84. 图形的选择

图1中：第二个图形为3条线，而其中有两条线的走势和第一个图形的

两条斜线走势相同，而第三个图形中的3条线和第一个图形中的线条走势都完全一样。

图2中：第二个图形中的两条线和第一个图形的两条线走势相同，另外的一条不同，按照之前的规律，第三个图形的3条线要和第一个图形的完全相同。

所以，选择C。

85. 一个院中的三家人

三户人家的人出门时的路线如下图：

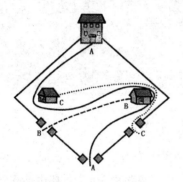

86. 移动硬币

可以如下图移动：

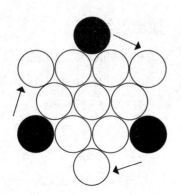

87. 纸板上的洞

如图，沿着"L"形剪下正方形的一部分，然后将其向对角转移，有洞的部分就会处于整个纸板的中心处。

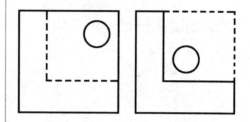

88. 迷宫变身金字塔

如图所示：

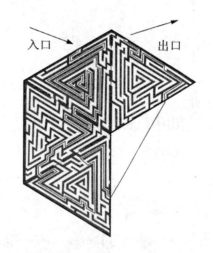

89. 高斯拼图

高斯的方法如下图：

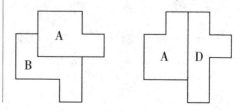

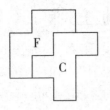

90. 聪明人分地

方法如下图：

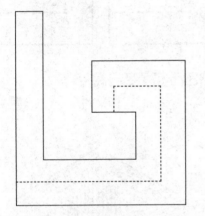

91. 图中的圆圈

方法如下图：

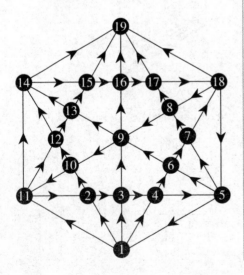

92. 摆放扑克牌

最后一张牌是梅花9。每列上下两张牌之和减去2即为中间的牌数。

93. 找猫猫

4和9。

94. 看广告找异同

设计师暗藏的形状和面积均相同的图案有5处。如图所示：

95. 找错

图画中有雪人，可是却有花草；树叶掉下是向左飞，而烟囱中烟的方向是向右，这在风向上是矛盾的；画面右侧有蝙蝠，白天蝙蝠是不出来的。

96. 找出匹配的鸟

可将相匹配的鸟标上相同字母。

A：胸部有小斑点的地方要低一些；

B：尾巴部分有3个分叉；

C：翅膀尖部分的羽毛颜色淡；

D：后脑勺上没有图案；

E：头顶部分的羽冠要长一些；

F：喙要更弯一些；

G：胸部小斑点要少一些。

还有一只鸟找不到匹配的。

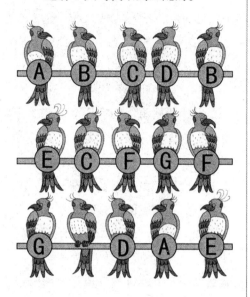

97. 农场主的土地

可以按下图的方法进行划分：

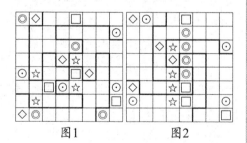

图1 　　　图2

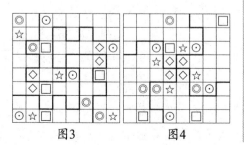

图3 　　　图4

98. 反影子的照片

a对应的是C，b对应的是D。

99. 移动木框

答案是CREATIVITY。

首先观察木框颜色的变化，从而理清顺序，得出答案。然后用是否是单词来检验答案是否正确。

100. 房间里的相同图形

答案如下图变灰处：

101. 应该是哪幅图

选C。

第一幅图在变化的过程中旋转了180°，所以第二幅图也是同样的规律。动物在旋转180°后，只有C是合适的。

191

Part 2 训练逻辑力的思维游戏

1. 是保姆在撒谎

当室内温度为39℃的时候，杯子中的冰块不可能在一个多小时后还没有融化掉，由此可以看出保姆在说谎。

2. 奇怪的车胎

罪犯在前一天溜进车库，然后在车胎中加入氯酸钾气体，等到第二天富翁准备出门的时候，看到轮胎胎压很高，于是准备放放气，结果毒气喷射而出，富翁随即中毒身亡。

3. 每组中多余的物品

在第一组中，苹果、香蕉和橘子都是水果，而西红柿是"多余的"，它是蔬菜。

在第二组中，刮脸刀、剪刀和铅笔刀都是刀具，而铅笔是"多余的"，它不是刀具。

在第三组中，斧子、电锯和电钻都是木匠的工具，而钉子是"多余的"，它不是木匠工具。

在第四组中，大号、小号和萨克斯管都是管乐器，而小提琴是"多余的"，它是弦乐器。

4. 流动售货处的物品

吉恩卖给安妮的是杯子（提示⑥），玩具的价格为30美分（提示③），弗兰克出售的是25美分的物品（提示⑦），该物品不是花瓶（提示①），也不是安妮购买的第五件物品——头巾（提示④、⑦），那么该物品只能是书。

安妮买的第一件物品不是来自乔治（提示①）、莫利（提示②）和温蒂（提示⑦），也不是从弗兰克那里买来的价值25美分的书（提示①），则它一定是吉恩出售的杯子。

安妮的第三件物品不是杯子也不是头巾，其价值75美分（提示⑤），而它也不是书或玩具，则其为花瓶。玩具不是第二件物品（提示③），而是第四件，所以第二件物品应该是书；再根据提示②可知，花瓶一定是从莫利那里买来的。

乔治的货物价格不是60美分（提示①），温蒂货物的价格也不是60美分（提示⑦），则这个价格就是吉恩出售的杯子的价格，剩下的头巾价格为50美分。

玩具不是从乔治那里购买的（提示③），而是从温蒂那里购买的，那么乔治出售的就是头巾。

整理之后答案如下：

第一件物品为60美分的杯子，是从吉恩那里买来的；

第二件物品为25美分的书，是从弗兰克那里买来的；

第三件物品为75美分的花瓶，是从莫利那里买来的；

第四件物品为30美分的玩具，是从温蒂那里买来的；

第五件物品为50美分的头巾，是从乔治那里买来的。

5. 奇特的大脑网络

我们可以这样去思考这个问题：

我们可以在每一个圆圈中写一个数字，这个数字代表到达这个圆圈所有可能的路径。很明显最左边起点圆圈内的数字是1，而其他圆圈内的数字，等于其左侧与它直接相连的圆圈内的数字之和。按照这个方法我们可以很快确定圆圈内的数字。

比如，凡是填写数字1的圆圈的左侧都只与唯一的一个圆圈连接，那么这个圆圈内的数字就是1；凡是填有数字2的圆圈的左侧和两个圆圈相连，那么这两个圆圈内的数字就都是1。以此类推，最右侧圆圈内的数字应该是20，说明总共有20种不同的路径。

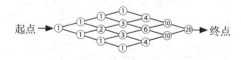

6. 聪明的妻子

B代表的是他们已经分开了。

C中的3个月亮代表的是他们分离已经有3个月了。

D代表的是他们的孩子已经平安降生了。

E中的8个月亮代表她希望丈夫能够在8个月之后回来。

F则代表那时他们就可以一家团聚了。

7. 巧推字母

Z。按照26个英文字母的排序，会发现每两个相邻字母之间分别跳过了1、2、3、4个字母。

8. 村庄里的巫婆和猫

根据提示①可知，亨特的主人已经92岁，巫婆马乔不可能住在1号别墅中。又知道3号别墅的主人77岁（提示④），乔密的主人住在2号别墅（提示③），则可以推出亨特是1号别墅主人的猫。住在1号别墅的不是马乔（提示①），也不是90岁的克丽丝（提示②）和拥有老猫哈特的巫婆密斯（提示⑤）则一定是米蒂。再根据提示⑥可知，2号别墅的主人74岁，她的猫是乔密；剩下的克丽丝为90岁，住在4号别墅中。

3号别墅的猫不是卢比（提示④），则一定是哈特，而77岁的巫婆密斯住在3号别墅。通过排除法可知乔密的主人为74岁的马乔；卢比是克丽丝的猫。

整理之后答案如下：

1号别墅住的是巫婆米蒂，她今年92岁，有一只叫亨特的猫；

2号别墅住的是巫婆马乔，她今年74岁，有一只叫乔密的猫；

3号别墅住的是巫婆密斯，她今年77岁，有一只叫哈特的猫；

4号别墅住的是巫婆克丽丝，她今年90岁，有一只叫卢比的猫。

9. 不同兵种的军官

根据提示⑤可知，军官C不是水兵或军衔最低的陆军中尉威廉。

根据提示①可知，如果水兵是A或B，陆军中尉威廉就是D，空军军官是E；如果水兵是D或E，那么陆军中尉威廉是B，空军军官是A，由此可以推出，空军军官一定是A或E。他的家乡不是爱达荷州（提示①）、新墨西哥州（提示②）、缅因州（提示③）或者华盛顿州（提示④），那么只能是俄勒冈州。再根据提示④可知，他不是军官E，而是军官A，同时可知水兵是D或E，陆军中尉威廉是B。

水兵不是斯坦德上尉（提示②）或乔治西里少校（提示⑤），所以他是哈维上尉或者鲁特利上尉，根据提示⑤可知，军官C一定是乔治西里少校。

因为陆军中尉威廉是军官B，所以他不是步兵（提示②）也不是工兵

（提示③），而是军事警察。军官C乔治西里少校不是工兵（提示③），而是步兵，则斯坦德上尉就是军官A。

军官B是陆军中尉威廉，来自美国新墨西哥州（提示②）；军官E不是鲁特利上尉（提示④），而是哈维上尉，借助排除法可得知军官D是鲁特利上尉。再根据提示④可知，军官E来自华盛顿州；因为步兵乔治西里不是来自缅因州（提示③），则推出军官D的家乡是缅因州。

现在，再根据提示③可知，军官E是工兵。通过排除法可以知道军官D为水军鲁特利上尉，而乔治西里来自爱达荷州。

整理之后答案如下：

军官A是空军斯坦德上尉，他来自俄勒冈州；

军官B是军事警察陆军中尉威廉，他来自新墨西哥州；

军官C是步兵乔治西里少校，他来自爱达荷州；

军官D是水兵鲁特利上尉，他来自缅因州；

军官E是工兵哈维上尉，他来自华盛顿州。

10. 狂购名画的富翁

根据提示②可知，300万欧元是3月的花费，那么出价100万欧元的罗马

拍卖会不是在1月和3月（提示③）；而拉斐尔的作品出价是250万欧元（提示③），也就排除了罗马拍卖会在4月的可能；根据提示⑤可知，4月购买的是格列柯的画，提示③也说明罗马拍卖会不在5月，所以罗马拍卖会应该是在2月，而拉斐尔的作品于1月卖出（提示③）。在罗马买到的不是莫奈的画（提示①），也不是拉斐尔和格列柯的，而提示⑥告诉我们在巴黎购买的是弗米亚的作品，所以在罗马买到的一定是毕加索的画。

现在我们知道2月和4月买到的画，而提示①排除了马德里拍卖会在1月、3月和5月举办的可能，也不在2月，那么它一定是在4月举办的，并且富翁购买到的是格列柯的画。

根据提示①可知，莫奈的画于5月买到，而弗米亚的画是花费300万欧元在3月买到的；再看提示①，可以得知格列柯的画花费了150万欧元、莫奈的画花费了200万欧元；再根据提示④可知，200万欧元的画不是在阿姆斯特丹买到的，而是在布鲁塞尔。通过排除法得知拉斐尔的画是在阿姆斯特丹买到的。

整理之后答案如下：

富翁1月在阿姆斯特丹花费250万欧元购买到拉斐尔的作品；

2月在罗马花费100万欧元购买到毕加索的作品；

3月在巴黎花费300万欧元购买到弗米亚的作品；

4月在马德里花费150万欧元购买到格列柯的作品；

5月在布鲁塞尔花费200万欧元购买到莫奈的作品。

11. 如何分工

同学甲负责洗菜，同学乙负责淘米，同学丙负责生火烧水，同学丁负责找水。

12. 成员们的参观

根据提示②中的"星期四参观了儿童农场，而儿童农场属于某处住宅"以及提示⑥，可以得知，哈福特礼堂的景点一定是迷宫，成员们在那里购买了钢笔（提示④）。

根据提示①中的"成员们在星期一购买了书签"可知，那天参观的一定不是服装展或是有迷宫的景点，也不是有微型铁路的景点（提示①）。因为成员们星期四参观的是儿童农场，所以他们星期一参观的一定是古老汽车展。

星期二参观的是哈特庄园（提示②）；那里的主要景点不是迷宫（提示③），而杯子也不是在星期四买的（提示③），即杯子不是在儿童农场买的，而是在有微型铁路的建筑中购买的，而那天不是星期一，也不是星期二（提示③）。星期一参观了古老汽车展，杯子不可能是在星期三买的，而星期四参观的是儿童农场，那么可以推出，杯子是在星期五买的。由此也可以得知，星期三成员们在哈福特礼堂购买了钢笔，并且参观了迷宫（提示③），而星期二的参观地点是哈特庄园，成员们购买了披肩并参观了服装展。

通过排除法可以得知，成员们在儿童农场购买了盘子，那是两处住宅中的其中一处。根据提示⑤可知，这个住宅不是欧登拜住宅，则它一定是格兰德雷住宅。

根据提示①的"成员们在保恩斯城堡之外的某处购买了书签"可知，书签是星期一成员们参观欧登拜住宅的纪念品，剩下的保恩斯城堡拥有微型铁路，成员们在那里购买了杯子。

整理之后答案如下：

星期一，成员们在欧登拜住宅购买了书签，并参观了古老汽车展；

星期二，成员们在哈特庄园购买了披肩，并参观了服装展；

星期三，成员们在哈福特礼堂购买了钢笔，并参观了迷宫；

星期四，成员们在格兰德雷住宅购买了盘子，并参观了儿童农场；

星期五，成员们在保恩斯城堡购买了杯子，并参观了微型铁路。

13. 米勒的秘密

机关是音符而不是数字，我们可以将"米勒"理解成长音符3和2，想要开启盖板只需要弹奏这两个音符就可以了。

14. 偷吃的孩子

老三偷吃了墨菲先生买的水果和小食品，只有老四说了实话。

只要用假设法分别假设老大、老二、老三、老四说的是实话，看结果是否与题意矛盾，就可以很容易地得出答案。

15. 巧填空格

如图，填入字母即可：

V	I	L	E	U	O
E	U	O	V	I	L
U	E	V	L	O	I
O	L	I	U	V	E
L	O	U	I	E	V
I	V	E	O	L	U

16. 公园长凳上的老绅士

迪塞尔今年76岁（提示④）；74岁的退休售票员不是乔诺伊比（提示②），也不是牧场主人斯坦斯（提示①），则一定是C位置上的罗恩。

由此根据提示②可知，D位置上的是乔诺伊比，他不是那位72岁的老人（提示③），而是78岁；剩下的斯坦斯是72岁。

迪塞尔不是兽医（提示④），而是机修工，因此他并没有坐在B位置上（提示⑤），而是坐在A位置上，剩下的B位置上坐的是斯坦斯。通过排除法可以断定D位置上的是乔诺伊比，他是一名78岁的前兽医。

整理之后答案如下：

坐在A位置上的是76岁的迪塞尔，他退休之前是一名机修工；

坐在B位置上的是72岁的斯坦斯，他是前牧场主人；

坐在C位置上的是74岁的罗恩，他退休之前是一名售票员；

坐在D位置上的是78岁的乔诺伊比，他退休之前是一名兽医。

17. 三个储蓄罐

从标有15美分的储蓄罐中倒出1枚硬币，就可以知道3个储蓄罐中的金额是多少了。我们知道所有的标贴都贴错了，那么该储蓄罐的金额就不是15美分，它只可能放2枚5美分的或者2枚10美分的硬币。而我们从其中拿出1枚，就会知道其他储蓄罐中的金额。如果我们从中拿出的是1枚10美分的硬币，那么就还有3枚5美分和1枚10美分

的在其他储蓄罐中，而剩下的分别标有10美分和20美分，标有10美分的储蓄罐中不可能有2枚5美分的硬币，所以一定是1枚5美分硬币和1枚10美分硬币，而剩下的那个储蓄罐是2枚5美分硬币。

18. 突击队员的具体信息

多比来自拉雷多（提示④）；马修斯的家乡不是圣地亚哥（提示②），也不是亚特兰大（提示③），他的爱好是看电影（提示④）；再根据提示⑤可知，他的家乡也不是休斯敦，因此他的家乡一定是艾尔·帕索；根据提示⑥可知，马修斯的名字是皮特。

来自圣地亚哥的人姓海德（提示②）；他不喜欢跳伞（提示①）、酗酒（提示②）、看电影（提示③）、唱歌（提示⑤），则他一定喜欢赌博。

特迪·舒尔茨不喜欢赌博，也不爱跳伞（提示①），所以他是那个喜欢唱歌的人，而他来自于休斯敦（提示⑤）。通过排除法可以知道史密斯来自亚特兰大。

乔希不是跳伞爱好者，而是赌徒海德（提示⑥）；奇克不姓史密斯（提示④），所以他是来自拉雷多的多比，利用排除法可知，他就是跳伞爱好者。

整理之后答案如下：

奇克·多比来自拉雷多，是一名跳伞爱好者；

埃尔默·史密斯来自亚特兰大，他是个酗酒如命的人；

乔希·海德来自圣地亚哥，他是个赌徒；

皮特·马修斯来自艾尔·帕索，他喜欢看电影；

特迪·舒尔茨来自休斯顿，他喜欢唱歌。

19. 吃面包的小女孩

星期一吃了3个椰蓉面包、1个豆沙面包；

星期二吃了1个椰蓉面包、4个豆沙面包；

星期三吃了4个椰蓉面包、2个豆沙面包；

星期四吃了2个椰蓉面包、5个豆沙面包。

20. 一场胶着的篮球比赛

第一，由条件⑤可知，3名得到22分的队员中，只有1名是在主队；第二，由条件③、④可知，那个得到最高分30分的人不在客队；第三，在主队个人得分的这个等差数列中，将30作为首项，那么22分只能是中项，由此推断出主队的个人得分分别是：30、26、22、18、14；第四，在客队中个人得分除了2名得到22分之外，少于20分的球员应该得到19分；最后，

根据条件③、④可知，客队其他球员的得分只能是21和20。

由此可以推断出，主队最终得到110分，客队得到104分。

21. 三个奇怪的家庭

根据提示①可知，C先生并不是小孩B的父亲，因为如果是的话，那么C先生的妻子就会和自己的女儿同名。由此可知，C先生的儿子是A，因为根据题意，小孩C不可能是C先生的儿子。那么，我们就可以推出其他的父子关系：B先生的儿子是小孩C、A先生的儿子名字叫做B。

根据提示②可知，E女士和C先生并不是夫妻，根据提示③可知，F女士的丈夫不是A先生。根据"B先生的儿子是小孩C"还可以推出，E女士和B先生是夫妻；根据"F女士的丈夫不是A先生"以及"B先生的妻子是E女士"可以推出，C先生和F女士是夫妻。

又根据提示③，也就是"A先生的女儿与F同名"可以推出，B先生的女儿名字是D，C先生的女儿叫E。那么最后的组合就是：

第一个家庭是：丈夫A、妻子D、儿子B、女儿F。

第二个家庭是：丈夫B、妻子E、儿子C、女儿D。

第三个家庭是：丈夫C、妻子F、

儿子A、女儿E。

22. 生意火爆的酒店

根据已知条件可知，虽然D先生入住的时间最长，但是最长也只能是2日入住，7日离开，所以D先生的入住时间最长是6天。

那么，根据上面的已知条件，C先生就算是1日入住，那么他最早也应该在5日离开，那么C先生的入住时间就是5天。如果B先生是3日入住的，那么根据"B和C先生住宿的时间相同"可以推出，B先生就是7日离开的，这个时间和D先生重合，所以B先生是4日入住，8日离开的。

剩下的A先生是3日入住，6日离开，他住宿的时间是4天。

整理之后答案如下：

A先生3日入住，6日离开，总共住宿了4天；

B先生4日入住，8日离开，总共住宿了5天；

C先生1日入住，5日离开，总共住宿了5天；

D先生2日入住，7日离开，总共住宿了6天。

23. 盒子中的两个球

既然3个盒子的标签都贴错了，那说明现在盒子上标着"白黑"的盒子中肯定不是一黑一白，要么是两个黑球，要么是两个白球，除了这两种情况之外没有任何其他的可能。所以，我们只要从这个盒子中随便取出一个球，就可以推断出所有盒子中球的颜色了。

如果我们拿出的是白球，那么说明这个盒子中装的全部是白球，而贴有"白白"的那个盒子中装的就应该是两个黑球，贴有"黑黑"标签的盒子中就应该是一个黑球一个白球；如果拿出的是黑球，那么这个盒子中全部都是黑球了，而贴有"白白"的盒子中就应该是一个白球和一个黑球，贴有"黑黑"标签的盒子中装的就只能是两个白球了。

24. 四个说谎的学生

我们可以根据4个人的8条证词全部都是谎言一点，从侧面推断出8条真实的情况：

① 这4个人中有一个人杀死了教授；

② 甲在离开的时候，教授已经死了；

③ 乙并不是第二个去教授那里的；

④ 乙到达教授住所的时候，教授还活着；

⑤ 丙并不是第三个见到教授的；

⑥ 丙离开教授住所的时候，教授已经死了；

⑦ 凶手是在丁见到教授之后去的；

⑧丁见到教授的时候，教授还活着。

根据上面的信息②、④、⑥、⑧可以看出，乙和丁是在甲和丙之前见到教授的。

根据上面的信息③可以推断出，丁是第二个见到教授的，那么第一个见到教授的人就应该是乙。

根据上面的信息⑤可以推断出，甲是第三个见到教授的，而丙是最后一个见到教授的人。

教授在丁到达的时候还活着，但是在甲离开的时候却已经死了，然后我们再根据上面的信息①可以推断出，杀死教授的人不是甲就是丁。

根据信息⑦可以推断出，凶手就是甲。

25. 做出总结的人

甲、乙、丙都有可能是做出总结的人。

在游戏结束时，"我"的手中有50美元，而游戏过程只是3个人的钱款依次转移了一次，所以游戏开始时他们手中都有50美元。

26. 猜出纸条上的名字

纸条上写的是乙的名字。

这个问题比较简单，我们通过排除法就可以找到问题的答案。我们需要将所有可能的答案都一一列出，然

后进行审查和推导的工作，最后将不符合要求的否定掉。这样一直坚持下去，直到推导出正确的答案。

通过观察此题，我们也可以找到一种更为简洁的解题思路。

通过研究4个人的回答，就会发现甲、丙两人的判断实际上是相互矛盾的，那么他们两个人的观点中必然有一个是正确的，而另外的一个人则是错的。如果甲的判断是正确的，而乙的判断也正确，那么和老师所说的他们中只有一个人是正确的相矛盾，所以甲的判断肯定是错误的，那么自然丙的判断就是正确的。由此可以得知，乙、丁两人的判断也都是错误的。乙的判断和事实相反，那么纸条上就应该是乙的名字。

甲、乙、丙、丁都是采取发现矛盾，然后排除矛盾的方法，从而能够很快找到解题的突破口，同时也可以猜出谁的名字在纸条上。

27. 客轮上的凶手

杀人犯是遗产继承人乔司，他为了能够早日得到遗产，所以没有将尸体扔下大海，因为法律规定，如果某人失踪，在失踪期间其财产不能被继承。

28. 女孩手中的收藏画

答案如图所示：

	最初	送给谁	数量	交换后
茉莉	7幅	贝尔	4幅	5幅
贝尔	5幅	艾达	3幅	6幅
莫尼卡	8幅	茉莉	2幅	7幅
艾达	6幅	莫尼卡	1幅	8幅

29. 推测扑克牌

这3张纸牌从左到右分别是：红桃K、红桃A以及方块A。

我们先来确定左边第一张纸牌。从条件①中得知这张牌应该是K，从条件④中得知这张纸牌是红桃，自然这张纸牌就是红桃K了。

然后我们再来确定右边的第一张纸牌。根据条件②我们可以知道这张纸牌应该是A，根据条件③我们可以知道这张纸牌应该是方块，所以这张纸牌就应该是方块A。

最后，我们来确定中间那张纸牌。根据条件②我们可以知道，或者这张纸牌是A，或者左边第一张是A，已知左边第一张纸牌是K，自然这张纸牌就应该是A。根据条件④可以知道，或者这张纸牌是红桃，或者右边第一张纸牌是红桃。已知右边第一张是方块，所以就可以确定这张纸牌是红桃。

30. 闯祸的小朋友

是丙干的。

乙和丁中肯定有一个是真话，假设乙说的真话，那么这件事情就是丁干的，此时丙的话也同样正确，与已知条件矛盾，所以乙在说谎，而丁说了真话，据此可以判断是丙打碎了哈利太太家的玻璃。

31. 波娣娅的三个宝盒

金盒子和铜盒子上的话是矛盾的，所以两句话中必然有一句是真实的。由此也可以推断出银盒子上的话是假的，因此画像就在银盒子中。

32. 消失的六美元

卖苹果的小贩之所以上当，是因为将局部成立的比例关系的传递性当成了整体成立的比例关系的传递性，从而产生了计算上的错觉。

大苹果和小苹果搭配在一起卖，本身并没有什么问题，关键在于局部的比例关系向整体的比例关系发展的过程中，有没有始终都保持着一种传递性。

任何事情当它们局部成立的比例关系向整体的比例关系发展推广时，此种比例关系并不会一直传递下去，有的时候会存在非传递性。这就需要我们分析一下合理的比例关系会到什么程度。

在这道题目中，将30千克的小苹果按照3千克一份划分出来，就可以分为10组；将30千克的大苹果按照2千克一组划分，这样就可以拥有15组，我们可以将它们以3∶2的比例进行搭配，当组合到第10组的时候，小苹果就已经用完了，剩下的5组10千克大苹果就不能按照之前的3∶2进行搭配，只能按照大苹果的价格去出售。如果将这10千克的大苹果依然按照搭配的方式去卖，自然就会少赚很多钱。也就是说，10千克的大苹果应该卖3（美元）×10（千克）=30（美元）；但是实际上我们只是卖了12（美元）×2（组搭配）=24（美元），这样少卖的6美元就出现了。所以卖苹果的小贩少卖了6美元。

33. 来了十三位客人

这种安排不可能实现，因为旅店老板将2号客人和13号客人混淆了。

假定13号客人被安排在1号房间，然后按照上面的安排方法将1号客人安排进1号房间，那么1号房间实际上有两个人住，然后是2号客人住2号房间、3号客人住3号房间、4号客人住4号房间、5号客人住5号房间、6号客人住6号房间、7号客人住7号房间、8号客人住8号房间、9号客人住9号房间、10号客人住10号房间、11号客人住11号房间、12号客人住12号房间，1号房

间中的13号客人还是没有办法安排。

34. 十二个不同年龄的孩子

因为这12个小孩子的年龄都不相同，所以詹姆斯肯定不是来自于家庭C。因为21-4-13=4，在一个家庭中有两个年龄为4岁的孩子，显然不符合条件。在家庭A中，孩子的年龄总和是41，而且其中还包括一个12岁的孩子，孩子的平均年龄大于10岁，又因为两个孩子相差只有1岁，所以在家庭A中很有可能出现11、12或者12、13，如果包括11和12岁的孩子，那么41-11-12=18=10+8，而10、11、12三个孩子的年龄都相差只有1岁，和条件相矛盾。

如果家庭A的是6、10、12、13，那么家庭C就是1、4、7、9，再根据排除法，那么家庭B就是2、5、8、11或者3、5、8、11。

如果家庭A的是7、9、12、13，那么C家庭就应该是1、4、6、10，再根据排除法，那么家庭B的就应该是2、5、8、11或者3、5、8、11。

整理之后答案如下：

詹姆斯是家庭A的小孩，每一个家庭的孩子年龄有如下两种可能：

第一种可能：

家庭A是6、10、12、13；

家庭B是2、5、8、11或者3、5、

8、11；

家庭C是1、4、7、9。

第二种可能：

家庭A是7、9、12、13；

家庭B是2、5、8、11或者3、5、

8、11；

家庭C是1、4、6、10。

35. 对号三位新娘

三妹是大哥的新娘、大姐是二哥的新娘、二姐是三弟的新娘。

36. 桌上的扑克牌

A拿的是1和9，B拿的是4和5，C拿的是3和8，D拿的是2和6，剩下的牌为7。

37. 三位同班同学

甲是小组长、乙是班长、丙是学习委员。

根据"丙比组长的年龄大"可以知道，丙不是组长，而且他的年龄大于组长。

根据"学习委员比乙的年龄小"可以知道，乙不是学习委员，而他的年龄大于学习委员。

根据"甲和学习委员年龄不相同"可以知道，甲不是学习委员。

甲和乙都不是学习委员，那么丙肯定就是了；而年龄方面，乙大于学

习委员、丙大于组长，根据这个顺序可以知道乙不是组长，而是班长，剩下的组长是甲。

38. 五位先生

老实人是A和C。

假设B是老实人，那么颠倒C的话之后，E就成了老实人。E所说的话也就成了实话，即A和D均为老实人，这超过了只有两个老实人的限制。

假设D是老实人，将A的话颠倒之后，B为老实人，但是按照D的说法，B应该是骗子，产生了矛盾。

假设E是老实人，按照他的说法，A和D也是老实人，这样就有3个老实人了，也和已知条件矛盾。

排除了以上3个人，则剩下的A和C就是老实人。

39. 兔子难题

有8条直线上有3只兔子、有28条线段上有两只兔子。

拿走3只兔子之后，按照题目中的要求，可以如下图排列兔子：

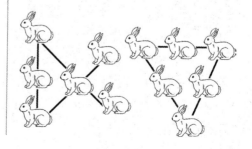

40. 三位先生的职业

杰米是木匠，乔伊尔是瓦匠，劳尔是鱼贩。

根据提示①可知，乔伊尔不是鱼贩；根据提示②以及"杰米住在中间"的题干可知，乔伊尔不会去敲劳尔的墙，所以他也不是木匠，而是瓦匠。劳尔不是瓦匠，也不是木匠，则他是鱼贩。

41. 即将出租的车

罗孚停在位置5（提示①）；根据提示④可知，沃尔沃不在位置2、3、4上，所以它一定在位置1。

因为欧宝汽车是黄色的，位置3上是白色汽车（提示③），而停在位置5的罗孚汽车又不可能是棕色（提示⑤）或红色（提示②），所以，罗孚汽车一定是绿色的。

根据已知条件，位置4上不可能是罗孚或沃尔沃，也不可能是福特（提示②）或丰田（提示⑤），而位置3的车是白色的（提示③），所以，位置4停的应该是黄色的欧宝。

根据提示⑤可知，棕色汽车停在位置2，而位置1上的沃尔沃一定是红色的。

最后，由提示②得出，停在位置2的棕色汽车是福特；由提示⑤得出，停在位置3的白色汽车是丰田。

整理之后答案如下：

红色沃尔沃停在位置1；

棕色福特停在位置2；

白色丰田停在位置3；

黄色欧宝停在位置4；

绿色罗孚停在位置5。

42. 四个枪手的得分

首先，甲的情况有可能存在。因为他总共射击了6次，得到了8分，只要最多的一次射中3分，其他的都得1分，就可以满足这个条件，也就是1、1、1、1、1、3，这6枪。

其次，乙的情况根本不可能存在。因为6枪都击中，就算每次都是最高分9分，那加起来也不过是54分，和他的56分还是不等同。

再次，丙的情况也有可能存在。从他的总分28分来看，可以有两次得分是在最高分9分，如果是3次，那么这3枪就得到了27分，其他3枪就算是只得到了3分，那也超过了28分。如果他击中了两次9分，那么他的成绩有3种情况：

9、9、7、1、1、1；

9、9、5、3、1、1；

9、9、3、3、3、1。

如果他只击中了一次9分，那么就有如下的6种情况：

9、7、7、3、1、1；

9、7、5、5、1、1；

9、7、5、3、3、1；

9、7、3、3、3、3；

9、5、5、5、3、1；

9、5、5、3、3、3。

如果他一次都没有击中最高的9分，那么也有7种情况：

7、7、7、5、1、1；

7、7、7、3、3、1；

7、7、5、5、3、1；

7、7、5、3、3、3；

7、5、5、5、5、1；

7、5、5、5、3、3；

5、5、5、5、5、3。

所以，丙的得分是可能的，而且一共有16种可能。

最后，丁的情况也不可能存在。因为靶子上的分数都是奇数，6个奇数相加得到的必然是偶数，所以他根本不可能得到27分。

43. 伯莱的职称和性别

伯莱是一名女助教。

首先，由于教授和助教的总人数是16，从条件①和④得知，助教至少有9名，男教授最多是6名。

根据条件②可知，男助教必定不到6名。根据条件③可知，女助教比男助教少，所以男助教必定超过4名。

男助教多于4名少于6名，故男助教必定正好是5名。因为男助教比女助教多，所以男女助教总的人数一定不超过

9名，从而正好是9名，包括5名男性和4名女性，于是男教授则不能多于6名。

由此来看，如果伯莱是一名男教授，就会与条件②矛盾；如果是一名男助教，就会与条件③矛盾；如果是一名女教授，将她排除在外，就等于将唯一的一名女教授排除在外，就会与条件④矛盾；如果是一名女助教，就符合所有条件。因此，伯莱是一位女助教。

44. 霍华德的未婚妻是谁

由提示①、③、④可得，米歇尔、莎露一定小于30岁，莉莉和温蒂有一个人小于30岁，根据条件⑦可知，霍华德不会娶米歇尔、莎露。

由提示②、⑤、⑥可得，蜜莎和温蒂的职业是秘书，莉莉和莎露有一个人是秘书，根据条件⑦可知，霍华德不会娶蜜莎、温蒂。

所以，霍华德的未婚妻是莉莉。

45. 种柳树

可以按照下图的方法种植：

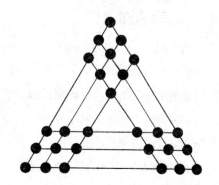

46. 老师挑了一张什么牌

方块5。

B同学只知道点数，却不能确定花色的只有A、4、5、Q这几张牌。而C同学知道B同学不知道，而C同学知道花色，那么这个花色应该只包括这4张牌或其中的几张，这时只有方块和红桃符合条件。这时候B同学又知道了这张牌是哪两种花色，但是B同学却能确定这张牌是什么，这时只剩下方块5符合条件了（因为如果是A的话他不能确定是哪种花色，而之后C同学也知道了，说明除去A后此花色只有一张牌，只能是方块5）。

47. 找出错误

选C。

根据条件①可得，其余的4种颜色：黄、绿、蓝、白为两组互为对色的颜色；又由条件②、③可得，白色与黄色为对面，蓝色与绿色为对面。所以选C。

48. 聪明的油老板

现在朋友手中的油瓶是4升的，而戈梅斯想要的正好是4升油，所以老板可以满足戈梅斯的要求，将倒到朋友油瓶中的油再倒入戈梅斯的油瓶中，这样戈梅斯就可以得到自己的4升油了。

此时桶中还剩下18升油，老板将桶中的油倒入朋友的油瓶中，当桶中的油只剩下桶容量的一半时停止。这个桶是一个能够装30升油的圆柱体，所以它的一半也就是15升，而老板就可以知道倒往对方油瓶中的油正好是3升。

49. 老钟表匠收徒弟

新徒弟排列钟表的方式如下：

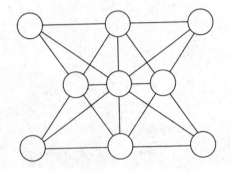

50. 愚蠢的划船人

从划船人划船的姿势来看，船所行驶的方向和划船人的面部方向其实是相反的。所以向着桥急速划来的那个男人是背向着桥身的，他又怎么能够看到桥上发生的一切呢？

51. 扑克牌游戏

第一种的可能性更大一些。

为了便于解说，我们将6张牌从1到6进行编号，假设5号牌和6号牌是K。如果我们从中取出2张的话，有如下可能：

①1，2；②1，3；③1，4；④1，

5；⑤1，6；⑥2，3；⑦2，4；⑧2，5；⑨2，6；⑩3，4；⑪3，5；⑫3，6；⑬4，5；⑭4，6；⑮5，6。

在这15种可能中，其中有9种含有K，也就是说至少有1张牌是K的可能性占到9/15，而没有出现K的可能性是6/15。

52. 八张纸牌

第一张纸牌是K，第二张纸牌是J，第三张纸牌是A，第四张纸牌是Q，第五张纸牌是J，第六张纸牌是K，第七张纸牌是J，第八张纸牌是K。

53. 四位仓库管理员

作案者是甲和丁。

54. 一场万米比赛

丙的说法对。

通过前面的比赛我们知道，第二名的速度快于第三位，所以他跑完5圈用的时间要少于第三位跑完5圈的时间。

55. 三个开关的辨别

先走进那个有开关的房间，然后分别对3个开关进行编号：A、B和C。将A开关打开10分钟，然后关闭，再打开B开关，然后马上走进有灯的那个房间，哪盏灯亮着，哪盏灯就是由B开关控制的。然后用手摸一下剩下的两盏灯，稍微热一点的那个灯自然就是由A开关控制的，冰凉的那个则是由C开关控制的。

56. 捉鱼的小猫

白猫捉到2条鱼，花猫捉到3条鱼，黑猫捉到3条鱼。

假设花猫的话是假的，那么花猫捉到的鱼少于白猫。则白猫就只捉到了1条鱼，花猫没有抓到鱼，显然与题干矛盾。所以花猫的话是真的，花猫捉到的鱼多于或等于白猫，白猫捉到的不可能是1条鱼。

假设黑猫的话是假的，黑猫捉到的鱼少于花猫。则花猫捉到了2条鱼，黑猫捉到1条，则白猫的话成了假的，而且必须白猫捉到的鱼少于黑猫，这个结论与前面的题干矛盾，此种假设不成立。

据此可知黑猫的话是真的，黑猫捉到的鱼多于或等于花猫，花猫捉到的鱼不可能是2条。

根据上面的两种假设，有如下两种情况存在：

① 白猫捉到2条鱼，花猫捉到3条鱼，黑猫捉到3条鱼。

② 白猫捉到3条鱼，花猫捉到3条鱼，黑猫捉到3条鱼。

如果②成立，那么，白猫和黑猫捉到的鱼是相等的，但是，白猫又撒了谎，所以②无法成立，正确答案是①。

57. 聪明的警探

作案的时间应该是2点12分。

短针走一刻度相当于长针的12分钟，所以当短针指着某一个刻度的时候，长针肯定就有0分、12分、24分、48分、56分这几个位置。通过对两根针的位置比较就可以得出答案。

58. 挑出最佳的侦查员

最终是选择了A、B、C和F去。

59. 气象员死于大树下

当警察看到这顶帐篷是支在大树下面时，他就肯定死者是被害死的。因为死者是一个非常有经验的老气象员，他肯定知道如果将帐篷支在大树下面，一旦天气发生变化，雷雨来袭，那是非常危险的，因此，他不可能这样做。

60. 两位好友的证词

考拉死于谋杀。

考拉的死因不外乎3种：意外事故、自杀和谋杀。已知警方的两个假设都是正确的，所以，如果安安和贝思迪都说真话，那么考拉死于意外。但贝思迪肯定考拉不是自杀，就是被谋杀，所以，安安和贝思迪不可能都说真话，她们之中必有撒谎者。

这样根据警方的假设②可知，考拉不是死于意外，她不是自杀就是被谋杀。这就说明贝思迪的话正确，安安撒谎。由此可以推出"这是谋杀，但不是贝思迪干的"，所以考拉应该死于谋杀。

61. 找出最高的那一个

乙最高。

首先，丁不可能说谎，要不然就没有人是最矮的了；既然丁的说法是对的，那么乙的说法自然也是对的；而甲的说话不可能是对的，因为如果甲说对了，那么丙也应该说对，最终和题干中"只有一个人的话是不对的"相矛盾。于是个子最高的肯定是乙。

62. 不同国家的选手

选C。

通过条件②和条件③可以知道，肯尼亚选手不是乙也不是丙，那么他肯定是甲；再根据条件①可知，肯尼亚选手优于德国选手；根据条件②可知，乙成绩优于甲，即美国选手优于肯尼亚选手。

由此可知，选项C是正确的。

63. 对电梯的设置

停法可以按照下面的这张图，其中圆圈表示的就是这一层需要停，而箭头表示的则是这层楼不停。

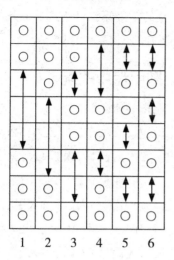

64. 系着圆牌的五个男人

D的额头上系的是白色的圆牌。

具体的推理过程是这样的：假如E的话是真的，那么他的额头上就应该是白色的圆牌，而A、B、C、D 4人头上的同样也是白色的圆牌，那么他们应该都说："我看见了4块白色的圆牌。"但是他们都没有这样说，那么可以断定E的话是假的，而E额头上系的则是黑色的圆牌。

假如B说的是真话，那么他额头上就应该是白色的圆牌，那么除了B之外的其他人都应该是黑色的圆牌才对，显然这种说法和C的说法有所矛盾，那么B的话也是假话，他头上系的也应该是黑色的圆牌。

假如A说的是真话，那么他的额头上就应该是白色的圆牌，那么除了A之外，其他的3个人就应该是系着白色的圆牌，只有1个人系着黑色的圆牌。但是根据前面的推论，我们已经知道B和E都是黑色的圆牌，那么A的话就不可能是真实的，他所系的应该是黑色的圆牌。

如果C的话是假话，那么他的额头上就应该是黑色的圆牌，而D就应该也是黑色的圆牌。那么B所说的"我看见了4块黑色的圆牌"显然就成了真话，但是前面已经推断过B的话是假话，所以，C的话是真话，他不可能说假话。既然A和B都是假话，那么D就应该是白色的圆牌了。

65. 五颗致命的大钻石

经法医鉴定，斯科尔斯先生和艾伦小姐都携带有霍乱病毒。当时澳大利亚并没有发现霍乱，如果艾伦小姐没有去过南非，又没有见过斯科尔斯先生，就不可能染上霍乱病毒。因此，艾伦小姐肯定见过斯科尔斯，当她看到5颗钻石的时候就心生歹念，杀死了斯科尔斯先生，盗走了钻石。

66. 拐弯处的尸体

首先要注意一个问题，尸体是在火车道的一个拐角处发现的，而凶手的家和公司之间其实有一条公路，公路通过了铁路上面的天桥。此时你应该明白凶手是如何作案的了吧？其实凶手就是将尸体扔到了行驶的火车上，当火车经过转弯的地方时，因为向心力的原因，自然会将尸体抛出来，自然也就造成了这种弃尸荒野的假象。

67. 宿舍中四个人的行为

A在上网、B在看书、C躺在床上、D在听歌。

根据描述①、②、④可以知道，D其实是在听歌；根据描述③可以推断出A没有躺在床上，那么A就是在上网；既然A是在上网，那么再根据描述②可以知道，B在看书。通过排除法可以确定剩下的C是躺在床上。

68. 脚上的泥土

如果死者是死亡前，即一个小时前自己走到冰面上的话，那么他鞋子上的泥巴会被大雪盖住甚至冻住，不可能会是湿润的。

69. 箩筐到底是谁的

箩筐在华尔斯的拍打下掉下了一些碎米，说明这个箩筐之前装过米，由此可以判断箩筐是斯米尔女士的。

70. 工整的字迹

试想一下，当时那只邮轮正在大海上颠簸，那名死者怎么可能写出那么工整的字迹呢？显然这是乘务员事先准备好的。

71. 搬甲盘中的碗

搬的步骤如下：

1入丙、2入乙、1入乙、3入丙、1入甲、2入丙、1入丙、4入乙、1入乙、2入甲、1入甲、3入乙、1入丙、2入乙、1入乙、5入丙、1入甲、2入丙、1入丙、3入甲、1入乙、2入甲、1入甲、4入丙、1入乙、2入乙、1入乙、3入丙、1入甲、2入丙、1入丙。

72. 找出数字规律

选D。

这道题看着比较乱，每一个数字中又有整数部分，又有小数部分。遇到这种题目的时候，我们可以将整数部分和小数部分分开。

我们先来看小数部分，分别是0.1、0.2、0.3、0.4、0.5，那么自然括号中数字的小数部分应该是0.6了，这是一个自然数列。我们再来看整数部分，会发现后面一个数字的整数部分是前面那个数字整数部分和小数部分数值的和，也就是2=1+1，4=2+2，7=4+3，11=7+4，那么括号内的数字就是16了，也就是11+5=16，则第六组的数字是16.6。

73. 失踪了的凶器

　　勒死死者的凶器就是死者身上的长头发。

　　死者的头发被编成了一条长长的辫子，和死者一起淋浴的凶手用死者长长的辫子将死者勒死了。

74. 停电当晚

　　管理员知道妮儿可是一名盲人，所以她从来不乘坐电梯，她每天都是走楼梯，而停不停电对她来说没有任何影响，倒是那名男子因为经常乘坐电梯，所以停电对他走楼梯有很大影响。

75. 百密一疏

　　滨特尔说他除了电话什么东西都没有动过，而且还说奥利特是拉开抽屉，拿出手枪向他射击的，但是就算奥利特做事非常细致，在这种情况下也不可能先关上抽屉再射击。

　　霍斯金在放手枪的时候，发现抽屉是关着的，显然滨特尔撒谎了。

76. 设计图

　　设计图可以像下图一样：

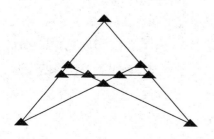

77. 悬赏启事的秘密

　　亨得利当然是偷表人，因为寻表启事中并没有将乔科尔医生的地址和姓名写进去，只是留下了电话号码。如果亨得利不是偷表人，那他应该打电话才对，怎么可能直接"登门拜访"呢?

78. 监守自盗的女管理员

　　卡尔杰斯自始至终都没有提过电报的事情，而女管理员自己却说了出来，说明画就是她偷的，然后她给卡尔杰斯拍了电报。

79. 抓虫子的小鸟

　　黄色鸟抓到4厘米长的红色虫子；白色鸟抓到3厘米长的黑色虫子；黑色鸟抓到6厘米长的红色虫子；绿色鸟抓到5厘米长的黑色虫子。

80. 如何下蛋

　　母鸡能在格子里下12个蛋。

81. 智破绑架案

绑匪是那条路上派发普通邮件的邮差。

因为在没有门牌和真实姓名的情况下，只有邮差能顺利拿到钱，但挂号就不行了，所以他要求用普通邮件。

82. 中间房间的人是谁

奈特。

根据条件①，每个人的三爱好组合必是下列组合之一：

A. 蓝莓汁，兔，格瓦；

B. 蓝莓汁，猫，蓝带；

C. 柠檬汁，兔，蓝带；

D. 柠檬汁，猫，格瓦；

E. 蓝莓汁，兔，蓝带；

F. 蓝莓汁，猫，格瓦；

G. 柠檬汁，兔，格瓦；

H. 柠檬汁，猫，蓝带。

根据条件⑤，可以排除C和H。于是，根据条件⑥，B是某个人的三爱好组合；

根据条件⑧，E和F可以排除；

再根据条件⑧，D和G不可能分别是某两人的三爱好组合；因此A必定是某个人的三爱好组合；

然后根据条件⑧，可以排除G；于是余下来的D必定是某个人的三爱好组合。

既然这三人的三爱好组合分别是

A、B和D，根据条件②和③可知乔丹和安东尼都住在三组合爱好是A的人的隔壁，所以中间房间的人是奈特。

83. 朋友之间的牵制

如果哈利是诚实的，那么哈利的回答就是正确的，则贝瑞也是诚实的。因为贝瑞说杰森撒谎了，则杰森在撒谎，而经常撒谎的杰森肯定会说："哈利在撒谎。"

如果哈利在撒谎，则其所说的话也是谎话，那么贝瑞也在撒谎，而根据贝瑞的话可以推断出杰森是个诚实的人，则杰森的回答是："哈利在撒谎。"

无论任何情况下，杰森的回答都是："哈利在撒谎。"

84. 两个聪明的儿子

书中夹有4张2元邮票。

因为总面值是8元，如果只有2张邮票，且都是4元的话，那么就没有让儿子猜的必要，所以书中至少有3张邮票，那么总共有两种可能：4张2元或者2张2元及1张4元。

如果是后面这种情形，那么两个儿子至少有一个人看到的是1张4元、1张2元，因为总面值是8元，那么这个人可以立即推断出书里面是2张2元、1张4元。但是两个儿子都有短暂的沉默，那说明应该是前面的那种情况，即书里夹的是4张2元邮票，他们看到的都是这种面值的邮票。

85. 目击者的谎言

当时天空下着大雪，目击者在餐馆中待了两个小时才去的车里，此时他的车窗上应该有很厚的雪才对，如果他不擦掉的话，又怎么可能看到外边的情况呢？

86. 女士的钻戒

妮可2枚，凯勒2枚，苏菲2枚，安娜4枚。

因为4位女士一共有10枚钻戒，所以如果妮可说的是真话，那么苏菲说的也是真话。假话亦然。如果凯勒说的是真话，那么安娜就是在说谎。反之亦然。

假设妮可、凯勒、苏菲说的是真话，则凯勒与安娜都有2枚钻戒，假设不成立。假设妮可、苏菲、安娜说的是真话，则妮可和凯勒都有2枚钻戒，假设不成立。

假设妮可、苏菲说谎，则妮可、苏菲、凯勒各拥有2枚钻戒，安娜拥有4枚钻戒，假设成立。

87. 鲸鱼们的对话

A住在1100米，B住在1200米，C住在800米，D住在900米，E住在1000米。

88. 失踪了的箱子

6年之后的斯坦尔斯已经长大了，步子也变大了，当年30步的距离和现在30步的距离不相同。

89. 四个同学之间的惨案

C毒死了D。

假设C的话是假的，那么A和B说的话就是真的。所以A和B的话是真的，而C说了假话。我们从A、B两人的话中可以推断出B和D相对，A在B的左边，也就是说A、B、C、D逆时针而坐，如下图。根据证词可以知道A和B不是凶手，所以C是说谎者，也是凶手。

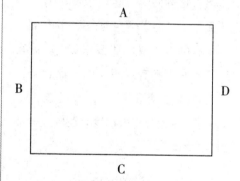

90. 扑克牌找真凶

"牌"和"π"发音相近；"K"顺时针旋转90°之后形状也类似于"π"。π的值是3.1415926……，一般情况下都是取3.14。

数学家是以此来提醒人们，凶手在314房间。

91. 杰克在说什么

杰克说的是字母"e"。

92. 找到正确的门铃按钮

按照告示的内容，一一标记好A到E的位置，这样就能轻易看出正确的按钮是自左向右数的第五个。假设F为正确的按钮，那么A到F的位置依次为D–E–C–A–F–B。

93. 逻辑否定

选B。

这个问题是一个关于"否定"的命题判断。就像是数学逻辑一样，在作出否定的同时，也应该将"有"与"无"、"且"与"或"、"全部"与"有的"互换。那么，我们就能得出"所有人都有逻辑"的否命题是："有的人没有逻辑"。假设题设成立，那么A（所有人都没有逻辑）也被B选项所包含。

94. 推测小狗的年龄

甲2岁、乙4岁、丙3岁、丁1岁。

假如丙说了假话，那么丙就比甲年龄小，而甲又是1岁，显然这无法成立。所以丙的话为真话，即甲不是1岁，且丙比甲的年龄大。

如果甲说了真话，那么乙就是3岁，而甲就应该是4岁，这显然和上面

的分析矛盾，所以甲的话是假的，乙也不是3岁，甲比乙的年龄小。

根据这两条判断就可以推测出4只小狗的年龄了。

95. 不翼而飞的邮票

窃贼用纸口袋装来一只他养的信鸽，并利用信鸽将偷到的邮票带回了家。

96. 三条路的选择

小孩子选择走第三条路就可以离开迷宫。

假如，第一个路口上的话是真的，那么这就是迷宫的出口；如果第二个路口上的话也是真的，那么这和第三个路口上的话相违背。如果说第一个路口的话是假的，而第二个路口的话是真的，那么就没有出口了。所以真正的出口是第三条路。

97. 办公室里的同事

丙和丁。

如果甲加薪，推导出甲乙丙丁全都加薪，与事实不符；如果乙加薪，推导出乙丙丁全都加薪，也与事实不符。排除甲、乙后，最终只能是丙和丁加薪。

98. 修理店的汽车

根据提示④得出4号汽车是深蓝色的，而根据提示①则可以得出灰色奥迪并非1号汽车，而是2号或3号汽

车，且根据提示③可以得出，汽油泵旁的另一辆车肯定是丰田汽车。既然4号汽车不是奔驰（提示④），那么，肯定是宝马，且不归甲所有（提示③）。同时，甲的汽车不可能是奥迪或丰田，因为根据提示③，这两辆车都在汽油泵旁。所以，甲的汽车肯定是奔驰，且一定是1号汽车。根据提示①，灰色奥迪是3号汽车，丙的汽车是2号，且是丰田，并且，根据提示③得出它并非绿色的，因此一定是浅蓝色的。最后，得出甲的奔驰牌汽车是绿色的。根据提示②，得出丁的汽车肯定是灰色奥迪，而乙的汽车是深蓝色宝马。

整理之后答案如下：

1号是甲的绿色奔驰；

2号是丙的浅蓝色丰田；

3号是丁的灰色奥迪；

4号是乙的深蓝色宝马。

99. 珠宝在哪个箱子里

应该打开第二个箱子。

如果第一个纸条上的是真实的，那么第二个纸条上的话也应该是真实的，但是两个纸条明显是自相矛盾的。所以可以判断第一个纸条内容是假的。

因此，第一个纸条上的话有3种可能：前半部分是假的、后半部分是假的、全部都是假的。

如果前半部分是假的，那么珠宝就应该在第一个箱子里，而且第二个纸条上的话是假的。此时根据第二个纸条的判断，珠宝应该在第二个箱子里，两者矛盾。

如果后半部分是假的，那么，珠宝就应该在另一个箱子里，而且第二个纸条上的话是真实的，可以判断珠宝在第一个箱子里，这也矛盾。

如果第一个纸条上的话全部都是假的，那么珠宝就应该在第二个箱子里，再根据第二个纸条上的话，可以确定珠宝的确在第二个箱子里。

100. 三个嫌疑人

假如C作案的话，A为从犯；如果C没有作案的话，因为B不会开车，所以B不可能单独作案，所以A一定卷入了此案中。

101. 失窃的海洛因

实习医生的嫌疑大。因为瓶子上贴着化学式，显然他的嫌疑要比青年农民大很多。

102. 错乱的标签

假设四个标签分别是RRR、RRW、RWW和WWW（R=Red，W=White）。从题目中可以得出，甲盒子上的标签可能是RRR或RRW，假定标签是RRR，那么由于标签是错的，甲能够立刻推断出他盒子里的另外一只兔子是白色的。

那么乙的标签肯定是RRW（故他能够推断出第三只兔子的颜色）。那么丙的标签不是RWW，就是WWW，他应该能够推断他盒子里第三只兔子的颜色（如果是WWW，就是红色，如果是RWW，就是白色）。但事实上丙没有说出第三只兔子的颜色，因此甲的标签应该不是RRR，而是RRW，即他盒子里3只兔子都是红色的。

那么乙的标签只可能是RWW，他的盒子里有2只红色兔子，1只白色兔子。如果丙的标签是WWW，他应该知道第三只兔子的颜色，因此他的标签是RRR。丁的标签是WWW。经过上面的推断，我们已经知道了8只兔子的颜色（5红3白），那么丙的兔子只可能是3白或者1红2白。由于他的标签是错的，那么他的兔子只有可能是1红2白，而丙的第三只兔子是白色的。

103. 九块石头

后取的人会赢得比赛。

总共有3种可能：

第一种，当先取者第一次取出1块石头的时候，后取者可以跟着取1块石头；先取者再取出1块石头，后取者可以取4块石头；此时还剩下2块石头，那么最终后取者获得胜利。

而当先取者第一次取出1块石头，而第二次取出3块石头时，还剩下4块石头，还是后取者胜利。如果先取者第二次取出4块石头，还剩下3块石头，同样是后取者胜利。

第二种，先取者第一次就取出了3块石头，那么后取者可以先取1块石头，此时剩下了5块石头，无论先取者第二次取几块石头，最终的胜利者还是后取者。

第三种，先取者第一次取出4块石头，后取者可以先取出3块，剩下了2块石头，那么还是后取者胜利。所以，无论先取者第一次取出几块石头，最终的胜利者都是后取者。

104. 四个人身后的旗帜

乙和丁的身后是红旗。

如果丙的话为真，那么甲和乙应该说真话，但是他们的话相互矛盾，所以丙应该说了假话。如果甲的话为真，那么其他3个人就说了假话，但是乙看到的是一面红旗和两面黄旗，相互矛盾，所以甲也说的是假话。如果乙说了假话，那么其他3个人身后都是黄旗，如果丁身后是黄旗的话，那么甲说的是真话，这不可能；如果丁身后是红旗，那么乙说的是真话。所以乙和丁的身后是红旗。

105. 奇怪的姐妹

假设当时是下午，姐姐在下午说假话，虽然我们不清楚哪一个是姐姐，但是我们知道姐姐应该说："我不是姐姐。"但是她们的回答中没有这个答案，那么显然当时是上午。既然确定时间是上午，那么姐姐应该说真话，所以可以知道胖的那位小姐是姐姐。

106. 下周要考试

首先，肯定不会在星期五考试，因为到了星期四还没有考试的话，同学们就能够猜测出是在星期五考试。

其次，也不会在星期四考试，当同学们知道星期五不会考试的话，那么如果星期三没有考试，就只剩下了星期四和星期五，同学们也可以推断出是星期四考试。

最后，根据相同的道理，可以推断出星期三、星期二和星期一都不可能考试，所以老师所说的考试根本就不可能进行。

107. 谁是智者

乙是智者。

假设甲是智者，则他通过了数学考试，而其他两人应该通过英语考试，但这与丙所说的话矛盾；假设丙是智者，则他通过了英语考试，而其他两人应该通过数学考试，但这又与乙所说的话矛盾，故乙是智者。

108. 三位美女

黑发美女是常人，茶色头发的美女是天使，金黄色头发的美女是魔鬼。

首先，可以确定黑发美女不是天使，因为天使只能说真话，而她又否认自己是天使，所以可以推断出她不是天使；同时黑发美女不是魔鬼，推理过程如上；所以黑发美女是常人。

茶色头发的美女不是常人，同时她也不是魔鬼，要不然她所说的"我不是常人"就成了真话，而魔鬼不会说真话，所以茶色头发的美女是天使。剩下的那位就是魔鬼了。

109. 四辆碰碰车

格里斯驾驶着1号车（提示④），杰斯李驾驶着2号车（提示⑤），一个男孩在黄色的3号车上（提示②），再根据提示③可知，米奇·布西必然在4号车上。

已知黄色的3号车不是格里斯和布西在驾驶，而布拉格驾驶的是一辆蓝色的车（提示①），则黄色车一定是邱吉思在驾驶。

根据这些条件，我们可以得出，杰斯李的姓氏是布拉格，他开的车是蓝色的。再根据提示①可以推断出，琼斯的姓一定是格里斯，驾驶1号车。剩下的乔治驾驶3号车。

米奇驾驶的不是红色的车（提示③），则一定是绿色的，剩下的红色碰碰车由琼斯·格里斯驾驶。

整理之后答案如下：

1号车为红色，由琼斯·格里斯驾驶；

2号车为蓝色，由杰斯李·布拉格驾驶；

3号车为黄色，由乔治·邱吉思驾驶；

4号车为绿色，由米奇·布西驾驶。

110. 接受训练的女孩

成为预言家的是A，B成为了宫廷侍女，C成为了竖琴演奏家，D成为了职业舞蹈家。

最终C没有和叫阿特克赛克斯的男人结婚。

111. 撒谎村来的打工者

丙。

解开此题的关键在于甲那句大家没有听清楚的话。

如果甲是从撒谎村来的，她肯定会说："我不是从撒谎村来的。"如果她不是从撒谎村来的，她也会说这句话。所以，乙照原样复述了甲的话，这说明乙不是从撒谎村来的。丙咬定乙是从撒谎村来的，那么丙就是从撒谎村来的。

112. 采花女

女孩甲采了0束，女孩乙采了1束，女孩丙采了3束。

只有女孩丙说了真话，从3个女孩的话中就能判断出来。其中，女孩丙采了3束，那么女孩甲或女孩乙采了1束。根据女孩甲撒谎说自己采了1束花可以得出，女孩乙采了1束，女孩甲一束都没有采。

113. 唱歌表达爱意

帕克和玛丽是在给摩托车加油时认识的，他准备给她唱"We Are Never Ever Getting Back Together"；

乔哈特和琳达是在买黄瓜时认识的，他准备给她唱"Inaudible Melodies"；

西姆和露西是在看足球赛时认识的，他准备给她唱"Don't Know Why"；

费迪南德和艾玛是在买香烟的时候认识的，他准备给她唱"When You Say Nothing At All"；

查理和克丽丝是在葡萄酒厂认识的，他准备给她唱"You And Me"。

114. 真假话辨别

这桶水可以喝。

试想一下，题干早已说明，男孩和女孩之间只有一个人会说真话，而事先早已说明过"晴朗的午后"，也即是说，小男孩认可安琪的"天气不错"，表明小男孩就是会说真话的那一个，由此可以判断小男孩之后的回答也是真话，即桶里的水能喝。

115. 火星人和水星人

强尼和杰森是火星人；比伯、卡特和米斯里是水星人。

116. 谁是撒谎女子

已知条件中，B和D的话是矛盾的，所以她们之中必然有1个撒了谎。假设B说的是真话，那么D的话就是假的，根据B的话可以判断C是喜欢撒谎的女子，而D戴着玛瑙戒指，但是这样C的话也成了真话。

所以，可以断定B的话不是真的，C也不是撒谎的女子。因为C的话是真的，可以推断出D戴着玛瑙戒指，说的是真话，由此可以推断出B是喜欢撒谎的女子。

117. 淘气的鹦鹉

罗思尔来自A国，丽娜来自B国，艾米斯来自C国。

通过对话，可以看出丽娜和艾米斯的话是完全矛盾的，所以肯定它们其中1个说的是真话，而另外1个说的是假话。

如果丽娜说的是真话，那它就来自A国，则罗思尔来自B国，说的是假

话，剩下的艾米斯来自C国。这与题干相矛盾；如果丽娜说的是假话，那它就来自B国，则罗思尔要么来自A国，要么来自C国。如果它来自A国，则它说的话是真话，艾米斯来自C国，符合题意；如果它来自C国，则它的两句话必有一句是假话，这都与题干相矛盾。

118. 玩游戏的女孩

萨拉持有红色筹码（提示③），珍妮没有用黄色筹码（提示②），持蓝色筹码的女孩掷出了4点（提示⑤），由此能够推断出，珍妮用的是绿色筹码。

根据提示⑤可知，安琪儿没有用蓝色筹码，是艾玛在用，而安琪儿用的是黄色筹码。

掷出4点的艾玛不可能坐在位置4上（提示①），坐在位置2的玩家掷出了5点（提示④），所以，艾玛只能坐在位置1或者3，而提示⑥明确说明艾玛没有坐在位置3，所以她一定是坐在位置1。

掷出3点的珍妮不在位置1和2，而她又不可能坐在位置3（提示①），所以她一定坐在位置4。根据提示②可知，用黄色筹码的安琪儿坐在位置3。剩下的萨拉就是坐在位置2掷出5点的人，掷出1点的人是安琪儿。

整理之后答案如下：

艾玛坐在位置1，使用蓝色筹码，掷出4点；

萨拉坐在位置2，使用红色筹码，掷出5点；

安琪儿坐在位置3，使用黄色筹码，掷出1点；

珍妮坐在位置4，使用绿色筹码，掷出3点。

119. 帽子颜色决定命运

A推断的过程是这样的：假如自己戴着白帽子，那么B就会看到1顶白帽子和1顶黑帽子，同样C看到的也是1顶白帽子和1顶黑帽子。但是B和C都没有被释放，也就是说B知道C没有看到2顶白帽子，可以推断出B戴的是黑帽子，同样C也能够推断出自己戴的是黑帽子，这样B和C就可以被释放，但是现在他们都没有被释放，那么A就可以大胆推断自己戴的是黑帽子。

120. 居然有半张唱片

这道题会很容易让人陷入"东西的一半然后再加上1/2，不可能等于一个整数"的思维陷阱中，如果我们陷入这个思维之中，那么我们就真的无法解决问题了。

其实问题的关键在于：奇数唱片的一半，然后再加上半张唱片，那么就正好是一个整数。

因为李米斯在最后一次送出唱片之后只剩下了一张唱片，所以他在给吴晓明之前，至少有3张唱片。3的一半再加上1/2，岂不等于2？所以李米斯最后一次送出了两张唱片，如果我们倒算回来的话，就会知道李米斯原本有7张唱片。

121. 酒吧在哪里

酒吧。

首先，通过提示③可知，面包店与花店在商业街的同一边；其次，通过提示④、⑥可知，6号店与文具店在商业街同一边，4号店与花店、面包店在同一边；最后，通过提示①、②、⑤可知，1号店与面包店相对，在6号店旁边。因此，可以得出1号店是酒吧。

122. 他是如何猜到的

红色。

周围的6个人只能看到其他5个人头上的头巾颜色，由于中间那个小朋友的阻挡，每个小朋友都没有办法看到与自己正对面的小朋友头上的头巾颜色，他们无法判断自己头巾的颜色，说明他们所看到头巾的颜色是三红两黑。剩下一黑一红是他们和自己正对着的人的头巾颜色，这就说明处于正对面的两个人都包着颜色相反的头巾，那么中间的人就只能包红色。

123. 帽子的颜色

蓝色。

如果安德烈和杰米的帽子都是红色，因为一共只有两顶红帽子，那么罗恩应该能立马猜出答案，说出自己帽子的颜色是蓝色。因此，安德烈、杰米的帽子至多有一顶是红色。接下来，因为杰米看得到安德烈的帽子，所以，如果安德烈戴的是红色帽子的话，杰米就能猜出自己帽子的颜色是蓝色。由此可知，安德烈戴着的帽子是蓝色的。

124. 故意布置的现场

后面出现的那名男子就是凶手。

在停电的时候一般人都不会去关闭台灯的开关，而是开着它等待来电。现在台灯是关着的，可是应急灯却开着，很明显罪犯是在故意布置死者在停电期间被杀的假象，没有想到他的做法反而是弄巧成拙了。

125. 国王的愿望

不会实现。

不乏有些母亲生的第一个孩子就是男孩，而她们家没有女孩，只有一个男孩，如果这样的家庭多了，那么男孩的数量甚至有可能超过女孩。

126. 父亲和五个儿子

有钱的儿子老大、老四和老五，没钱的儿子是老二和老三。

Part 3　拓展想象力的思维游戏

1. 蝇蛆也有作用

这位医生先让绿头苍蝇在其他动物的肉上产下卵，再育成蛆，然后将这些蝇蛆经过处理之后涂抹到病人的患处，这样伤口很快就愈合了。因为蝇蛆中富含"抗菌活性蛋白"，此蛋白不仅能够促进伤口的愈合，还具有抗癌的作用。

2. 全新口香糖

聚醋酸乙烯酯。美国口香糖中的原料糖胶树胶取自红松科的树液，而森秋广联想到可以用化合物替代。糖胶树胶是疏水性物质，而醋酸乙烯酯是亲水性物质。因此，醋酸乙烯酯在保持香味上虽不如糖胶树胶，但通过接枝聚合的方法可以达到相同效果。

3. 何去何从的四只苍蝇

答案是还剩下一只，因为那只死苍蝇肯定会留下来，而其他的因为惊吓而飞走了。

4. 印第安箭头

将图中的4支箭头按照下图的方式摆放，此时我们会发现中间的位置会有1个箭头的轮廓。

5. 动物管理员

聪明的切尔德斯是按照下图的方法建围栏的。

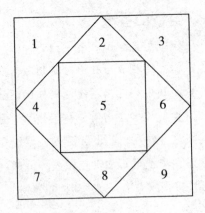

6. 倒霉的农夫

科尔斯特斯对女巫说："你把我喂蝙蝠吧。"假如科尔斯特斯说对了，那么女巫就得把他喂蝙蝠，这与女巫提出的条件是矛盾的；假如科尔斯特斯说错了，那么女巫就得按照提出的条件把他喂蝙蝠，但是这样就证明科尔斯特斯说的没错。在矛盾之下，女巫只好把他放了。

7. 巧用大葫芦

那个邻居说："既然这个葫芦这么大，都可以容纳两个人了，那我们就可以把它当做船啊。"

8. 阿基米德的妙计

阿基米德让所有的士兵都拿起他之前准备的几百面镜子，然后将灼热的阳光反射到罗马的战船上，利用物理学中的光的反射定律，用焦点上的光燃烧战船，最终达到了击溃罗马舰队的目的。

9. 摆放骰子的方法

你可以偷偷将自己的食指沾湿，再用其沾湿某个骰子的一面，将两个骰子贴在一起，最后用两只手指夹着贴在一起的骰子，将其稳稳地放在桌子上骰子的顶部，因为两个骰子通过水粘在了一起，所以自然会停在上面。

10. 指挥喷泉

喷出的水珠带有正电，玻璃棒在经绸布摩擦之后同样带正电，电荷中同性相斥，所以用这根玻璃棒指挥的喷泉会动起来。

11. 举一反三的普通员工

这位工人发现轮船通过通风洞来通风，于是就在包裹方糖的盒子上也戳了几个洞，用于通风，果然达到了不让方糖受潮的效果。

12. 想要过河的毛毛虫

等到毛毛虫变成蝴蝶的时候，就可以飞过去了。

13. 工人卸西瓜

船会逐渐从岸边离开。

当工人从船尾向岸上抛西瓜时，工人会受到反作用力，那么船就会朝着船头所指的方向移动。

14. 相互吞食的蛇

这些蛇的肚子会慢慢被填饱，所以它们将不再进食，而这个圆环也就会停止缩小。

15. 生活中的4-4

比如说，我们在吃粽子的时候，分别在它的四个角上各咬上一口，每咬完一口，粽子上就会留下一个三角形的截面，等到咬完四口之后，自然就会留下四个三角形截面，而粽子现在剩余的角就有12个了。

16. 玛莎分梨

首先，把3只梨切成两半，并平均分给6个人。然后，把剩下的两只鸭梨每个都切成3份，这样一来，每个人又能平均分到1/3只梨。最后，6个人都平均分配到了1份鸭梨，而每只鸭梨也没有被切成3块以上。

17. 世界上最大的影子

夜晚地球的影子是世界上最大的影子。

18. 三个乒乓球

需要借助到一根细长的棍子，然后将乒乓球c从洞里挑出来，按照a的方向向前滑行，然后让a进入洞中；再将b和c一同顺着b原来的方向滑行，从而越过洞口，a就可以出来按照原来的方向滚动；b和c再做逆向滑行，经过洞口的时候，让c继续进入洞中，最后b沿着原本的方向继续前行。

19. 被禁止吸烟的电影院

因为抽烟的这位男子是一位电影中的人物。

20. 桌上还有多少块糖

斯蒂说："剩下的全被我吃了，我最喜欢吃糖了。"

21. 奇怪的女囚犯

这位女囚犯其实是一个孕妇，她被单独关起来就是因为要临产了，所以她囚室中出现的男士就是刚刚生下来的男婴。

22. 司机开的是什么车

因为当时司机开的是灵柩车，他用这辆车来运送死于肺癌晚期的病人。

23. 血迹斑斑的汽车

因为这辆车是献血车。

24. 图中的杯子

如下图的画法就可以得到5个杯子。

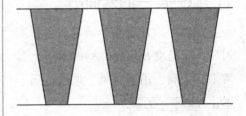

25. 前进的车子

汽车出了一点故障，抛锚了，而司机先生正在后面推车呢。

26. 富有的家庭

这就是小偷自己的家。

27. 新的单词

可以添加Head（头，顶端，最前头），这样原先的3个单词就变成了：Headline（标题）；Headphone（戴在头上的收话器）；Headwaters（河源）。

28. 坏蛋

"坏"蛋自然会浮到水面上了。

29. 想要回家的弥斯小姐

她的公司和住宅是在一起的。

30. 现在有了三匹马

因为这位先生在车子相反的方向上套上了一匹马。

31. 火柴分对

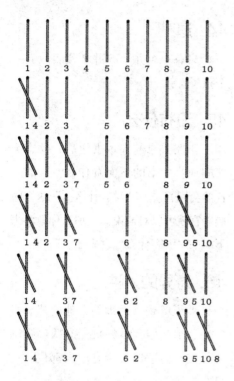

32. 上周遗失的金戒指

这个人说："螃蟹说：'我已经在冰箱里冻了8天了，怎么可能知道上周的事情。'"

33. 兄弟二人过河

兄弟二人用冰块造了一艘小船，然后乘着冰船渡过了冰河。因为冰比水轻，所以冰船可以漂浮在水面上。

34. 看到彼此的脸

这两个人是面对面站立的，任何时候都可以看到对方的脸。

35. 醉鬼

这个酒鬼决定以后再也不看这本书了。

36. 一群淡定的人

这艘船其实是艘潜水艇。

37. 从洞中穿过

将纸折弯，向两边拉伸，让孔变成椭圆形，这样就可以穿过1美元硬币了。

38. 过河的计策

如下图，泰斯勒指挥部下在营寨后面挖开了一条很深的弧形沟渠，使其两端和河水相通。湍急的河水因此而被分为两股，水流就变得舒缓了。

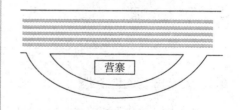

39. 老鼠也能做销售员

彭尼找到1块胶合板，在上面钻了50个洞，然后编上号码，并在胶合板的背面安装了一排装着小老鼠的瓶子。他将这个装置放在柜台后面，这

225

个特殊的装置很快就吸引了很多人观看。为了更加有效他吸引观众，彭尼还在他想要老鼠钻的洞中放一些老鼠粪便，这样老鼠就会钻到这个洞中。

无论是彭尼的装置还是他的做法都吸引了大量的围观者，而这些围观者也愿意到店中看一看，看有什么需要购买的新奇的东西。就这样，彭尼的生意逐渐好了起来。

40. 巧辨小偷

那匹马根本就不是神马，老人抓住小偷做贼心虚的心理，故意这样说，小偷就不敢去拉马的尾巴了，结果所有人手上都有马尾巴的味道，只有他没有，所以他就是小偷。

41. 被劫的珠宝

保镖与珠宝一起被劫了。

42. 触犯法律

这个人选择了"老死"的死法。

43. 公司职员上下班

如下图，C站正好在A—D、D—B两条线的交汇点。职员家在A方向，他工作的公司在B方向。每天早晨，他从A来，在1号站台下车，然后到2号站台换乘B车。傍晚，他也在1号站台下车，然后到2号站台换车去A方向的家。

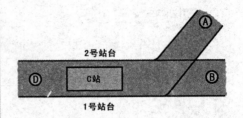

44. 遗产

只有一个儿子，并不代表只有一个孩子。

45. 没有什么

当路人拿起那本书之后，警官突然问他："书的下面有什么？"路人自然会回答说："没有什么。"这个时候警官就可以对他说："那么你就将书下面的'没有什么'拿去吧。"

46. 奇异的人种

他说的是有道理的，他的邻居肯定是一个孕妇，孕妇自然有两颗跳动的心脏；而世界上所有的人都只有一只右眼啊。

47. 朋友打来的电话

这个问题比较好理解，如果两个电话是在两天打来的，那么相同的问题的确会产生不同的答案。比如罗斯在11点56分打来电话，问保罗关于今天晚上足球赛结果的问题，而等到挂了电话正好是12点整，此时乔治打电话问相同的问题，保罗自然无法回答。

48. 绕远

小斯坦德在绕着圆桌走时，猴子也随之移动。

49. 布里泽里奇倒茶

布里泽里奇选择用带把手的杯子给客人倒茶，端给客人的时候，故意将把手朝向客人的左手边，客人只好转动杯子才能端起茶来。

50. 换个思路考虑问题

我们需要先考虑清楚卡片在移动前后只有位置整体对调的变化，同时还会发现如果通过移动卡片然后进行对调根本做不到，所以我们只要另辟蹊径，将整个盒子调换180°就达到目的了。

51. 让座

乔德里斯是公交车司机。

52. 上下楼的方式

A先生的身高非常矮，在下楼梯的时候他可以摁到按钮"1"，但是上楼的时候却无法摁到高处的按钮"10"。

53. 过山涧的方法

一个人可以将自己的木板伸出来，然后站在一端压住；另外一个人可以将自己的木板伸过来，然后搭在对方的木板上，这样两个人就可以过河了。

54. 电影中的男主角

因为这部电影是为了悼念已经过世的这位男演员而播出的。

55. 不同寻常的管子

他们是根据水在低温条件下凝结成冰的特性来制造管子的。他们先是将绷带缠绕到已经有的铁管子上，然后往上面浇水，等到水结成冰之后，他们就抽出铁管子，这样一来就制造出了冰管子。南极不缺水，自然这种管子要多长就有多长了。

56. 骆驼和猫

牧人对那些人说："我的这头骆驼卖1块钱，但是我的这只猫是要搭配在一起出售的，而这只猫卖99块钱。"

57. 乔治切煎饼

第一刀和第二刀相交垂直地切，这样就有了相同大小的4块饼，然后将4块饼叠在一起，用第三刀将其一分为二，就得到了大小相等的8块煎饼。

58. 找到金库的密码

晚上的9时35分15秒，其实就是21时35分15秒，而213515就是金库的密码。

227

59. 抓盗贼的方法

巴拉德先是故意说抓住了盗贼，从而迷惑对方，然后又用化名在报纸上刊登了一条启事，表示自己不小心将一块非常昂贵的手表掉进了25层楼的下水道里，希望能够找到高手在不破坏建筑物的同时拿回金表，酬劳是金表价格的一半。这个诱人的条件肯定会引来那个盗贼，等到他出现的时候，巴拉德就可以抓住他了。

60. 局长眼中的预测机

局长说："预测机会对下一次预测亮红灯。"

如果亮了红灯表示"不会"，那么预测机就错了；如果亮了绿灯表示"会"，这也错了，因为实际上亮的是绿灯，而不是红灯。据此可以推断预测机不准确。

61. 但丁盘中的小鱼

但丁对执政官和众人说："它对我说：'我年纪很小，不知道过去的事情，我现在去同桌的大鱼那里打听打听。'"

62. 公园里的花岗岩

如果只是想要将大花岗岩放到小的上面非常困难，但是将小花岗岩放到大的下面就容易多了。新来的园丁正是想到了这一点，他指挥大家在大花岗岩下面挖了一个洞，然后将小的放了进去。

63. 被击中的空姐

凶手开枪时，空姐正背对着窗户弯腰，而子弹正好射穿她的大腿进入胸部，所以表面上好像中了两枪，实际上只有一枪。

64. 聪明的警官

警官问完话后，假装要骑着摩托车离开，然后故意推倒了摩托车，他喊来刚才那个邻居帮忙，结果邻居一下子就将摩托车抬了起来。要知道警官的那个摩托车是非常重的，但那个邻居却能够轻而易举地抬起，这就说明他其实是一个力气非常大的人，所以他很有可能拿得走60斤重的猪。

65. 区分衣服

将这些衣服放在太阳下，黑色更吸光，更容易发热，以此可以将衣服区分开来。

66. 聪明的企业家

在贴出这张漫画之后，利普顿买来两只肥猪，用彩带装饰了它们，然后还配上了一个醒目的横幅——"利普顿孤儿"。

67. 两只假老鼠

第二个木匠的老鼠是用鱼骨雕刻而成的。猫根本不会在乎像不像老鼠，而是在乎有没有腥味。

68. 猛兽出没的村庄

探险家会问村民说："另一个族的人会说野兽出来还是不出来呢？"和答案相反的结果就是真实情况。

假设今天野兽出来：如果村民是老实族的人，他知道骗子族会说野兽"没有出来"，所以老实族会说"野兽不出来"；如果村民是骗子族的人，他知道老实族会说"野兽出来"，但他是骗子，他们的答案会说成"野兽不出来"。两个结果相同。

假设今天野兽不出来：如果村民是老实族的人，他知道骗子族会说"野兽出来"，所以老实族会说"野兽会出来"；如果村民是骗子族的人，他知道老实族会说"野兽不出来"，但他是骗子，所以会说"野兽出来"。两个结果相同。

69. 伯爵的画像

画师在伯爵画像的脖子下面添加了一个枷锁，并在画像旁边写了一个大大的"贼"字。之后，画师将这幅画贴在城墙上，伯爵知道后虽然很气愤，但又没有办法，因为是他亲自说

这幅画不像他的，万般无奈之下，伯爵只能主动出高价购买这幅画。

70. 罗马尼亚语招牌

乙直接用中文告诉丙和丁。

71. 想要结婚的小姐

央求都司丽结婚的是她的父母，而不是其他男子。

72. 不翼而飞的邮票

小偷把邮票蘸水之后贴在电风扇的叶片上，电风扇在打开状态时自然看不到邮票。

73. 猴子模仿人

这个动作是紧闭两只眼睛，因为当它模仿了之后，人什么时候睁开眼睛，它永远也不会知道了。

74. 困在小岛上的人

这个人在小岛上待了十天，早就骨瘦如柴了，减轻了体重的他就可以通过小桥回到对岸了。

75. 分牛的老人家

先从其他地方借来一头牛，这样就是18头了，给长子9头，给次子6头，给小儿子2头，加起来数字也刚刚是17，然后再将借来的牛还给别人。

76. 笼子里的鸽子

显然是做不到的，因为1+2+3+4+5+6+7+8+9+10=55，多于原本的50只鸽子。

77. 落魄男子抽香烟

尼古丁·奈德可以将10个烟头中的9个卷成3支烟，此时他还剩下1个烟头；当他抽完那3支烟之后就又有了3个烟头，再加上之前的1个，总共就是4个；于是他再用3个烟头卷成1支烟，等到他再次抽完之后，就又有了1个烟头，加上之前剩下的就是2个烟头；此时尼古丁·奈德找到自己的难兄难弟借1个烟头，然后再卷成1支烟，抽完之后将这支烟的烟头还给那位难兄难弟，这样他的10个烟头，就卷成了5支烟。

Part 4 激发创新力的思维游戏

1. 解决问题的日本妇女

其实这个妇女想到的是，既然网子能够网住蜻蜓，那么也能够网住洗衣机里的小杂物，于是她开始不断试验，最终发明了吸毛器技术。

2. 报废电缆的妙用

他将买来的电缆洗干净，切成小段，装饰一番，作为大西洋底的纪念物来出售。

3. 不可搭成的桥

可以。如下图，在最初搭建时可以多放两块积木做桥墩，等到完成后的桥的结构稳定了，就可以将这两块积木撤掉。

4. 手帕的革新

小店老板在手帕上印上了导游图或者地图，这样他的手帕就多了一个实用功能，自然受到了很多外国游客的青睐。

5. 拾荒者的改变

他发现易拉罐里面含有铝合金，通过提炼铝合金，这位先生发了一笔小财。

6. 聪明的画家

利普曼看到了橡皮擦和铅笔没有结合起来的弊端，于是就找了一些薄铁皮，把橡皮擦嵌在铅笔尾部，此发明给绘画带来了很大的方便。

7. 新的结合物

这位食品加工商将这些糖稀和面糊放在一个灼热的铁板上进行烘烤，之后就制成了味道香甜、风味独特的新式食品——饼干。

8. 刀工出众的妇女

沿着下图正方形方框的左右两边各剪1刀，这样就会得到3张碎片；然后将左边或右边碎片从中间剪开，得到4张碎片；最后将4张碎片分别填在下图的正方形方框内。

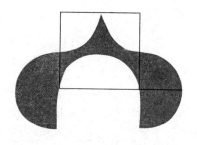

9. 吹尘器的改进性发明

技师赫伯·布斯发明了现在常用的吸尘器。

10. 失恋中的改变

凯文·米毛开办了一家名为"死玫瑰花"的商店，专门出售和邮寄一些枯萎了的花，将其送给那些感情骗子、下流的老板等，目的就是要让这些人产生愧疚之感。

11. 莫可里的发明

莫可里根据乌龟壳内空气振动发声的原理制作出了小提琴。

12. 不同的赚钱方法

这个人没有去淘金，而是开办了航运业务。

13. 犹太人的智商

犹太人对营业员说："如果将票据带在身上，不是很方便也不是很安全，如果将其存放在金库中，我将为此支付一大笔租金，所以我就想到了这个办法，让银行帮我保管一段时间，你们的收费还是比较少的。"

14. 娱乐中的启发

这位皮货商发明了食品冷冻技术。

15. 因祸得福的小牧童

他在铁丝网上加了一些刺，当羊群试图越过铁丝网的时候，就会因为被刺痛而退缩回来。

16. 出版商的发现

精装书虽然价格很高，但是很多普通的市民根本买不起，所以，艾伦·莱恩决定出版普通的线装书，这样做会降低成本，从而让利给普通民众，自然他们的书就可以畅销了。

17. 善于做广告的出版商

出版商宣称："现在有一本连总统都无法下结论的书，欲购从速。"

18. 价格昂贵的粥

这家粥店推出了一款天价粥，售价118元，那个时候的人们还没有见过这么贵的粥。

出于好奇，很多人都会来店里一探究竟：什么样的粥能值118元？他们到了店里，会发现这家粥店不但有

天价粥，还有其他一些普通的小吃。为了不虚此行，他们中的绝大多数人都会品尝这些普通小吃。

店主要的就是这样的效果，他之所以推出天价粥，并不是指望卖出它，而只是想引起人们的注意。

19. 搭建羊圈的儿子

儿子搭建的羊圈如下图：

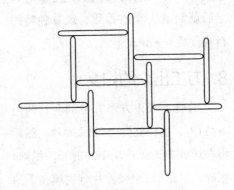

20. 瓦特分苹果

瓦特是这么做的：

因为100的个位数是0，因此并不能满足6只袋子所装苹果的个数末位数都是6，只能有5个6，也即是5×6=30。他把100个苹果分别装进6只袋子里，又因为6只袋子里的苹果一共是100个，所以，一个袋子最多能装60个。

如此一来，还有10个苹果余下来，可以加入随意一只只有6个苹果的袋子，这样一来，每个袋子里的苹果数量分别是：60、16、6、6、6、6。

21. 尼克装蛋糕

在3个小盒子中各装3块蛋糕，然后将3个装有蛋糕的小盒子装进一个大盒子里。

22. 谁的名字靠前

将三位演员的名字写在灯笼上。

23. 哥伦布立鸡蛋

哥伦布稍微一用力，蛋壳在和桌子接触的时候被敲出了一个小平面，鸡蛋就立在桌子上了。

24. 两位小贩的结合

哈姆威将自己的薄饼卷成锥形，用来盛放冰激凌，这就是蛋卷冰激凌的前身。

25. 降落伞的质量

技术顾问的命令是：所有生产降落伞的工人，在完成生产之后都要亲自背着降落伞去检验其质量。

26. 选美大赛

D佳丽说："写到这里，年轻的作家撕去稿纸，然后自言自语道：'这么俗的情节怎么会出自我的手笔。'"

27. 七喜的定位

七喜公司运用逆向思维推出了一个全新的概念——非可乐。

28. 画家的智慧

画家将气压表送给了看守宝塔的人，作为交换条件，看守员将宝塔的设计图拿给他看，他自然就知道了宝塔的精确高度。

29. 海鸟肚子里的珠宝

商人围上栅栏的目的是吸引海鸟来这里安家。之后，商人将各种粮食和果实撒给这些海鸟吃，当海鸟吃饱之后，它们就会将先前吃下的珠宝全部拉出来，就这样，商人就可以得到这些珠宝了。

30. 聪明的家臣

家臣将红色和蓝色的花朵掺杂在一起，这样眺望的时候就会显得颜色多样，甚至还会误看成紫色的花朵。

31. 做事要有勇有谋

小儿子拔出一支箭射向盘子，结果盘子翻了，4个苹果都掉到了地上。

32. 水和可乐

总共喝下去1杯可乐、1杯水。

因为虽然加了两次半杯水，但总共加起来是1整杯；而之前的可乐没有增加也没有减少，还是1整杯。

33. 没有买到茶叶之后

他购买了大量的箩筐，然后将这

些箩筐卖给了那些买到茶叶的商人，这样他就可以轻而易举地在这些商人身上赚到钱了。

34. 箭头的方向

在1个玻璃杯中装满水，再将其放在纸板的前面，玻璃杯相当于透镜，透过透镜，箭头的方向就改变了。

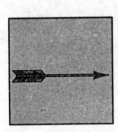

35. 苹果中的"星星"

横着切开苹果，的确可以看到"星星"。

36. 好主意

收税官先让神河马走上彩船，在船的外侧标记水位；之后让神河马下船，往船上装金币，直到水位达到之前的标记处时停止。这样，船上的金币重量肯定和神河马的体重相同。

37. 推销的方法

将黑色的"抱娃"放到模型雪白的手臂上，这样看起来黑白分明，"抱娃"显得格外醒目，也格外惹人喜爱，销量自然就好起来了。

38. 奇妙的方法

首先，在第1个杯子中放入1块糖，在第2个杯子中放入2块糖，在第3个杯子中放入3块糖；其次，将第1个杯子放在第2个杯子上。

这样就可以满足题目中要求的3个条件了。

39. 解决上厕所的问题

在厕所旁边的墙上贴上各种海报，包括当下热门的电影，以及下一档电影的介绍等等。有了这些丰富的信息，顾客也就不会再因为等厕所而烦躁，抱怨也就少了很多。

40. 一笔完成

答案参照下面这幅图：

41. 喜欢喝酒的小气鬼

第一步，两人中的任意一人将酒分成两杯；第二步，让另外一个人去选择一杯，剩下的一杯给分酒的人。这样两人就都不会有怨言了。

42. 聪明的宫女

抓来一只蚂蚁，然后将丝线轻轻拴在蚂蚁身上，再在另一个出口处抹上蜜糖，蚂蚁就可以从一端爬向另一端，线也就随之穿过去了。

43. 剪开绳子

乔里奇将绳子接成一个圈，这样剪开一次，还是一条绳子。

44. 神枪手

如图：

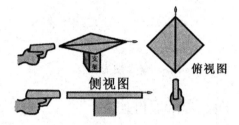

45. 上升的水位

首先，将大勺子中的水倒入任意1个桶中，这样这个桶的水就上升到了桶口处；其次，将大勺子慢慢平放入另外1个桶中，直到桶中的水上升到桶口处为止。

46. 抓鸟儿的方法

其实只要用照相机进行拍摄，就能一下子"抓住"两只鸟儿，而且这样做又方便又快捷。

47. 聪明的老校工

老校工的办法是：点燃一根香烟，吸上一口，然后对着管子喷出去，喷的时候在管子上做一个标记，

然后看哪根管子冒烟就再做一个标记，自然就可以区分所有的管子了。

48. 100万美元赎金

斯密斯将赎金变成赏金，让全市所有人帮着救自己的儿子，重赏之下必有勇夫，绑匪中有人看到了这则消息，于是心生贪念，最终引起了窝里斗。

49. 三家裁缝店

第三家裁缝店的广告牌上写道："本店是这条街最好的裁缝店。"

50. 特殊的骑马比赛

组委会让两位参赛者交换马之后再比赛，为了能使自己的马"落后"，他们都会拼命骑着对手的马向前奔跑。

51. 偷越边界的间谍

这个间谍可以一边向前挖，一边填埋身后的地道，这样就可以成功越界了。

52. 不能左转

如下图虚线，这就是乔走的路线。

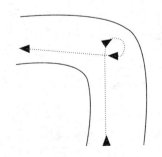

53. 被串起来的字母

如图：

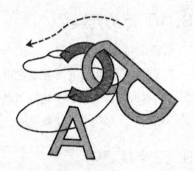

54. 融冰的办法

这个船员提出的办法是将所有煤渣、煤灰等深色的物体放到船的周围以及船所通行的航道上，这样在太阳的照射下，这些东西升温要比浅色的东西快，这样就可以帮助他们打开航道了。

55. 铺设大厅中的地板

可以做到，不过不能用正五边形。

如下图的两种五边形都可以实现没有缝隙的铺设。

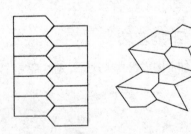

56. 坏事变好事

可以利用这个离谱的案件来造声势，利用这次事件来渲染该厂生产的

足球的魅力，这家厂子自然就可以名声大噪了。事实上的确是这样，在接下来的半年时间里，这家厂子的销售额增加了四倍以上。

57. 一点点改变

其实，他只是将西瓜稍微包装了一下。他在纸上用特殊的颜料写了一些吉祥话，然后剪下来贴在西瓜上，等到西瓜成熟时，因为颜料的缘故，瓜皮上就留下了文字，自然吸引了很多人，西瓜也就很快卖出去了。

58. 如何画曲线

首先作一个正方形，将该图形相邻的两个边分成等距离的一个一个的小段，然后如图所示一点一点地连起来，一条完美的曲线就画出来了。将两个这样的曲线对接，就会得到题干中所说的图形。

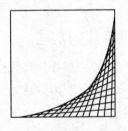

59. 电风扇的革新

他提出，将电风扇全部涂成浅颜色，之后，东芝电器公司根据他的建议，推出了一批浅蓝色的电风扇。

Part 5 增强应变力的思维游戏

1. 顺利通过天桥

给汽车稍微放放气就可以做到了。

2. 轮胎爆掉了

从其他3个轮胎上各卸下一个螺丝，这样就可以固定这个轮胎了。

3. 特工的减肥之法

他买了一套比他自己的衣服大很多号的衣服，然后穿上去就给人感觉他清瘦了很多。

4. 爱因斯坦的旧大衣

爱因斯坦回答说："现在更没有必要换了，反正现在所有人都认识我。"

5. 让马飞起来的本领

其实这个人只是在拖延时间，因为一年有很多天，或许在这些天里会发生很多事情，国王有可能驾崩、国家甚至可能毁灭，所以他觉得躲过一天算一天，说不定能够逃过一劫。

6. 农夫的智慧

农夫说自己的智慧在家里，改天再带过来。老虎有点等不及了，它想要现在就看。于是农夫说，他回去取智慧，但是他担心老虎会吃掉老牛，所以要捆住老虎。老虎答应了，农夫捆住老虎以后就杀死了它。

7. 一头牛吃草的故事

因为这头牛根本就没有拴在这棵树上。

8. 逃脱这间房子

这个人对警卫说："这场比赛太难了，也太没有意思了，我认输了，我不参加了。现在请您让我出去吧。"

9. 到底有几桶水

这个小孩说："关键是要看您有多大的桶。如果您的水桶和水池一样大，那么就只有一桶水；如果您的水桶只有水池的一半，那么就有两桶水；如果您的水桶只有水池的1/3，那么就有3桶水……"

10. 到底该扔谁下去

将最重的那个人扔下去。

11. 潜水艇里的老兵

用发射鱼雷的方法将所有的人一个个发射出去。

12. 油漆匠的徒弟

将新的家具和旧的家具都油漆一遍，它们自然就都一样了。

237

13. 保加利亚队的战术

保加利亚队故意让对方得到2分，从而赢得了5分钟的加时赛，在加时赛中他们一举打垮了对手，成功晋级。

14. 反应超快的老人家

老人家打完驴子之后说："我早上出门的时候就问过你，你说你在外边没有亲戚，现在怎么遇上了？"

15. 拿回九龙杯

表演前，这位酒店员工对魔术师说："变魔术后告诉大家你现在已经将九龙杯变到了切斯利先生的公文包中。"

16. 灭火的方法

在近火的地方，气流会向火焰那边吹去。老猎人利用这个原理，在脚下点了一把火，于是在他的身边瞬间就升起了一道火墙。火墙迎着对面来的大火烧过去，两火相撞，火势骤然减弱，直至熄灭。

17. 波音747

波音公司就此事做了广告，声称如此破旧的飞机都能够保障旅客的生命安全，更何况新飞机。

18. 狄更斯钓鱼

狄更斯说："作家最喜欢虚构故事了。"

19. 智斗彪形大汉

汤姆逊用非常凄惨的声音说："先生，行行好，给点吃的吧。"

20. 完整的方糖

这是速溶咖啡，他只放了咖啡粉末，还未向咖啡里倒水。

21. 小汤姆租房子

小汤姆非常严肃地对房东说："先生您好，我要租您的公寓，我没有孩子，不过我要带两个大人，这样应该符合您的要求吧？"

22. 哲学家救故乡

阿那克西米尼对亚历山大大帝说："陛下，我现在请求您下令摧毁莱普沙克斯城！"

23. 银行没有意义的规定

这个人到柜台上取走5000美元，然后将不需要的钱再存进去。而且他在存钱的时候是100美元、100美元地存，他以这种行为向银行抗议，让他们知道那条荒谬的规矩是多么没有意义。同时他还将自己的方法告诉了所有排队的人，让大家也按照这种做法去做。

24. 司机的演讲

司机说道："这个问题太简单了，要不请我的司机来回答这个问题吧。"

25. 跌倒的女演员

女演员说："为了走到这个位置，我一路艰辛，有时候甚至会跌倒。"

26. 商人催债的方法

商人所登的告示中，并没有借款者的真实姓名，全部都是虚构出来的。这些借款者没有看到自己的名字，就以为这位商人对自己非常好，出于感激他们纷纷还清了借款。

27. 逃脱险境

一个人攀上软梯，另外一个人等到水淹没到颈部的时候再开始攀爬，后面这个人的攀爬速度和水涨的速度一致，让水始终在其颈部附近，这样借助水的浮力软梯就可以承担两个人的体重了。

28. 柯南和更夫的配合

柯南在更夫来到窗下的时候点亮了灯盏，这样强盗手拿钢刀的影子就很清楚地映在了窗户上，这就给了更夫暗示。聪明的更夫看到窗子上的影子，于是大喊"抓强盗"。

29. 大臣的智慧

大臣可以问任意一个武士，比如可以问第一个说："请你告诉我，另外一个武士将会如何回答他手里拿的是美酒还是毒酒这个问题？"如果第一个说

第二个回答手中的是毒酒，那么第二个手中的肯定是美酒，因为如果第一个说了真话，那么这种情况下第二个说了假话，所以第二个拿的其实是美酒。

也就是说，无论第一个和第二个武士哪一个人说真话，只要大臣得到的信息是第二个人手中的是毒酒，那么事实上他手中肯定是美酒。

同样，如果第一个人说第二个人回答自己手中的是美酒，那么事实上第二个人手中的就是毒酒。

30. 老鼠的繁殖能力

还是一只，因为一只老鼠根本无法交配，无法繁殖。

31. 二战时期的故事

约翰上桥之后直接往西走，走了4分钟的时候就往回走，等到守卫看到他的时候，会让他回去，因为他没有通行证，这样他就可以掉头往西走了，自然就可以过桥了。

32. 高级的反驳方法

切斯特·郎宁对对方说："按照你的逻辑，一个人要是喝过什么样的奶就会有什么样的血统，那么先生你不是天天都要喝牛奶吗？那么你的身上一定有奶牛的血统了？难道您是人牛血统的混血儿吗？"

33. 师生二人的辩论

苏格拉底对人们说："请你们一定相信，刚才柏拉图说的这句话是真话。"

34. 驳斥对方的方法

贝尔克里反驳说："您的推论实在是太精妙了，按照您的说法，所有的鹅都吃白菜，而参议院先生您也吃白菜，难道您是鹅吗？"

35. 无所不有的百货公司

经理让一个店员倒立，这样店员的肚脐就"长"在脚下了。

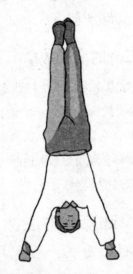

36. 给鱼翻了个身

年轻人说："我的要求是，谁刚才看到了我的行为，那么就请挖掉他的双眼。"说完之后，包括国王和王后在内，所有人都说没有看见年轻人翻过鱼。年轻人最终免于一死。

37. 士兵击中帽子

排长要求士兵将帽子挂起来，并没说挂在哪里。将帽子挂在枪口上当然也可以，这样就能轻松击中帽子了。

38. 喝干海水的方法

伊索让主人走到大海边，然后对着众人说："我是要将整个大海的水都喝完，但现在河水不断注入大海，这就不好办了。如果谁能够将海水和河水分开，那么我就可以将海水喝干。"

39. 精彩的第一节课

这位女老师说："刚才其实是我给大家上的第一节课，我希望大家都能够记住，摔倒并不可怕，但是关键是要懂得在摔倒之后爬起来。不管我们在人生中遇到什么问题，这就是我们取胜的法宝。"

40. 反戈一击

托马斯·赫胥黎说："对的，盗贼最害怕的就是嗅觉灵敏的猎犬。"

41. 机智巧辩

儿子这样回答母亲："神明不会抛弃任何正直的人，而众人不会背叛不正直的人。因此，我永远不会被抛弃。"就这样，儿子利用母亲逻辑中的盲点说服了母亲。

42. 士兵的回答

士兵回答说："我是一个号兵，我没有枪。"

43. 地震后的消息

老人的孙女是播音员。

44. 自讨无趣的皇家公爵

谢里登说："我相信我正好处于这两者之间。"谢里登巧妙地将"无赖和愚蠢"与"两位公爵"偷换了概念。

45. 先生是位"妻管严"

这位先生解释道："你就是脖子，头如果想动的话，就必须听从脖子的。脖子扭向什么方向，头就要朝向什么方向。"

46. 侍从救地方官

侍从对地方官说："既然你知道，那么你为什么要放纵你的百姓种田来缴纳赋税？为什么不让你的百姓饿着肚子将这些地方腾出来，让我们的国王用来打猎呢？你说你该当何罪？"

47. 反应敏捷的山姆

面对妻子的质问，山姆说："我就像是一艘潜水艇，常年潜伏在水下，虽然不能够扬帆远行，但也没有船翻人亡的危险，所以能够'天下太平'了。"

48. 卖保险

亨特尔说："你错了！你想想看，一旦发生了战争，政府会派哪一种士兵上战场，是那些买了保险的，还是那些没有买保险的？"

49. 作家和批评家相遇

作家说："我恰好相反，我只给蠢货让路。"

50. 钢琴家和观众

波奇对观众说："我看到你们每个人都买了两三个座位的票。"

51. 不愿下跪的诗人

齐司弗里克说："不是我要见

你，而是你要见我的。如果我像其他人一样都跪着脸朝下，那么请问陛下您怎么能够看清我呢？"

52. 外国友人会保守秘密

罗斯福微笑着对对方说："我也能。"

53. 小丑的智慧

当大家都往大门外跑时，小丑却跑进狮子笼，并且将狮子笼关了起来。

54. 买驴子和上学

老师对家长说："如果你用这些钱买了驴子，而不让自己的儿子上学，那么你们家就有两头驴子了。"

55. 罗西尼听曲子

罗西尼对年轻人说："不是的。我有个习惯，见到熟人就要脱帽致敬，在阁下的曲子中我碰到了很多熟人，所以只能频频站起来给他们致敬了。"

56. 帽子和脑袋

安徒生对他说："先生，你帽子下面的那玩意儿又是什么东西啊，难道能算得上是脑袋吗？"

57. 三位国家领导人的梦

斯大林有条不紊地说："我梦

见，我没有批准对丘吉尔先生的任命，同时也没有批准对罗斯福先生的任命。"

58. 演讲中的干扰

威尔逊说："这位先生请不要着急，我马上就要讲到你提到的脏乱问题了。"

59. 一丝不挂的拥抱

丘吉尔张开双臂拥抱对方，然后说："大不列颠首相是没有任何东西对美国总统隐瞒的。"

60. 苏格拉底式的幽默

苏格拉底说："我就知道，打雷之后必然有倾盆大雨。"

61. 流行的东西

赫尔岑对朋友说："难道流行性感冒也是高尚的吗？"

62. 承认错误的卡耐基

卡耐基主动对警察说："先生，这一次又被您看到了，上一次您说小狗这样出来的话就要罚款，现在就请您罚我吧！我没有任何借口了，我有罪！"

卡耐基自己先把警察要责备他的话说出来，警察就拿他没有办法了，并最终原谅了他。

Part 6 锻炼判断力的思维游戏

1. 判断公共汽车的方向

　　公共汽车有一个特性，为了乘客上下车方便而设置乘客门的方向。在右侧通行的国家，乘客门设置在车的右边；在左侧通行的国家则相反。图中的公共汽车乘客门显然是在我们看不到的一侧，而中国又是右侧通行的国家，所以可以判断这辆公共汽车驶往A站。

2. 错误率极高的朋友

　　要知道第二个朋友的错误率达到80%，如果参考对方意见的反面，那就是说正确率达到了80%，显然这是最好的选择。

3. 出了问题的钟表

　　乔德尔斯家的钟表是数字钟表，组成数字的一段不起作用了。

4. 掷硬币

　　他的说法是错误的。因为每一枚硬币面朝上或者面朝下都是独立的，和其他硬币没有任何关系。当投掷3枚硬币时，面朝上的概率仅为25%。

5. 蜘蛛和军队

　　蜘蛛大量吐丝是寒潮来临的信号，拿破仑知道天气就要冷下来了，等到大水结冰之后，他们就可以顺利通过了。

6. 两个人的影子

　　蜘蛛侠和蝙蝠侠的身高相等，所以他们的影子一样长。

7. 古希腊人的数字展览

　　奇数之积总是奇数、任何奇数的任何次幂计算结果都为奇数。图中的画除了B之外，其他结果均为偶数。

8. 房间里的蜡烛

　　还剩下3支蜡烛。

　　没有被风吹灭的蜡烛最终会燃尽，而被吹灭的蜡烛最终会留下来。

9. 从无限到无限

　　只要将所有客人挪到号码是原来房号2倍的房间，这样就能为无数位新到的客人提供无数间房间。

　　事实上，要想解决类似问题，可以参考希尔伯特旅馆问题。该问题是以德国数学家大卫·希尔伯特命名的，这个问题主要是为了说明无限的两倍仍旧是无限。

10. 跳开题目中的陷阱

　　两个人之间是父女关系。

　　在思考题目的过程中，我们总是

站在中年人的角度来思考问题，认为年轻人一定是男性，两人之间只能是父子关系。事实上，这只会让我们陷入思维的盲区，错误地接受了题目的心理暗示。其实，题目中根本就没有对年轻人的性别作出任何提示，所以两人之间是父女关系。

11. 哪段路程更短

假设不考虑街道的宽度，单从理论上来推算的话，两种方法所走的距离一样长。但如果考虑到街道的宽度，那么就应该考虑两地之间的直线距离最短，街道越宽，B就越接近于该直线距离，也就比A方法所走的距离更短。

12. 谁离得更近

两人离A地的距离相等。

13. 一个奇怪的人

精神病院。

14. 妹妹的年龄

有可能发生。

姐姐于2001年1月1日在一艘由西向东将过日界线的船上出生，而妹妹则是越过日界线之后出生，而那时的时间应该是2000年12月31日。

15. 石头的重量

通过牛顿第二定律，"加速度和物体所受的重力成正比，与其质量成反比"可以知道，任何物体在不计空气阻力的情况下，下落的速度都是一致的。

16. 两个小大力士

当我们将两个核桃放在手中时，手的杠杆力就会集中在两个核桃接触的地方，所以较为容易捏碎；而将鸡蛋放到手中的时候，杠杆力会分散到鸡蛋的各个地方，所以很难将鸡蛋捏碎。

乙如果想要赢得"大力士"的称号，就要选择捏两个核桃。

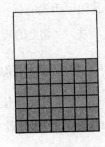

17. 舀来舀去的牛奶和茶

答案是一样多。我们可以用图来解释，从甲杯子中舀到乙杯子中的牛奶体积，和从乙杯子中舀到甲杯子中的茶体积正好相等。

① 假设下图是半杯牛奶和半杯茶。

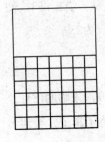

② 舀出一勺牛奶放入茶杯中。

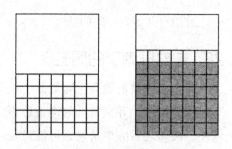

③ 下图是牛奶和茶在茶杯中的混合物。

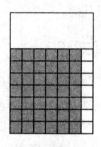

④ 舀出一勺上图这种混合物放入牛奶杯子中。

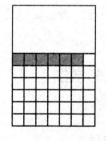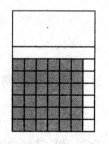

由上图可以看出最终甲杯子中的茶和乙杯子中的牛奶一样多。

18. 头顶的缆车

这条小路正好在缆车的下方，缆车的两个车厢悬在一根缆绳上，由山顶一台电机驱动一根长长的牵引绳索拉上拉下。这时，下山的车厢就成了上山的车厢的平衡力量。

所以，上下两个车厢是同时发车的，它们相遇的地方正好是路程的一半。

19. 沙漠中的供水商

他将和要买12升水的客人做生意。

表面上看来，只需要从皮囊中倒出6升水，然后将剩下的卖给那个需要19升水的客人就可以，但是皮囊中装着多少水只有供水商知道，客人并不知道。虽然供水商想要这样做，但是客人并不会答应，他们宁愿一升一升地买。

20. 作案的全过程

如果真的是歹徒抢劫，怎么可能将钱全部拿出来，然后只留下一个空手提袋呢？

21. 座位的秘密

根据题目可得知，新西兰人只会说英语，因此，必须要首先将其安排在两个会英语的人中间，即A与C之间。其他每个人除了会说本国语言外，还会说一门外语，那么，A旁边可以安排D，而C旁边可以安排B。B与D能用日语交流。

整理之后答案如下：

245

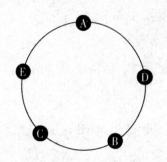

22. 餐桌上的座位

爷爷的左边是儿子，然后是孙子；爷爷的右边坐着孙女，其次是儿媳。

23. 谁说了谎

电力工程师偷了公文包。

因为日本国旗是白底红日，根本无所谓正反，挂倒就更不可能了。因此，根据电力工程师的话可以判断出，他在说谎，其具备作案条件。

24. 购物的同学

甲在1层购买了一条裤子、乙在3层购买了一双鞋、丙在2层购买了一件上衣、丁在4层购买了一个随身听。

25. 两种颜色的字母

Z应该是黑色的。根据上面的逻辑，我们会发现所有一笔能完成的字母都是黑色的，而其他的都是白色的。

26. 复杂的亲戚关系

这个人其实在看她丈夫的继母的外孙媳妇的照片。

27. 三个抽屉里的钥匙

乔治打开的是中间的抽屉。

28. 被安排满了的周五

编造再完美的谎言也有纰漏，经不起认真推敲，乔克密斯的谎言也不例外，两周之后的事情怎么可能被安排得如此妥当呢？再说，没有人会提前安排好葬礼的。

29. 时间对照

D的评价正确。因为两个"3分钟"并不相同，一个标准而另一个不标准，因此，罗伯特的推断是错误的，他犯的正是"混淆概念"的错误。

30. 儿女成群的老人

男孩是甲、乙、戊、庚；女孩是丁、丙、己。

31. 参观植物园的学生

最后一位同学是女孩。

32. 瓶子中的液体

第一个瓶子中是可乐，第二个瓶子中是白酒，第三个瓶子中是冰红茶，第四个瓶子中是啤酒。

33. 想逃脱的兔子

兔子可以先将船划到圆心，然后以0.24R为半径的圆周的某一点上，沿着这个半径的圆周作逆时针（或顺时针）划行，由于圆周的半径小于R的0.25，所以这个小圆周的周长也不及湖岸周长的1/4。

兔子不断划船，那么就会离狼越来越远，当兔子和狼处于同一条直径的左右两侧时，此时兔子离岸最近点距离为0.76R，而狼要到这一点需要跑3.14R的距离，而3.14R>4×0.76R，所以在这种情况下，狼抓不住兔子。

34. 四种假设

选D。

35. 地图中的城镇

①F ②B ③E ④F ⑤C

36. 铁道线附近的居民

我们可以将这些居民看成是一条直线，医院就应该在最中间用户家的附近。

37. 瑞恩教授的行程

周五。

38. 买了什么

乔纳斯、迪克和汉森分别买了：书包、篮球、英语词典。

39. 该给谁发牌了

不需要。一副扑克牌总共有54

张，最后的一张牌应该发给希尔乐左手邻座，所以希尔乐只需要从最后开始倒着发牌，就可以完成发牌，而且不会有错误。

40. 吝啬鬼的曲折逻辑

这是一笔糊涂账。其实，吝啬鬼先前给的10美元早已经换成清汤面，从交易成立开始就不能再由吝啬鬼用来支付其他食物了。因此，不能再计算在内。而吝啬鬼要想吃海鲜面就必须再付10美元。

41. 社区家庭比赛

在上面的名单中，A君参加了4次比赛，而M君因为临时有事没有参加，所以可以断定他们是一家人。最终可推断出A君和M君是一家人、B君和Q君是一家人、C君和G君是一家人、D君和H君是一家人、E君和F君是一家人。

42. 正确与否的判断

第一道题选A；
第二道题选B。

43. 互联网狂躁症

选项C在时间上弱化了论据，所以它不可能成为导致"互联网狂躁症"的病因。

44. 排名次

詹姆斯第四名，鲁尼第二名，杰森第三名，汉克第一名。其中，只有詹姆斯估计错误。

45. 谁先谁后

由题目可知，乙站最后，以此类推，正确的答案为：戊、丙、己、丁、甲、乙。

46. 倒在地上的老人

A警官拘捕的是第一个人。因为他居然准确地知道老人是在锁门，而不是推测老人是在开门还是在锁门，通过这一点可以判断他一直在窥视老人，要不然怎么可能那么肯定呢?

47. 被拿错了的杯子

德尔斯特拿着人事经理的水杯，而他的水杯在洪思丽的手中。

48. 谁杀死了间谍

双重间谍R出生于罗马，所以"X"并不一定只代表字母，还有可能代表罗马数字的"10"。根据图片中的3位嫌疑人，我们可以猜测R是想写"XII"，还没有写完就断气了。XII代表罗马数字"12"，所以A就是杀死R的凶手。

49. 被偷了的小偷

是那位时髦小姐。因为如果是后面两位中的一位偷的，那么他应该连那位小姐的钱包一起偷走才对，就算他不偷走，他也无从知道口袋中的钱包哪一个是小偷的。

50. 初级会计职称考试

该学院的所有学生都通过了初级会计职称考试。

51. 女孩子的年龄

库里索娃的话是可信的。假设她的生日是在1月2日，而她回答别人询问的时间是12月31日，那么她在去年元旦的时候的确只有19岁，今年是20岁，过了后天就变成了21岁了。

52. 点牛排的那位先生

坐在C处的汤姆点了牛排。

这道题的关键在最后的"邻座的人点的东西都不一样"提示上，所以我们可以按照次序排出每个人点的东西，此时就会发现主菜那里唯独缺少了牛排。

如果马克坐在A处，那么肖恩一定不会在B和C处，而是坐在D处。而坐在B处的人点了猪排，那么汤姆就应该在C处，最后推断出坐在C处的汤姆点了牛排。

53. 喜欢刁难人的老教授

老教授的年龄是74岁。

54. 时间和路程的问题

第一名侦探。

假设两位都先跑步行进，在跑到一半路程的时候，第二名侦探开始步行，但是此时第一名侦探还在跑步。因为他在跑步的一半时间里比步行那一半时间里速度快，所以他领先了。等到他改为步行时，第二名侦探也在步行，所以第一名侦探会率先到达终点。

55. 参加体育运动的三兄弟

老大是体操全能冠军。

56. 狐狸又一次的成功

$5 \times 15 \div 3 \times 4 = 100$，狐狸只不过是绕了个大弯子，为的就是迷惑老虎。

57. 种玉米分金币

每人分得10个金币。很多人看到题目时都会立刻下笔运算，但仔细审题后会发现农场主是让他们两个人"各包一半"，当然工作量就是一人一半，而工钱是与工作量有关的，这与他们的工作速度并无关系，工钱自然均分，所以每人分得10个金币。

58. 爬出深井的青蛙

需要5天。

很多人都会粗心地认为白天爬上6米，而晚上掉下去3米，那就是一天爬上来3米，然后18米深的井，就需要6天。但是他们忽略了一点，那就是最后一天当它爬了6米以后就不会再下滑了，因为它已经脱离了这口井，所以要想算出正确答案就应先减去这6米。也就是前12米，青蛙需要4天来完成，而最后的6米只需要1天，最终青蛙需要5天就可以爬出这口井。

59. 有很多"腿"的房间

房间里一共有39条腿，那么有人坐的凳子就有5条腿、有人坐的椅子就有6条腿，这样就可以列出一个公式：$5 \times$ 凳子数 $+ 6 \times$ 椅子数 $= 39$，得出凳子数是3，椅子数是4，又因为凳子和椅子上都有一个人，所以一共有7个人。

60. 帆船的变化

选B。

因为帆不能兜住所有的风，从帆边缘漏过的风产生推力。吹到帆上的风产生的力与风扇本身向后的作用力平衡，不起推进作用。所以船在漏过的风的推力下向后走，不过是速度比较慢。

61. 买衣服

阿曼达买了"A牌"的衣服，萨拉买了"C牌"的衣服，维娜买了"B牌"的衣服，赫本买了"D牌"的衣服。

Part 7 提高数算力的思维游戏

1. 两家公司的待遇

B公司的待遇更好一些，因为：

第1年，某人在A公司可以得到100万元，而在B公司则是50万元+55万元=105万元。

第2年，某人在A公司可以得到120万元，而在B公司则是60万元+65万元=125万元。

第3年，某人在A公司可以得到140万元，而在B公司则是70万元+75万元=145万元。

……

显然，在B公司每年都会比在A公司多收入5万元。

2. 石匠出的数学题

这道题其实就是1到9这9个数字的有趣组合，当这9个数字从大到小依次排列，然后减去它的逆序数时，就能满足泽克·尔斯特的题目要求。

公式如下：

987654321－123456789＝864197532。

3. 算出100来

我们可以将这些数字看成一个系统，然后通过不同的层级进行考虑和分析。

首先，找到一个和100最接近的

数，我们会发现将最后两个数字结合起来是89，它最接近100，仅仅比100少11。

其次，找出和11最接近的数字，很明显就是将前面两个数字放在一起的12，它只不过比11多1。

最后，我们再来解决多出来的这个1。

最终可以找到最合适的答案：

12＋3＋4＋5－6－7＋89＝100。

4. 警探和警长的对话

这段对话应该发生在上午的9点36分。

从午夜到现在的1/4就是2小时24分钟，然后加上现在到午夜的一半，也就是7小时12分钟，加起来就是9点36分。

5. 小朋友玩棋子

将棋子的总数以及取棋子的次数设为未知数，然后按照题意列出方程式进行计算，最终可以知道黑棋子是48个，而白棋子是24个。

6. 聪明的司机过桥

其实，只要让小车最多有3个轮胎压在桥上，那么就可以成功"减轻"

小车对桥的压力了。

我们可以借助"勾股定理"来完成这个看起来很考验驾驶技术的难题。依照图片，小车的长为4米、宽为3米，所以小车两个对角轮子的距离约为5米，桥长为4.5米，那么小车就可以倾斜着过去了。

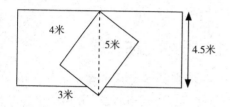

7. 一道"24点"的题目

可以列出如下6个算式：

$8÷（6-4）×6$；

$6+6+4+8$；

$6×8÷（6-4）$；

$6×6-8-4$；

$（4-6÷6）×8$；

$（6+6）×（8÷4）$。

8. 奔跑着的小狗

小狗总共奔跑了300米。

姐姐和弟弟的速度都是2米/秒，他们会在路程的中点相遇，总共耗时100秒。在这100秒的时间里，小狗以3米/秒的速度不停奔跑，那么它总共奔跑了300米。

9. 三位搭车的先生

根据已知条件，从乔司先生家到

甲市单程出租费为60元，那么到中点的乙村为30元。去甲市时，从乔司先生家到乙村，车上只有乔司先生，那么他就应该独自支付这30元；从乙村到甲市，出租车上有3个人，那么每人支付10元；从甲市到乙村车上有3个人，则每人支付10元；从乙村到乔司先生家，车上有乔司先生和李斯里先生，则每人支付15元。最终乔司先生应该支付65元，亨特先生应该支付20元，而李斯里先生应该支付35元。

10. 爬楼梯的乔尔

还需要64秒。

因为从1楼到4楼只需爬3层楼梯，而从4楼到8楼则要爬4层楼梯。

11. 小朋友采蘑菇

假设，到家的时候每个小朋友都有x个蘑菇，那么最初齐斯里斯给了布雷恩特（x-2）个蘑菇、巴斯尔特x个蘑菇、诺特勒斯（x+2）个蘑菇、克斯科尔德2x个蘑菇，这些加起来的公式就是x−2+x+x+2+2x=45，最终得出x=9。

所以，最初齐斯里斯分给布雷恩特的是7个蘑菇、巴斯尔特9个蘑菇、诺特勒斯11个蘑菇、克斯科尔德18个蘑菇。

12. 算年龄

A是54岁，B是45岁，C是4岁半。

13. 年轻的妈妈和聪明的小朋友

这位妈妈的年龄是32岁。

设妈妈和小朋友的年龄分别为a和b，通过题目给出的已知条件可以列出两个等式：（b−4）×7=a−4；a=4b，最终算出妈妈的年龄。

14. 放入桶里的乒乓球

在放到第9分钟的时候，桶中有半桶的乒乓球。

这个题目不难，只需要考虑第10分钟放入的乒乓球数目是第9分钟的2倍，那么第9分钟桶中乒乓球的数目正好会达到一半。

15. 算出现在的时间

现在的时间应该是7点6分39秒。

1999小时2000分钟2001秒其实就是2032小时53分21秒，将12的倍数的小时减去之后就变成了4小时53分21秒。所以这个题目可以缩减为"再过4小时53分21秒是12点"，那么现在就是7点6分39秒了。

16. 疯狂填数字

（5）+（4）=（9）

（8）−（1）=（7）

（2）×（3）=（6）

17. 小学生称体重

假设5个女孩的体重分别为a、b、c、d、e，两两相加则为称出的重量，最后算出5个女孩的体重为：30千克、31.5千克、29.5千克、31千克、29千克。

18. 沙漠中的冒险者

第2批有3个人。

9个人找到第2批人的时候，他们的水足够9个人喝4天，和第2批人合用，可以喝3天，那么第2批人在3天中喝的水等于9个人一天喝的水，则他们为3个人。

19. 总在降价的衣服

店主降价之后的价格正好是之前价格的40%，由此我们可以计算出该服装的进价是128元。

20. 完全数

28。

28的约数为28、14、7、4、2、

1,除了其本身之外,其他的和同样为28。

21. 半秒钟的事故

刚好能避免事故发生。因为车速是65千米/小时,也即是说在半秒钟内,车行驶了(65×1000)/(60×60×2)≈9.03米,而前方那辆车正好停在距此车10米处,因此交通事故并没有发生。

22. 最接近10的数字

这道题目最关键的是要弄清楚两个问题:如何处理".";如何理解"尽量接近自然数10"。

对于".",我们将其看成小数点,那么就可以有"3.3+3.3+3.3=9.9"的公式,但是少了3个".";

如果我们将两个"."看成是一个比例符号":",那么就能够得到公式"3:3+3:3+3:3=3";

如果将"."看做是一个乘法符号"·",那么就会得到公式"3·3+3·3+3·3=27",结果已经超过了10,而且超过了很多。

将这些综合起来用,就会有:

[(3·3):(3·3)]+3:3=2

(3:3)·3+(3:3)·3=6

(3:3+3:3)·3.3=6.6

……

(3:3)·(3:3)+3·3=10

通过上面的算式可以看到,只有6.6最接近10,注意最后一个算式的答案是10,但不是接近10。事实上,我们可以将"·"看做是3.3的无限循环小数,那么就会有3.3̇+3.3̇+3.3̇≈10,而该答案才是最接近10的答案。

23. 推算等式

111111111×3=333333333

111111111×4=444444444

111111111×5=555555555

……

111111111×9=999999999

由题目中等式"12345679×9=111111111"和等式"12345679×18=222222222"可以推断出:

12345679×9×3=333333333

12345679×9×4=444444444

12345679×9×5=555555555

……

所以,填写在括号内让等式成立的数字分别是:27、36、45、54、63、72、81。

24. 蛋糕分块

因为方形蛋糕的高相同,因此,只需要保证侧面周长相同,即可保证每块蛋糕所覆盖的糖霜量相等。接着从蛋糕的中心,即两条斜线的交点,如下图进行切割即可。而且,诸曼·尼尔森和佛瑞斯特·菲舍在1973年也为此提供了证明。

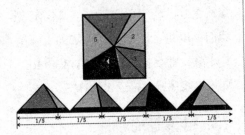

25. 让不等式成立

首先，中间的括号对四周都是大于号，所以中间的数字应该是最大的，那就是9；

其次，4角上的4个括号对其相邻的括号都是小于号，所以应该将最小的1、2、3、4填在这4个括号内；

再次，4边上中间的括号都小于9而大于1、2、3、4，所以这4个括号中可以填写5、6、7、8；

最后，将1、2、3、4和5、6、7、8进行一定的调整，就可以得到最后的答案了。

答案应该是：

（1）	<	（5）	>	（2）
∧		∧		∧
（8）	<	（9）	>	（6）
∨		∨		∨
（4）	<	（7）	>	（3）

26. 学生组成的方阵

既然是方阵，那么最后的答案肯定是某个数的平方，而答案中A、C、D分别是16、15、14的平方，那么直接可以排除答案B。

最终可推断出应该是$16^2=256$，所以选A。

27. 树木和年龄

将最早的那10棵树的年龄设定为x，最后一批树的年龄设定为y，那么，根据已知条件可以列出公式：（x-y）÷1.5×10=150-10；x=8y。

所以，最早的那10棵树的年龄是24岁，而最后一批树的年龄是3岁，所以他的年龄应该是31岁。

28. 算出对角线的长度

我们可以先画出长方形的另外1条对角线，就可以看到其是圆的半径。长方形的2条对角线是相等的，所以从A到B的长度与圆的半径的长度相等，都是10厘米。

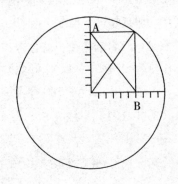

29. 连续整数的和

首先，1000就是1个答案。除此之外，将连续数的平均值设为x，那么1000必须是x的整数倍。如果其个数为偶数个，x就不是整数了，故x只能是2.5、12.5、62.5才行。如果平均值为12.5，要连续80个才能够达到。62.5是可以的，即61、62、63、64等16个数。连续数的个数为奇数时，平均值为整数，1000为平均值的奇数倍。1000=2×2×2×5×5×5；x可以为2、4、8、40、200，排除后剩下40和200是可以的。最终可以推断出总共有4组，即平均值分别为40、62.5、200的3组整数和1000。

30. 属于两个人的彩票

最有利的出价方法是出5001元。如果你出价5002元，对方出价5001元的话，那么你就需要付给对方5001元，这样就等于你为了这张彩票付出了10001元，通过这种推理可以知道，出价超过5001元对自己不利。如果我们出价少于5000元，假设为4999元，在对方出价高于你的时候，你就亏损了1元钱。

31. 巴德尔遇到的难题

这道题目需要从长方形的面积入手。按照图示，这块布料的面积应该为10×7−6×1=64（平方米），所以最终将其拼成正方形之后，正方形的边长应为8米。这块布料是长方形，我们可以将其分为对称的2块，因为拼成的正方形的边长应该为8米，我们可以从布料长为10米的一边入手，设法将这条边剪至8米。

这个开剪点总共有两种取法：

一种是可以在这条边上距某一个端点，比如距离右端点2米的地方，或者距离左端点2米的地方，可以取做开剪点；还有一种是将距某个端点1米的地方以及距另外1个端点1米的地方看做是对应的开剪点，而在其对边上也找到相应的两个开剪点。前者有两个开剪点，剪出的2条折线，根据对称性，应该都终止于中间那个长方形孔洞，从而仅把这块布料分为两块；而后者会把这块布料分为三块。所以我们建议取前面这种剪法。

据此我们可以依照下图裁剪这块布料，巧妙利用布料上的空余处，从而拼凑成整张布料。

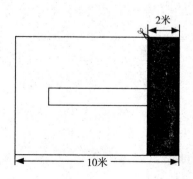

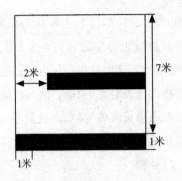

32. 中介公司的收费方法

2250元。

1万元以下的部分收费50元，1万元到5万元之间的费用收取40000×3%=1200元，5万元到10万元之间的部分收取50000×2%=1000元，加起来就是2250元。

33. 购买厨房餐具的夫妇

这对夫妻购买了12套叉子、勺子和小刀。

假设未知数a为1把勺子和1把叉子在一起的价格，然后再设未知数b为1把小刀的价格、未知数c为他们身上所带的钱数。按照题意可以列出两个方程式：21a=c和28b=c。也就是说21a=28b，推出a=（28/21）b。

再假设这对夫妻需要购买x把叉子、勺子和小刀，那么x（a+b）=c，也就是x[（28/21）b+b]=28b，两端都约去b之后，得到x[（28/21）+1]=28，则得出x=12。

34. 泳道到底有多长

50米。

我们先将泳道的位置进行颠倒，这样泳道就和长方形游泳馆、圆形场地都有了联系，像下图一样。

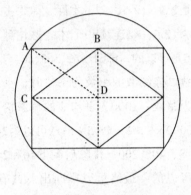

那么，泳道的长度BC等于从菱形中点（即圆心）至圆形场地AD的距离（长方形对角线相等），而其长度又和圆形场地的半径相同，也就是50米。

35. 球的体积

1个球体的体积再大，也只能占据相应的塑料盒子的52%。在装小球的塑料盒子中，装了16个小球，相当于将大盒子拆分成了16个小盒子，而每个小球占据盒子的52%，其实最终也表明这16个小球占据了这个大盒子的52%。而同样，大球占据了这个塑料盒子的52%。所以两个盒子中装的球的体积是相同的。

36. 算出小正方形的面积

要想保证速度，那就需要用最简单的方法，所以我们可以跳过一些步骤来计算此题。

通过观察图形我们可以看出，中间的小正方形分别连接着4个不完整的正方形，所以我们就需要将这4个不完整的小正方形补齐。我们再观察会发现中间那个正方形的各个顶点正好是1个三角形顶点，我们会发现这4个三角形正好可以填补不完整的4个正方形，如下图。

既然如此，想要得到中间那个小正方形的面积就很容易了。中间那个正方形的面积是大正方形面积的1/5，通过简单的计算可以得知它的面积为5平方厘米。

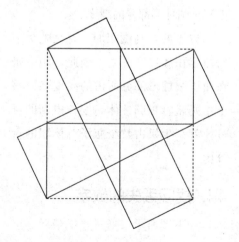

37. 计算器上的数字

会得到数字"555555"。

事实上，不论第一次输入的是1到9中的哪一个数字，那么经过这些步骤之后都会得到一串6个与最开始输入的数字相同的数字。

38. 算出物品的数量

23。

这道题目其实有很多种解法，现在介绍最简单的一种：

先找出满足"以3个3个的方式计数，最终余下2个"的自然数，有：2、5、8、11、14、17、20、23、26……128……

然后找出满足"以5个5个的方式计数，最终余下3个"的自然数，有：3、8、13、18、23、28……128……

再找到满足"以7个7个的方式计数，最终余下2个"的自然数，有2、9、16、23、30、37……128……

通过观察，你就会发现有23、128……满足条件，而最小的答案显然就是23。

39. 夏令营中的小朋友

男孩子有4个，女孩子有3个。

当1个人看到别人头顶上帽子的时候并不会看到自己头顶上的帽子，因此如果假设男孩子的人数为a，女孩子人数为b，那么任意1个男孩就能看到（a-1）顶黄色小帽子和b顶红色小帽子；任意1个女孩则能看到a顶黄色小帽子和（b–1）顶红色小帽子。我们可以根据已知条件列出如下的两个不等式：a–1=b和a=2（b–1）。

求解得出a=4，b=3。也就是说有4个男孩子、3个女孩子。

40. 快速算答案

选C。

通过仔细观察，你会发现算式中的0.0495、49.5、4.95之间似乎有某种联系，而这和选项中的4、9、5也有某种联系。那么将其作为公约数提取出来：

$0.0495 \times 2500+49.5 \times 2.4+51 \times 4.95=4.95 \times 25+4.95 \times 24+51 \times 4.95=4.95 \times （25+24+51）=4.95 \times 100=495$

41. 填充七角星

答案如下图：

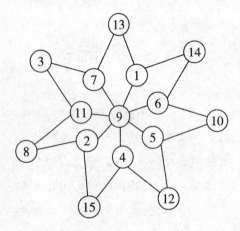

42. 忘记带钱包的男人

3分20秒。

1点10分的时候，这位先生离开家已经有80×10=800米了，而母亲离开家有100×5=500米，那么2人之间的距离是300米。

从此时到2人碰面需要300÷（100+80）=1分40秒。而这位先生将返回的距离又走了一次，那么往返浪费的时间应该是1分40秒×2=3分20秒。

43. 牛奶瓶的秘密

首先，将牛奶瓶正放，用直尺量出牛奶在瓶子圆柱形部分占的高度，然后，将牛奶瓶倒过来，再测量出牛奶液面距离瓶底的距离（即空余部分占瓶子圆柱形部分的高度）。

以上两个高度相加，就是整个牛奶瓶容积圆柱体高度。因此，用牛奶在瓶子圆柱形部分所占的高度除以整个牛奶瓶容积圆柱体高度，得到的百分比就是牛奶占整个瓶子总体积的百分比。

44. 找回丢失的数字

如下图所示，通过竖式最后一层可以看到，c=0。efg和hij的结果是三位数，而lmnp和rst的结果是两位数，而lmnp>efg，因此rst>hij，这样b>7。a和

d分别与除数相乘后都得四位数，由此 a>b，d>b，这样只可能b=8，a=d=9，现在得商是97809。

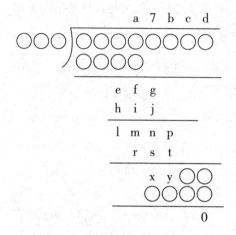

因为rst≤999，所以除数不能大于124。xy不能大于11，应是10或11，又lmnp≥1000，因此rst>988，123×8=984，所以除数一定大于123。不能大于124，而又必须大于123，那么除数就应该是124，则124×97809=12128316，如下图：

```
                9 7 8 0 9
1 2 4 )  1 2 1 2 8 3 1 6
         1 1 1 6
         ────────
             9 6 8
             8 6 8
             ────────
             1 0 0 3
               9 9 2
             ────────
               1 1 1 6
               1 1 1 6
               ────────
                     0
```

45. 停电晚上用的蜡烛

设蜡烛点燃的时间为未知数x，每1小时粗蜡烛燃烧长度的1/5，而细蜡烛燃烧长度的1/4。所以粗蜡烛剩余部分的长度应该是1−x/5，细蜡烛剩余部分的长度应该是1−x/4。我们还知道粗蜡烛和细蜡烛原本的长度一样，剩余的长度1个是另1个的4倍，那么4（1−x/4）等于粗蜡烛残余长度（1−x/5）。

从而得到方程式：4（1−x/4）= 1−x/5

解方程式，得x=$3\frac{3}{4}$（小时）。

也就是说，两根蜡烛燃烧了3小时45分钟。

46. 猴子分桃子

最开始有3121个桃子。

这道题目可以通过最后剩下1020个桃子入手，然后一步步算出每只猴子在扔桃子之前的数量，最终得到开始的数字。

1020÷（1−1/5）+1=1276（个）

1276÷（1−1/5）+1=1596（个）

1596÷（1−1/5）+1=1996（个）

1996÷（1−1/5）+1=2496（个）

2496÷（1−1/5）+1=3121（个）

47. 因病去世的先生

假设他在世时某年年龄为未知数

x，那么就可以得到x²<1945。因为x为自然数，所以x²-x = x（x-1），他在世年龄应该是1945-x（x-1）。1945的平方根约等于44.1，那么x就应该是44或比44稍微小一些的数字。而当x=44时，x（x-1）=44×43=1892，继而通过1945-1892得到53；而当x=43时，x（x-1）=43×42=1806，再通过1945-1806得到139；x要是再取小一些的话，还会得到更大的数字。虽然人活139岁是有可能的，但是毕竟有失常理，而且题目中已经交代这位先生是因病去世，所以53岁的年龄较为合适一些。

最终得知，这位先生出生于1892年。

48. 惧内的M先生

假如M先生一直在火车站等司机，那么因为司机晚出发了半个小时，所以就晚到达火车站半个小时，也就是说M先生应该比以往晚半个小时到家。但是M先生只是比平常晚到了22分钟，缩短了8分钟的迟到时间。如果当初M先生一直在火车站等待的话，那么司机本来要花在从现在遇到M先生的地点到火车站再回到这个地点上的时间。也就是说，如果司机开车从现在遇到总裁的地点赶到火车站，单程是4分钟，所以如果M先生一直坚持在火车站等待，那么他的汽车还有4分钟就

到了，也就是说他将会等待30-4=26分钟，而心急火燎的M先生根本不愿意等待，所以他就将这些时间全部花费在了走路上，也就是说M先生走了26分钟。

49. 趣味数手指

两次都会数到小指上。

解决这个问题显然不是一个指头、一个指头数下去，而应该找到其中的规律。在上述题目中，8个数字形成了1个循环，所以无论多么庞大的数字，我们只需要给其先除8，知道余数之后，开始数余数就可以了。1981除以8最终得到5，简单数一下最终数到小指上。

而判断10972753981是同样的方法，不要去管前面的10972753，因为10972753000为1000的整数倍（1000÷8=250），只需要给981除8，然后继续数余数就可以了，最终还是落到小指上。

50. 聪明的商人

先从大桶中倒出5千克的油到5千克的桶中，然后将这5千克的油倒入9千克的桶中；再从大桶中倒出5千克的油到5千克的桶中，然后用这5千克油将9千克的桶灌满，此时5千克的桶中还剩下1千克油；再将9千克桶中的油倒回大桶中，大桶中就有了11千克

油；接着将5千克桶中的1千克油倒入9千克的桶中，再将大桶中的油倒出5千克，此时大桶中有6千克油，而另外的6千克油也变成了1千克和5千克两部分。

51. 走过狭窄的小桥

我们先给他们4个人命名为A、B、C、D。现在A和B一起过桥，这样他们需要4分钟；然后A返回送手电筒，耗时3分钟；接着C和D一起过桥，需要9分钟；接着留在桥那边的B返回送手电筒，耗时4分钟；最后A和B再一起过桥，需要4分钟。

最终他们的耗时是4+3+9+4+4=24分钟。

52. 把甜饼分给好朋友

帕德尔·修斯金总共有15块甜饼。

朋友甲得到了7.5+0.5，也就是8块甜饼，此时还剩下7块；朋友乙得到了3.5+0.5，也就是4块甜饼，此时还剩下3块；朋友丙得到1.5+0.5，也就是2块甜饼，此时还剩下1块甜饼；最后朋友丁得到了0.5+0.5，也就是1块甜饼。

53. 填入圆圈中的数字

1到8这些数字中，只有1和8这两个数字只有一个相邻数，其他的6个数都有两个相邻数。在下图的圆圈C只和圆圈H不相连，所以如果圆圈C中任意

填写2到7中的一个数，那么只有在圆圈H中才能够填写它的相邻数，这显然无法操作。

于是在圆圈C中只能填写1或者8，同样圆圈F内只能填写8或者1，而圆圈A中只能填写7或者2，圆圈H中只能填写2或者7。

此时我们再去填其他数字就方便很多了，具体答案如下图：

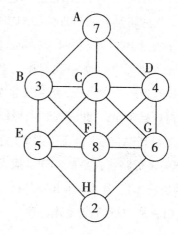

54. 去姨妈家

其中一位骑着自行车1个小时之后，然后将自行车放在路边，步行2个小时到姨妈家；而另外一位先是步行2个小时，看到路边的自行车后骑着自行车去姨妈家，这样他们就会在最短的时间内到达姨妈家。

55. 仆人们分遗产

因为每个人所分到的财产和自己

261

的服务时间有关系，我们姑且将遗产分为10部分，这样女佣人会得到1份，会客室的仆人得到3份，而厨师得到6份。因为遗产总共是7000元，那么每1份就是700元，则女佣人得到700元，会客室的仆人得到2100元，厨师得到4200元。

56. 飞行着的苍蝇

　　如下图，一般的方案都是先从A点飞行到D点，然后沿着边一直飞行到B，然后借助勾股定理算出AD的长度，再加上BD，最终的答案都超过两个边长的长度了。如果我们找到立方体顶部1条边的中点C，然后连接A和C，再连接B和C，此时苍蝇就可以通过A飞行到C，然后再飞行到B，这样苍蝇的飞行路线就是AC+CB。假设底座的边长为1，那么AD+BD=$\sqrt{2}$+1，而AC+CB=$\sqrt{5}$，显然后者要小一些。

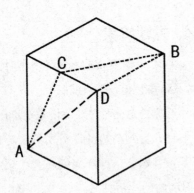

57. 还来还去的小费

　　设定最开始时帕克有x元，吉尔诺

斯有y元。而根据已知条件可列出方程式：x+y=80；2[2y−（x−y）]=80。

　　解方程式可得，最开始帕克有50元，而吉诺尔斯有30元。

58. 著名的弹子比赛

　　杜伯曼剩下的弹子数是他们开始时两人弹子数总和的1/5，或者占自己原本数量的2/5。杜伯曼的弹子数在增加了20个之后，就变成了原来的6/5，增加的弹子数占原来的1/5。所以，每个人在开始时都有100个弹子，等到游戏结束之后，杜伯曼有40个弹子，卡拉汉有160个。

59. 不同的图案

　　通过列方程式可知，问号处应该填39。其中，✿代表9，〰代表6，☆代表24，♛代表3。

60. 小朋友吹泡泡

　　假设小朋友一次性吹出了x个泡泡，根据题意可列出等式x+x+x/2+7=32，最终推算出小朋友一次性吹出10个泡泡。

61. 女星的年龄

　　古莉是27.5岁，阿曼妮是16.5岁。

　　想要算出这个答案，就需要从后向前推。当阿曼妮只有5.5岁的时候，古莉是其年龄的3倍，也就是16.5岁；而当阿曼妮到了3倍于古莉的这个年龄时，阿曼妮就是49.5岁了；当古莉还是这个年龄一半的时候，就是24.75岁，阿曼妮的年龄就是13.75岁；此时古莉现在的年龄正好是阿曼妮那时年龄的两倍，也就是27.5岁。

62. 算出圆的直径

连接图中的A和C，则AC为长方形ABCD的对角线，该长方形另一条对角线BD长为9.5厘米，那么AC也为9.5厘米，而AC又为圆的半径，则直径为19厘米。

63. 教授研究赛马比赛

奥克里斯查教授可以按照如下的方法给3匹马下注：帕萨斯12元、乔德斯里15元、克布里斯特20元。

当然，前提是胜者是在这3匹马中间，否则教授就会亏损很多。

64. 阴影部分的面积

图中的阴影部分是两个正方形的一部分。小正方形的面积是9平方厘米，将边长为4厘米的正方形围绕小正方形旋转到任何位置，遮盖部分的面积总是相等。旋转的过程中大正方形将线段ac平分时，遮盖部分的面积正好是1.5厘米乘以1.5厘米，而阴影部分的面积就是2.25平方厘米。

65. 喜欢收藏的先生

这道题目比较简单，将拖拉机、挖土机以及卡车分别设成未知数x、y、z，然后列出等式：x+3y+7z=140；x+4y+10z=170；10x+15y+25z=？；x+y+z=？。前两个等式通过计算可得：y+3z=30，将其以不同形式分别与前两个等式组合，可得出：5[2（x+3y+7z）−（y+3z）×3]=5（2×140−30×3）；x+4y+10z−3（y+3z）=170−3×30。二者分别计算后得出：10x+15y+25z=950；x+y+z=80。

最终，算出购买第3批玩具需要950元，购买第4批玩具需要80元。

66. 巨大的蜘蛛网

我们来尝试完成这道题目：

第1步，20×4=80厘米（周长）；第2步，80÷3.14≈25.48厘米（直径）；第3步，25.48×25.48≈649.23平方厘米（正方形面积）；第4步，25.48÷2=12.74厘米（圆半径）；第5步，12.74×12.74×3.14≈509.65平方厘米（圆面积）；第6步，649.23−509.65=139.58平方厘米（四个角的面积）；第7步，139.58÷4≈34.9平方厘米（蜘蛛网的面积）

最终计算出蜘蛛网遮盖住了34.9平方厘米的地方。

67. 数学老师的题目

具体的答案如下图：

$$
\begin{array}{r}
173 \\
+ \quad 4 \\
\hline
177
\end{array}
\qquad
\begin{array}{r}
85 \\
+ \quad 92 \\
\hline
177
\end{array}
$$

68. 修士撞钟

10点时，修士的撞钟时间是56.25秒。

我们来计算一下：5点的时候，修士总共撞钟5次，而其中有4个间隔，耗时是25秒，那么每次间隔需要时间为6.25秒。现在要撞钟10次，而间隔为9个，那么就是9乘以6.25，最终得出56.25秒。

69. 掉入水中的帽子

卡萨诺瓦的帽子飘落之后船又航行了5分钟，之后他转过船头在5分钟后找到帽子，在这个过程中，帽子借助水流的速度在水中漂行了1千米，帽子耗时10分钟漂行了1千米，那么据此可以计算出河流的水流速度为6千米/小时。

70. 追风少年的速度

用行走的总路程除以总的耗时就是年轻人的平均速度。

现在假设从山顶到山底的距离是20千米，那么乔·摩尔上山的时间是2小时，而下山的时间是1小时，他走了1个来回，也就是说他所走过的路程为80千米，而耗时是6小时，所以他的平均速度约为13.33千米/小时。

71. 猫和狗的百米赛跑

不能同时达到终点。

狗的速度快于猫，按照它们速度的比例，第二场比赛当狗到达终点时，猫距离终点还有1米。

72. 猫和狗的往返跑比赛

最终是猫获胜。

当猫跳跃100次的话，正好能够在10米长的跑道上往返一次；狗在跳跃33次之后正好完成9.9米，为了完成10米跑道，它还需要再跳跃一次，这样就超过跑道0.2米，而其往返一次需要68跳。在猫跳100次的时间里，狗只能完成67跳，所以最终是猫获胜。

73. 盗贼分香槟

3个盗贼可以这样平分：其中1个盗贼拿走3个2升满瓶、1个1升满瓶、2个2升空瓶、1个1升空瓶；另1个盗贼拿走2个2升满瓶、3个1升满瓶、1个2升空瓶、3个1升空瓶；最后1个盗贼拿走2个2升满瓶、3个1升满瓶、2个2升空瓶、1个1升空瓶。

这样，他们会各自拥有7升的香槟酒和5升的空瓶。

74. 八阶魔方的奥妙

要想解答这个八阶魔方的问题，有一个诀窍，那就是每行、每列的一半相加之和等于魔数（260）的一半。正确答案，如图所示：

52	61	4	13	20	29	36	45
14	3	62	51	46	35	30	19
53	60	5	12	21	28	37	44
11	6	59	54	43	38	27	22
55	58	7	10	23	26	39	42
9	8	57	56	41	40	25	24
50	63	2	15	18	31	34	47
16	1	64	49	48	33	32	17

75. 拖拉机站

这道题目可以借助逆推法来计算：

24+24+24=72；

12+12+48=72；

6+42+24=72；

39+21+12=72。

根据上面的4个算式，我们可以知道，第1家有39台拖拉机，第2家有21台拖拉机，第3家有12台拖拉机。

76. 探险家玩牌

甲刚开始有260元，乙刚开始有80元，丙刚开始有140元。这道题目可以用倒推法来解答。

77. 抽出的扑克牌

按照下图摆好扑克牌：

4	9	5
A		8
7		3
6	10	2

78. 倒来倒去的水

第一，先给每个水杯中倒满水，然后将水壶中的水倒掉；第二，将小杯子中的300毫升水倒入水壶中，然后用大杯子中的水注满小杯子，再将这300毫升水倒入水壶中，此时将大杯子中剩下的200毫升水倒入小杯子中；第三，用水壶中的水注满大杯子，此时水壶中剩下了100毫升水，将大杯子中的水倒入小杯子中，然后倒掉，这样操作两次之后，大水杯中剩下100毫升水；第四，将水壶中的水倒入小杯子。此时，两个水杯中均有100毫升水。

79. 妇女买鸡蛋

这位妇女总共购买了16个鸡蛋，老板送了2个，总共是18个鸡蛋。

假设，这位妇女最初购买了x个鸡蛋，那么可以列出公式：12×（12/x）–[12/（x+2）]×12=1，最终算出x=16。

80. 交易

根据3个人的谈话，设出未知数，最终算出巴拉克有11头牲畜，里贝里有7头牲畜，科尔有21头牲畜。

81. 方格中的数字

22	21	13	5	46	38	30
31	23	15	14	6	47	39
40	32	24	16	8	7	48
49	41	33	25	17	9	1
2	43	42	34	26	18	10
11	3	44	36	35	27	19
20	12	4	45	37	29	28

82. 有趣的纸条

1	2	3	4	5	6	7

3	4	5	6	7	1	2

5	6	7	1	2	3	4

7	1	2	3	4	5	6

2	3	4	5	6	7	1

4	5	6	7	1	2	3

6	7	1	2	3	4	5

83. 正确的数字

答案是168。

每一个方框中的数字都是其正下方两个方框数字的乘积。

84. 数学家的遗嘱

按照遗嘱，儿子是妻子的2倍，而妻子是女儿的2倍，可以算出儿子占财产的4/7，妻子占2/7，女儿占1/7。

85. 业余网球比赛

淘汰赛中若是参加人数为单数，那么有一人就可以直接晋级比赛。那么：

参赛人数：1044 522 261 131 66 33 17 9 5 3 2；

比赛场数：522 261 130 65 33 16 8 4 2 1 1；

比赛场数之和为1043。

86. 放入抽屉的蛋糕

下图是蛋糕的摆放形式：

下一个能拿出巧克力蛋糕的可能有2种。

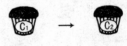

所以，答案是2/3的可能性。

87. 酒桶中的酒

A桶中原有66升酒，而B桶中原有30升酒。

88. 冲咖啡的方法

在烧开水时洗咖啡杯和咖啡壶，最终需要14分钟就可以完成。

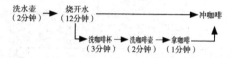

89. 吝啬鬼的保险箱

3个号码均为37。

90. 保险库里的金币

第1袋=60枚硬币；第2袋=30枚硬币（60的1/2）；第3袋=20枚硬币（60的1/3）；第4袋=15枚硬币（60的1/4），据此可以知道每袋里的硬币数都是第1袋里的硬币数（即60枚硬币）与那袋的序数比，则：第5袋=12枚硬币（60的1/5）；第6袋=10枚硬币（60的1/6）。

91. 懒人过桥

21元。

懒人在第三次过桥的时候只有

24÷2=12元，加上第二次过桥后给魔鬼的24元，那么他在刚过桥时翻了一番的钱数就为36元，则他在第二次过桥之前有18元。同样的方法算出第一次过桥前有21元钱。

92. 盘子中的巧克力糖

有27块。

剩下的8块巧克力糖是第3个人醒来时的2/3，则其醒来时有12块；同样，这12块为第2个人醒来时的2/3，则其醒来时为18块；同样的方法计算出，第1个人醒来时，盘子中有27块。

93. 速度求差

19米。

每位选手都是匀速跑完比赛的，选手A抵达终点时，选手B还在90米处，相同时间内的路程比为100/90，即选手B的速度是选手A的90%。同理，选手C的速度是选手B的90%。因此，当选手A抵达终点时，选手B正处于90米处，而选手C应该正处于81米处。

94. 花园小道

49米。

这位女士在各段路上行走的路程依次如下：

A=9米；B=8米；C=8米；D=6米；E=6米；F=4米；G=4米；H=2米；I=2米。一共49米。

267

95. 空格填数字

如图：

$$7 + 4 + 5 = 16$$
$$\times \quad \times \quad \times$$
$$8 + 9 \div 3 = 11$$
$$+ \quad - \quad -$$
$$6 + 1 \times 2 = 8$$
$$= \quad = \quad =$$
$$62 \quad\quad 35 \quad\quad 13$$

96. 不会被扔下去的海盗

第一轮被扔下去人的编号分别是1、3、5、7、9……599；第二轮被扔下去的是2、6、10、14……598。按照这个方法推下去，最终能够得到512，其实只要选择小于600的，最大的2的n次方就可以得到答案。

所以，这个海盗只要站在第512位上，不管经过几轮的筛选，他都不会被扔下去。

97. 商贩的苹果

甲和乙各自有210个苹果。

按照甲和乙的出售价格，那么1个苹果的价格分别是1/3元和1/2元，而放在一起之后，1个苹果的价格就是2/5元。假设甲和乙均有x个苹果，那么根据已知条件可以列出等式：

$x/3+x/2=2x \times 2/5+7$。

最终可算出x为210个。

98. 大正方形中的小正方形

答案如下图所示：

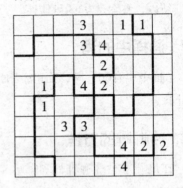

99. 九个空格

共有四种答案，如下所示：

1	9	2
3	8	4
5	7	6

图1

2	1	9
4	3	8
6	5	7

图2

2	7	3
5	4	6
8	1	9

图3

3	2	7
6	5	4
9	8	1

图4

100. 两个圆环

小圆转2圈的距离与大圆的周长相等，因此，答案为2圈。

小圆在大圆内部绕圈，和外部绕圈所走的距离是相等的，所以仍然只需要转2圈。

101. 中尉的巧妙安排

当有360人的时候，排列方式如图所示：

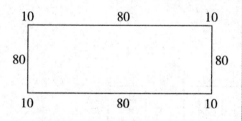

当剩下340人的时候，排列方式如图所示：

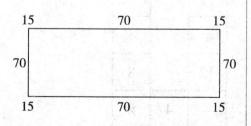

当剩下320人的时候，排列方式如图所示：

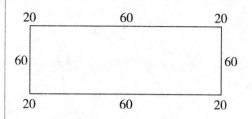

当剩下300人的时候，排列方式如图所示：

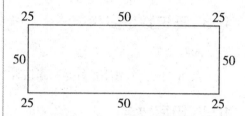

当剩下280人的时候，排列方式如图所示：

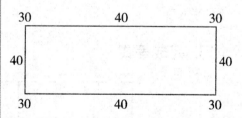

当剩下260人的时候，排列方式如图所示：

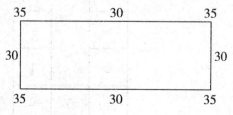

102. 圆圈中的数字

第一，答案如图所示：

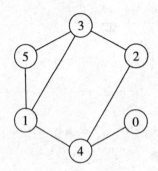

第二，答案如图所示：

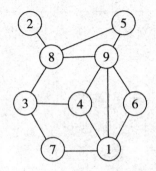

103. 三位数是多少

504。

7、8、9这3个数字恰好是一组倍数，$7 \times 8 \times 9 = 504$。

104. 填写数字

16。

从三角形左下角开始，沿着顺时针方向行进，这些数字分别是1到9这9个数字的平方数。

105. 完成等式

7		10	−	43		20
+		×		÷		=
3		9		11		6
×		+		+		÷
2		1		12		8
÷	5	−		−	4	×

106. 工作中的拖拉机

84吨。

用A的工作时间的小时数和B的工作时间的分钟数相乘，会得到C运送的白菜的吨数。其他拖拉机运送的白菜吨数同样可以通过这个方法计算得出，则最终可以算出A运送的白菜吨数。

107. 不断滚动的骰子

第一，答案如下图：

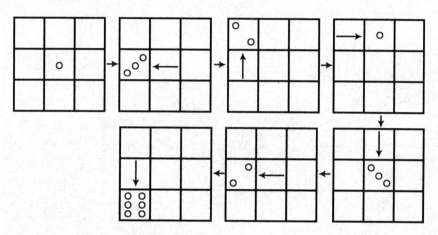

第二，答案如下图：

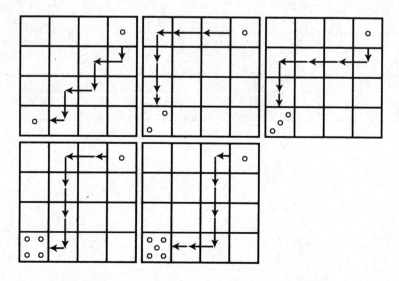

108. 长方形

能组成36个长方形。

将这36个长方形的面积相加，得到870，正好与29×30方框的面积相等。但是如图所示，并不能做到将所有长方形都放进去，有一个1×3的长方形没有放进去，而29×30方框的右下方有3个1×1未填入长方形的空白。

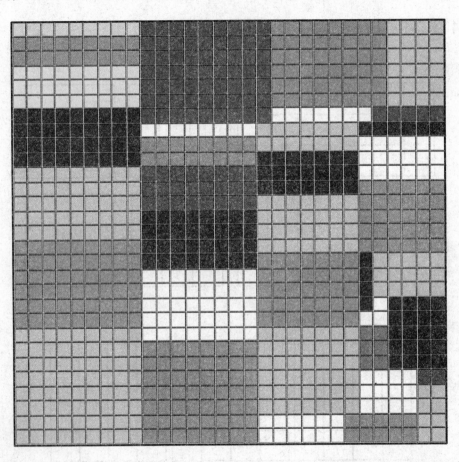